過去問題集&テキスト

2級 建設業経理士

出題パターンと解き方

ネットスクール
桑原知之 編・著

ネットスクール出版

はじめに
～みんなが幸せになる資格～

日本は『世界でも有数の土木・建築の技術を持つ国』ではありますが、そんな素晴らしい技術を持つ会社があっけなく倒産してしまう国でもあります。
会社というのは、どんなにすごい技術を持っていても、資金調達などバックヤードの支えが弱いと、ちょっとしたトラブルやアクシデントで取り返しのつかないことになってしまうものです。
そこに、建設業経理士の存在意義があります。

また、建設業経理士は、とても珍しい資格です。
この試験に合格すると、建設業に必要な計数感覚が身に付くばかりか経営事項審査で加点されるので会社も喜べる、つまり「本人も会社も幸せになれる」という事務系の資格ではとても珍しい資格です。

しかもこの試験は、科目の建て付けがいい。
２級までで建設業経理の基礎をしっかりと学び、１級になると入札などの際にとても重要な積算の基礎となる『原価計算』を学び、財務諸表ができるまでのプロセスや考え方を『財務諸表』で学び、さらに出来上がった財務諸表の読み方を『財務分析』で学びます。
これで、積算でミスして損失を被ることもなく（原価計算）、きっちりとした決算書が作成でき（財務諸表）、さらに自社や取引先の経済状況も把握できる（財務分析）という、建設業における理想的な経理士の誕生です。

さあ、みなさん。この建設業経理士を目指しましょう！
この資格を取って、みなさん自身も、みなさんの会社も、そして……。
そして、みなさんの周りにいる大切な人たちも幸せにしていきましょう！
ネットスクールは、周りの人たちの幸せのために自分が努力する、そんなみなさんを応援しています。

合格への道案内は、我々にお任せください。

ネットスクールを代表して

桑原　知之

本書の 2 大特長

1　テキストと過去問題集を一冊に集約!　一体型の効率学習 を実現

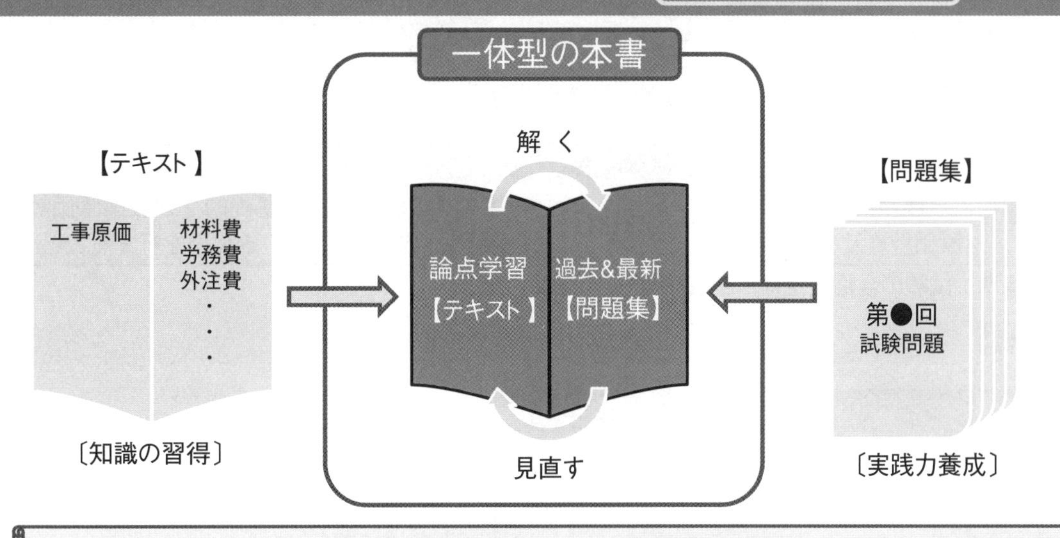

テキストと問題集の回転学習で効率よく実力アップを図ることができるよう工夫されています!

2　過去問題の出題パターンを効率よくマスター!　ヨコ解き学習 を実践

ネットスクールでは、設問ごとに過去問題を解いていくことを「ヨコ解き」と呼んでいます。
第２部に掲載の過去問題はこの「ヨコ解き」がしやすいように掲載するとともに、少ない演習量でも過去の出題パターンをなるべく網羅できるように掲載する過去問題を厳選しています。

	第○○回	第○○回	第○○回	第○○回	
ヨコ解き	第１問	第１問	第１問	第１問	
ヨコ解き	第２問	第２問	第２問	第２問	
ヨコ解き	第３問	第３問	第３問	第３問	…
ヨコ解き	第４問	第４問	第４問	第４問	
ヨコ解き	第５問	第５問	第５問	第５問	

※ 第２部の掲載問題数は設問ごとの出題パターンに応じて調整しています。
出題パターンが少ない設問については、少ない問題数でも高い網羅性を実現できるため、少ない学習時間で効率よく学習できるよう、掲載問題数も少なくしています。

設問ごとに出題パターンと解き方をマスターできるように工夫されています!

本試験のプロフィール・ネットスクールの合格率

建設業経理士とは

建設業経理士とは、建設業経理に関する知識と処理能力の向上を図ることを目的として、建設業経理士検定試験に合格した方に与えられる資格です。

2級の試験内容

級別	内　容	試験時間	程　　度
2 級	建設業の簿記、原価計算及び会社会計	2時間	実践的な建設業簿記、基礎的な建設業原価計算を修得し、決算等に関する実務を行えること。

合格基準：試験の合格判定は、正答率70％を標準とする。

試験日

	第 36 回
試 験 日	令和7年3月9日(日)
申込期間	—
合格発表	—

日程、試験地、申込方法などの詳細につきましては下記にお問い合わせ下さい。
また、第37回試験（令和7年9月実施）の日程は、第36回試験実施後に公表されます。こちらにつきましても下記よりご確認ください（試験申込期間は試験実施日よりもかなり前に設定されますのでご注意ください）。

問い合わせ　一般財団法人 建設業振興基金　経理試験課
https://www.keiri-kentei.jp
〒105－0001　東京都港区虎ノ門4－2－12　虎ノ門4丁目MTビル2号館
TEL　03－5473－4581

2級　試験データ

年　　度	令和2年度上期	令和2年度下期	令和3年度上期	令和3年度下期	令和4年度上期	令和4年度下期	令和5年度上期	令和5年度下期	令和6年度上期
回　　数	27	28	29	30	31	32	33	34	35
受験者数	10,099人	8,766人	9,318人	9,288人	8,847人	9,636人	8,985人	8,920人	—
合格者数	6,308人	3,600人	3,678人	4,163人	2,993人	3,411人	3,796人	4,255人	—
合 格 率	62.5%	41.1%	39.5%	44.8%	33.8%	35.4%	42.2%	47.7%	—

ネットスクールWEB講座（建設業経理検定）合格率

	2級		1級　財務諸表		1級　財務分析		1級　原価計算	
	WEB講座	全国平均	WEB講座	全国平均	WEB講座	全国平均	WEB講座	全国平均
30～34回試験合格率	75.45%	40.75%	47.83%	27.11%	66.32%	38.00%	42.11%	17.58%

・本ページで公開している合格率は、WEB講座を受講された方への事後アンケートを元に、下記の算式で算定しています。
「合格率 ＝ アンケート回答者のうち合格者数÷アンケート回答者のうち実際に受験された受講生数」
・公開している情報は、これまでの実績となります。上記合格率を保証するものではありません。
・本データは2024年6月現在の情報を元に作成しています。

日商簿記から建設業経理士の攻略法

【日商簿記２級から建設業経理士２級に挑戦する方へのポイント】

▼ 建設業はオーダーメイド。総合原価計算、標準原価計算、直接原価計算、ＣＶＰ分析に関する計算は建設業経理士２級では出題されません。
▼ 外注費を経費から独立させて、原価を材料費・労務費・外注費・経費の４つに分類します。
▼ 伝票や帳簿に関する問題もほとんど出題されません。
▼ 決算の問題（第５問）は、これまで必ず『精算表』の形式で出題されています。
▼ 原価計算の分野は個別原価計算・部門別原価計算の知識が中心となります。
▼ 建設業特有の勘定科目が多数登場するので、しっかりと覚えましょう。
▼ 月次決算を前提とした決算整理仕訳をマスターする必要があります。

【日商簿記１級から建設業経理士１級（原価計算）に挑戦する方へのポイント】

▼ 建設業経理士では１級でも総合原価計算、標準原価計算の計算問題は、基礎的な内容がほとんどです。
▼ 意思決定会計に関しても、日商簿記検定より素直に理解力が問われる内容の出題となります。
▼ 第５問の総合問題は、個別原価計算の知識があれば、後は基礎と『解き方』をマスターするようにしましょう。
▼ 論述問題は、白紙にしないことが重要です。計算問題を解く際にも、「なぜそのような計算をするのか」といった理由を考えるようにしましょう。

【日商簿記１級から建設業経理士１級（財務諸表）に挑戦する方へのポイント】

▼ 準拠する会計基準・法令のほとんどは、建設業であっても同じなので、日商簿記１級（商業簿記・会計学）で学んだことの大半は共通しています。
▼ ただし、建設業の財務諸表は“建設業法”に規定された表示方法・処理に準ずるため、若干異なる部分があります。その点は注意しましょう。
▼ 計算問題のほとんどはテキストの計算例を理解していれば解けるレベルです。基礎をしっかりと学習しましょう。
▼ 配点の半分は理論（論述・記号選択・正誤）問題です。特に論述問題は、正しい用語とともに、会計処理の理由や背景を理解しておく必要があります。日商簿記の学習のとき以上に、会計処理の理由や背景を意識して学びましょう。

★「財務分析」は日商簿記では学習しなかった内容なので、基礎からしっかり学習しましょう。
※ 損益分岐点分析も、日商簿記で学んだ内容とは考え方が異なるので注意が必要です。

出題パターンを知れば合格は早い！

本試験の出題をパターンごとに分析し、以下にその対策をまとめました。第２部、第３部を学習するさいの参考にしてください。
また、出題を論点ごとに分析したものが論点チェックリスト（本書(7)）です。第１部テキスト編で論点ごとに理解したらチェックしてください。出題回数の多い論点に関しては、テキストをよく読んで把握してください。

出題パターンと対策

２級

	出題パターン	対　策	配　点	難易度
第１問	仕訳問題が５題出題されています。	頻出の５論点の仕訳は完全にマスターしてください。	20点	A
第２問	勘定分析や計算による推定問題が出題されています。	日頃の学習で，取引について仕訳だけでなく，勘定記入ができるように心掛けましょう。また，重要な計算公式は暗記しておくことが大切です。	12点	C
第３問	費目別計算の原価算定問題または部門別振替表作成問題が出題されています。	まず，３種類の部門別振替表は完全にマスターしましょう。工事間接費の配賦は，操業度や配賦基準等に関する用語のチェックも必要です。	14点	B
第４問	工事別計算，または部門別計算と工事別計算の組合せ問題が出題されています。	部門別計算の予定配賦，原価計算表，完成工事原価報告書は，必ずマスターしてください。また，ボリュームが多いので速く解く練習が必要です。	24点	B
第５問	精算表の作成問題が出題されています。	出題論点は，かなり限定されています。速く，正確に解けるようにしてください。難易度の割に配点が高いので必ず高得点を狙いましょう。	30点	B
総　評	設問ごとの難易度はそれほど高くありませんが，５問を２時間で解答しなければならないので１問にかけられる時間はあまり多くありません。難易度の割に高得点を狙える第１問，第５問を速く正確に解答することで，第４問を解く時間を確保しましょう。			

難易度：A＝比較的易しい　B＝ふつう　C＝比較的難しい

論点別重要度と出題頻度（チェックリスト）

論　点		テキストのページ	チェック	過去8回分の出題回数							
				1	2	3	4	5	6	7	8
Chapter 0　イントロダクション											
Chapter 1　建設業会計の基礎知識											
	Section 1 工事原価の基礎知識	1−30									
	Section 2 原価計算の基礎知識	1−35									
	Section 3 建設業会計の原価の流れ	1−38									
Chapter 2　原価の費目別計算											
	Section 1 材料費	1−44									
	Section 2 労務費（賃金）	1−52									
	Section 3 外注費	1−56									
	Section 4 経　費	1−58									
Chapter 3　工事間接費の計算											
	Section 1 工事間接費の基礎知識	1−64									
	Section 2 工事間接費の予定配賦	1−67									
Chapter 4　部門費の計算											
	Section 1 部門費の配賦	1−72									
	Section 2 部門費振替表の作成	1−76									
	Section 3 部門費の予定配賦	1−82									
Chapter 5　完成工事原価と工事収益の計上											
	Section 1 完成工事原価の計算	1−88									
	Section 2 工事収益の計上	1−93									
Chapter 6　現金・預金・その他											
	Section 1 現金・当座預金②	1−98									
	Section 2 その他の処理	1−105									
Chapter 7　有価証券											
	Section 1 有価証券の取引	1−110									
	Section 2 有価証券の分類と評価	1−113									
Chapter 8　手形取引											
	Section 1 約束手形	1−118									
	Section 2 偶発債務の会計処理	1−120									
	Section 3 その他の手形取引	1−124									
Chapter 9　固定資産と繰延資産											
	Section 1 有形固定資産	1−130									
	Section 2 無形固定資産と繰延資産	1−139									
Chapter 10　社債・引当金・税金											
	Section 1 社　債	1−144									
	Section 2 引当金・税金	1−149									
Chapter 11　資本（純資産）会計											
	Section 1 資本（純資産）会計の基礎知識	1−158									
	Section 2 株式の発行	1−161									
Chapter 12　決算と財務諸表											
	Section 1 決算整理と帳簿の締切り	1−168									
	Section 2 精算表の作成	1−171									
	Section 3 財務諸表	1−176									
Chapter 13　本支店会計											
	Section 1 本店・支店間の取引	1−184									
	Section 2 支店相互間の取引	1−190									

攻略マップ

ROUND I　論点学習

[Start　月　日目標
Finish　月　日目標]

各論点をマスターするための ROUND です。
なお、2 級合格に必要な項目は以下のとおりです。

学習期間　約1カ月

STAGE 1　建設業会計編

Chapter0　イントロダクション
重要度 ★
1. 建設業の基礎知識　1-4 □
2. 簿記の目的　1-7 □
3. 資産, 負債, 資本, 収益, 費用の項目 1-13 □
4. 仕訳と転記　1-18 □
5. 現金・当座預金①　1-27 □

Chapter1　建設業会計の基礎知識
重要度 ★★
1. 工事原価の基礎知識　1-30 □
2. 原価計算の基礎知識　1-35 □
3. 建設業会計の原価の流れ　1-38 □

Chapter2　原価の費目別計算
重要度 ★★★
1. 材料費　1-44 □
2. 労務費（賃金）　1-52 □
3. 外注費　1-56 □
4. 経　費　1-58 □

Chapter3　工事間接費の計算
重要度 ★★★
1. 工事間接費の基礎知識　1-64 □
2. 工事間接費の予定配賦　1-67 □

Chapter4　部門費の計算
重要度 ★★
1. 部門費の配賦　1-72 □
2. 部門費振替表の作成　1-76 □
3. 部門費の予定配賦　1-82 □

Chapter5　完成工事原価と工事収益の計上
重要度 ★★★★★
1. 完成工事原価の計算　1-88 □
2. 工事収益の計上　1-93 □

STAGE2 へ

STAGE 2　一般会計編

START!!

Chapter6　現金・預金・その他
重要度 ★★★★★
1. 現金・当座預金②　1-98 □
2. その他の処理　1-105 □

Chapter7　有価証券
重要度 ★★★
1. 有価証券の取引　1-110 □
2. 有価証券の分類と評価　1-113 □

Chapter8　手形取引
重要度 ★★★
1. 約束手形　1-118 □
2. 偶発債務の会計処理　1-120 □
3. その他の手形取引　1-124 □

Chapter9　固定資産と繰延資産
重要度 ★★★
1. 有形固定資産　1-130 □
2. 無形固定資産と繰延資産 1-139 □

Chapter10　社債・引当金・税金
重要度 ★★★★★
1. 社　債　1-144 □
2. 引当金・税金　1-149 □

Chapter11　資本(純資産)会計
重要度 ★★
1. 資本(純資産)会計の基礎知識　1-158 □
2. 株式の発行　1-161 □

Chapter12　決算と財務諸表
重要度 ★★★★★
1. 決算整理と帳簿の締切り 1-168 □
2. 精算表の作成　1-171 □
3. 財務諸表　1-176 □

Chapter13　本支店会計
重要度 ★★
1. 本店・支店間の取引　1-184 □
2. 支店相互間の取引　1-190 □

パターン学習へ

受験学習で大切なことは、合格までの学習の全体量と学習方法、そして自分の学習の進行状況を常に把握することです。この『攻略マップ』を活用して効率的に学習し、合格を実現させてください。

●マスターした項目には、そのチェック・ボックス（□）にチェック・マーク（✓）を記入してください。
●絶対にマスターしておかなければならない基礎的論点および合格に必要な論点を重要度５（★★★★★）として５段階で示しました。学習に当たっての力配分の参考にしてください。

ROUND Ⅱ パターン学習

[Start 月 日目標 / Finish 月 日目標]

学習期間 約１カ月

論点学習で得た知識を本試験での得点力にするROUNDです。
（以下の○回は、該当する過去問題を示しています。

第１問 頻出の５論点は必ずマスターしてください。

1. 有形固定資産 □
2. 資本（純資産） □
3. 有価証券 □
4. 工事進行基準 □
5. 完成工事補償引当金 □

第２問

- 計算問題：25回①②□ 27回②④□ 28回①②□ 29回①②③□ 32回③④□ 33回①②③④□ 34回④□ 35回②□
- 勘定分析：25回③④□ 27回①③□ 28回③④□ 29回④□ 32回①②□ 34回①②③□ 35回①③④□

第３問

- 費目別計算：28回□ 29回（第4問）□ 32回□ 35回□
- 部門別計算：24回□ 25回（第4問）□ 33回□ 34回②（第4問）□

第４問

- 部門別計算＋個別原価計算：27回②□ 29回②（第3問）□ 32回②□
- 個別原価計算：28回②□ 33回②□ 34回（第3問）□ 35回①□
- 工事原価の基礎知識：27回①□ 28回①□ 29回①（第3問）□ 32回①□ 33回①□ 34回①□ 35回②□

第５問

- 精算表：27回□ 28回□ 29回□ 32回□ 33回□ 34回□ 35回□

ヨコ解きのススメ

ポイントはヨコ解き！

建設業経理士試験は、幾つかのパターンの問題が繰り返し出題されています。
効率的に実力をつけるためには、第１問なら第１問の問題だけを集中的に学習するヨコ解きがオススメです。
第２部「過去問題編」ではヨコ解きをスムーズにできるように、また、短い期間で網羅性を高められるように過去問題を厳選し、「問」別に掲載しています。出題頻度の高い内容は第２部でほぼ網羅できるよう工夫していますので、ぜひ挑戦して下さい。

※第２部の掲載問題数は設問ごとの出題パターンに応じて調整しています。出題パターンが少ない設問については、少ない問題数でも高い網羅性を実現できるため、少ない学習時間で効率よく学習できるよう、掲載問題数も少なくしています。

「解き方」を知る！

また、第２部「過去問題編」では、単に過去問題を「問」別に掲載しているだけではなく、「問題の解き方」も掲載しています。
問題の出題パターンに沿った効率的な解き方をおさえることで、効率的に実力をつけられます。「解き方」をしっかりと頭に入れてから、問題を解いてください。

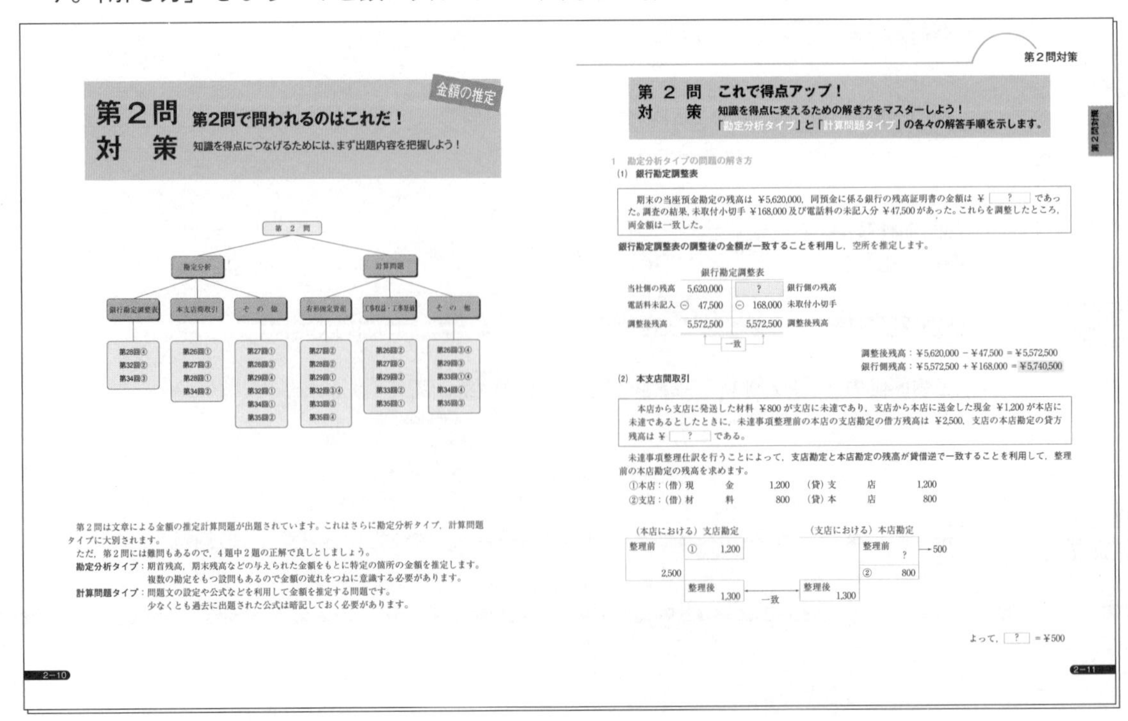

金額の推定

第２問 対策　第2問で問われるのはこれだ！
知識を得点につなげるためには、まず出題内容を把握しよう！

第２問は文章による金額の推定計算問題が出題されています。これはさらに勘定分析タイプ，計算問題タイプに大別されます。
ただ，第２問には難問もあるので，４題中２題の正解で良しとしましょう。
勘定分析タイプ：期首残高，期末残高などの与えられた金額をもとに特定の箇所の金額を推定します。
複数の勘定をもつ設問もあるので金額の流れをつねに意識する必要があります。
計算問題タイプ：問題文の設定や公式などを利用して金額を推定する問題です。
少なくとも過去に出題された公式は暗記しておく必要があります。

2−10

第２問対策

第２問 対策　これで得点アップ！
知識を得点に変えるための解き方をマスターしよう！
「勘定分析タイプ」と「計算問題タイプ」の各々の解答手順を示します。

1　勘定分析タイプの問題の解き方
(1)　**銀行勘定調整表**

期末の当座預金勘定の残高は ¥5,620,000，同預金に係る銀行の残高証明書の金額は ¥［ ? ］であった。調査の結果，未取付小切手 ¥168,000 及び電話料の未記入分 ¥47,500 があった。これらを調整したところ，両金額は一致した。

銀行勘定調整表の調整後の金額が一致することを利用し，空所を推定します。

銀行勘定調整表

当社側の残高	5,620,000	?	銀行側の残高
電話料未記入	⊖ 47,500	⊖ 168,000	未取付小切手
調整後残高	5,572,500	5,572,500	調整後残高

一致

調整後残高：¥5,620,000 − ¥47,500 = ¥5,572,500
銀行側残高：¥5,572,500 + ¥168,000 = ¥5,740,500

(2)　**本支店間取引**

本店から支店に発送した材料 ¥800 が支店に未達であり，支店から本店に送金した現金 ¥1,200 が本店に未達であるとしたときに，未達事項整理前の本店の支店勘定の借方残高は ¥2,500，支店の本店勘定の貸方残高は ¥［ ? ］である。

未達事項整理仕訳を行うことによって，支店勘定と本店勘定の残高が貸借逆で一致することを利用して，整理前の本店勘定の残高を求めます。

①本店：(借) 現	金	1,200	(貸) 支	店	1,200
②支店：(借) 材	料	800	(貸) 本	店	800

よって，［ ? ］= ¥500

2−11

多忙な人のために

「建設業経理士２級」**合格のためのポイント集**が、
カードになりました。
プリントアウトして持ち歩き、**スキマ時間の活用**に
ご利用ください。

建設業経理士２級「出題パターンと解き方」25年３月・25年９月試験対応　2024.10.23

建設業経理士　２級
合格ポイント集

Q.１　建設業会計の基礎知識

次の文章は建設業会計について説明したものです。(　　)に適切な語句を記入しなさい。
建設業会計とは、(　①　)工事を行う企業が採用する会計である。建設業では、(　②　)生産であるという特徴や、工事期間が(　③　)にわたるという特徴がある。
また建設業会計は、建物などを造るという点で商品販売業の会計よりも(　④　)業の会計に似ている。

A.１　建設業会計の基礎知識

建設業会計とは、(①**土木建築**)工事を行う企業が採用する会計である。建設業では、(②**受注請負**)生産であるという特徴や、工事期間が(③**長期**)にわたるという特徴がある。
また建設業会計は、建物などを造るという点で商品販売業の会計よりも(④**製造**)業の会計に似ている。

Q.２　工事原価の基礎知識Ⅰ

次の文章は工事原価について説明したものです。(　　)に適切な語句を記入しなさい。
原価とは、経営における一定の(　①　)にかかわらせては握された財貨又は用役の消費を(　②　)的に表したものと定義される。工事にかかわる原価は、(　③　)と販売費及び一般管理費に大別される。

A.２　工事原価の基礎知識Ⅰ

原価とは、経営における一定の(①**給付**)にかかわらせては握された財貨又は用役の消費を(②**貨幣価値**)的に表したものと定義される。工事にかかわる原価は、(③**工事原価**)と販売費及び一般管理費に大別される。

Q.３　工事原価の基礎知識Ⅱ

次に掲げる項目のうち、原価に含まれないもの(非原価項目)を３つ選びなさい。
①支払利息
②退職給付引当金繰入額
③有価証券売却損
④法人税等
⑤通常発生する棚卸減耗損

A.３　工事原価の基礎知識Ⅱ

①③④
◆非原価項目
(1)経営目的に関連しないもの……①、③
(2)異常な状態を原因とするもの
(3)利益から支払われるもの……④
(4)税法上特に認められている損金算入項目

Q.４　原価計算の基礎知識Ⅰ

次の文章は原価計算について説明したものです。(　　)に適切な語句を記入しなさい。
原価計算は、原則として３段階の手続きを経て行われる。まず、一定期間に発生した費用を、材料費等各費目に分類集計する(　①　)計算が行われる。次に、(　①　)計算では握された原価要素を原価の発生場所別に分類集計する(　②　)計算が行われる。最後に、最終的に原価を負担させる現場工事毎に原価要素を集計し、完成工事原価を計算する(　③　)計算が行われる。

A.４　原価計算の基礎知識Ⅰ

原価計算は、原則として３段階の手続きを経て行われる。まず、一定期間に発生した費用を、材料費等各費目に分類集計する(①**費目別**)計算が行われる。次に、(①**費目別**)計算では握された原価要素を原価の発生場所別に分類集計する(②**部門別**)計算が行われる。最後に、最終的に原価を負担させる現場工事毎に原価要素を集計し、完成工事原価を計算する(③**工事別**)計算が行われる。

「出題パターンと解き方」25年３月・25年９月試験対応　2024.10.23

建設業経理士　２級
合格ポイント集

A.５　原価計算の基礎知識Ⅱ

原価とは、経営において作り出された一定の給付に転嫁される(①**経済価値**)の消費を貨幣価値的に表したものである。それは経営目的に関連したものでなければならないから、期間損益計算においては、(②**製造原価あるいは工事原価**)と(③**販売費及び一般管理費**)がそれに該当する。原則として前者は、一定の給付(生産物)の単位に関わらせては握されるからこれを(④**プロダクト・コスト**)と呼び、後者は、一定期間の収益と対応させて当該期間の負担するものを集計することからこれを(⑤**ピリオド・コスト**)と呼んでいる。

A.６　原価計算の基礎知識Ⅲ

A. 発生形態別分類・・・「４」
発生形態別分類とは、原価を構成する経済財の消費がどのような形態、特性で生ずるのかということによって原価を分類することをいいます。
B. 作業機能別分類・・・「２」
作業機能別分類とは、原価が企業経営を遂行した上で、どのような機能のために発生したのかによる分類をいいます。
C. 計算対象との関連性分類・・・「１」
計算対象との関連性分類とは、原価は、最終的に生産物別に原価を計算する必要性から、その最終生産物の生成に関して、直接的に認識されるか否かにより直接費と間接費に分類することをいいます。
D. 操業度との関連性分類・・・「３」
操業度との関連性分類とは、操業度の増減に対する原価発生の動きによって変動費と固定費に区分する分類をいいます。

A.７　建設業会計の原価の流れ

		借方科目	金額		貸方科目	金額
①	(借)	材料	120	(貸)	支払手形	120
②	(借)	未成工事支出金	80	(貸)	材料	100
		工事間接費	20			
③	(借)	未成工事支出金	300	(貸)	工事間接費	300
④	(借)	完成工事原価	120	(貸)	未成工事支出金	120

A.８　材料費Ⅰ

材料費は工事との関係によって、特定の工事と原価との関係が明らかな(①**直接材料**)費と、工事と原価の関係が不明確又は金額的に重要ではない(②**間接材料**)費に分類できる。また、その工事での用途によって、工事に直接投入されて工事の本体を形成する(③**本工事材料**)費と工事実施を補助するために現場に投入され、工事完了とともに撤去される(④**仮設材料**)費に分類することもできる。

「合格ポイント集」は下記のサイトよりダウンロードすることができます（無料）。

弊社ホームページ **https://www.net-school.co.jp/** にアクセス後、
「読者の方へ」⇒**「建設業経理士」**⇒**「購入者特典」**をクリックしてください。
⇒「購入者特典」のページが開きましたら、**ダウンロード用パスワード**を入力してください。
本書のダウンロード用パスワードは　「 **e98zdtn5** 」（すべて半角英数文字です）

目次
Contents

第１部 テキスト編

※第２部「過去問題編」の掲載問題及び問題数について
第２部「過去問題編」については、設問ごとの出題内容や出題パターン・出題傾向と、その対策に要する学習時間・学習負担や合否への影響を鑑みて、設問ごとに掲載問題及び掲載数を厳選・調整しています。そのため、掲載回数及び掲載問題数が設問によって異なります。あらかじめご理解ください。

第２部 過去問題編

第３部 最新問題編

抜取式●解答用紙

第１部　テキスト編

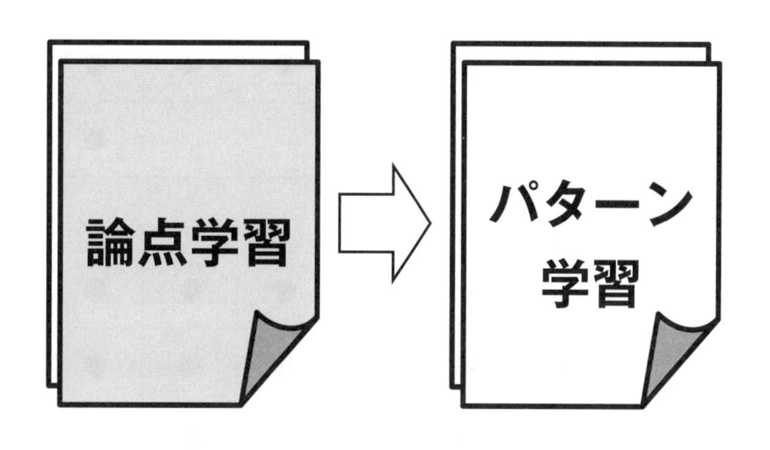

テキスト編では，論点学習を行います。論点学習は，建設業経理士に合格するために必要な知識を身につける学習です。論点学習を効率的に進めるために，テキスト編は次のように構成されています。

①各 Section の冒頭に「はじめに」を設け，これから学習する Section の内容・特徴・問題点などをイメージしやすくしました。

②本試験での出題の多くは計算問題です。そこで，解説には随所に計算例をあげて，本試験に対応した知識を習得できるようにしました。

③各 Section の最後には，「try it（小問）」が設けられています。「try it」を解くことで，論点ごとの理解を確かめてください。

各 Section の初めにある ◈ は，重要度を表しています。重要度は５段階に分かれていて，◈ の数が多いほど，重要度が高いことを示しています。

④日商簿記検定受験者のために 建設業・論点 マークを各 Section のタイトル横につけています。日商簿記の勉強を一通り終えた方は，建設業・論点 のある Section をしっかり学習しましょう。

建設業会計特有の勘定科目など

建設業は，完成品の価格が高いことや着工から完成までの期間が長いことなどの特徴を持っています。そのため，建設業会計は製造業会計とは異なる部分があります。

ここでは，一般の製造業会計を学んだ人のために建設業会計に特有の勘定科目や用語を一覧表にします。

	製造業	建設業	3級	2級	1級		
					財務諸表	原価計算	財務分析
損益計算書上の用語							
	売上高	完成工事高*	●	●	●	●	●
	売上原価	完成工事原価*	●	●	●	●	●
	売上総利益	完成工事総利益*			●		●
貸借対照表上の用語							
	売掛金	完成工事未収入金*	●	●	●	●	●
	仕掛品	未成工事支出金	●	●	●	●	●
	買掛金	工事未払金	●	●	●	●	●
	前受金	未成工事受入金	●	●	●		●
その他							
	製造原価	完成工事原価*	●	●	●	●	●
	製造間接費	工事間接費		●		●	
	製造部門	施工部門		●		●	

＊「完成工事」を「売上」と読み換えると、製造業の勘定科目名に近くなります。

Chapter 0

イントロダクション

新入社員のマイさん

先輩の加藤さん

今年の4月，マイさん（20歳）はNS工務店に入社しました。1カ月の研修を経て，マイさんは経理部に配属されることになりました。マイさんを指導するのは入社3年目の加藤さん（25歳）です。マイさんは短大で簿記の講義は受けているものの，建設業の実務処理に関してはまったく知りません。この本で，皆さんはマイさんと一緒に，2級建設業経理士に必要な知識を身につけてください。

Chapter 0では，建設業と簿記について簡単に説明します。

Section 1 でっかい建物は一社じゃ創れないから。 重要度 ◈

建設業の基礎知識

はじめに 加藤さんは，さっそくマイさんに建設業の基礎的なことから理解してもらおうとしています。

加藤さん：まず，“建設業”って，なんだかわかる？

マイさん：えっと…，建設業は建設事業を営むことで，建設事業は労働集約型の現場移動の組立生産でしたね。研修で習いましたよ。意味はあまりよくわかってないけど。

加藤さん：…そうそう，そのとおり。だから建設業で行われる会計は他の業界とは少し違うことがあるんだ。とりあえず，それを把握してね。

マイさん：はい。

建設業とは

商品売買業と製造業とを比較してから建設業を見ていきます。

商品売買業 商品売買業では，外部から仕入れた商品をそのまま得意先に販売します[01]。

01）商品売買業で行われる簿記を商業簿記といいます。

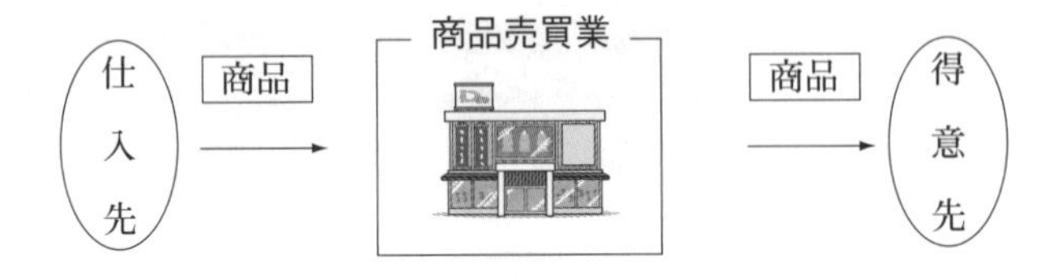

製造業 製造業では，外部から仕入れたものを加工して，得意先に販売します[02]。

02）製造業で行われる簿記を工業簿記といいます。

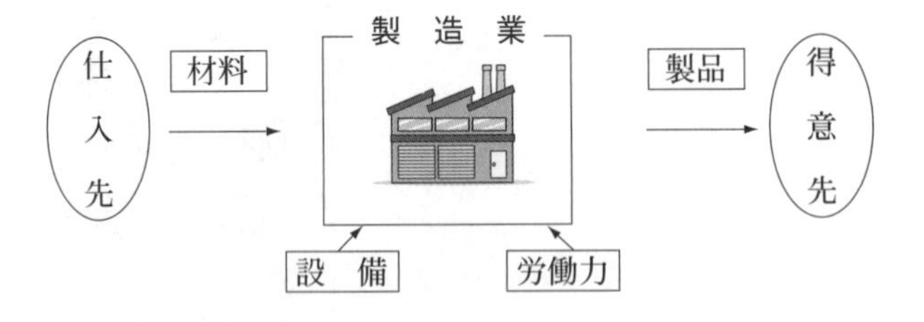

建設業 建設業では，外部から仕入れたもので建設作業や土木作業を行って完成した建物などを発注先に販売します。したがって，建設業は建物などを造るという点で商品売買業よりも製造業に似ています[03]。

03）建設業簿記は工業簿記の一種ですが，製品や取引形態に特徴があるため，独特の処理が行われます。

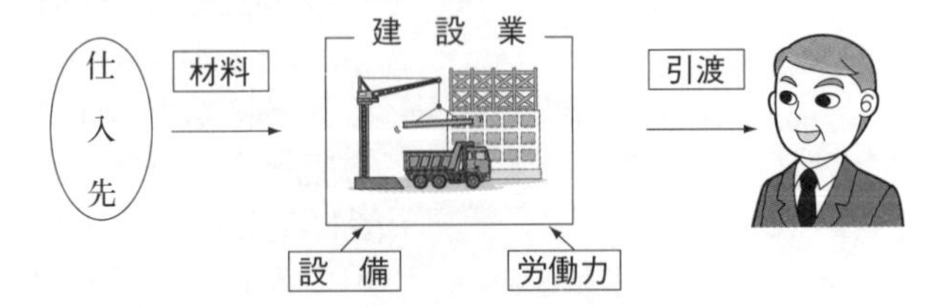

建設業会計の特徴

建設業会計とは，土木建築工事を行う企業が採用する会計をいいます。

建設業では，調達した資金で，建物・建設用機械設備などを購入し，材料を仕入れ，現場作業員および従業員を雇い入れて工事を行います。

工事を完成させると完成した建物などを発注者に引き渡して利益をあげます。

建設業会計には，以下の特徴があります。

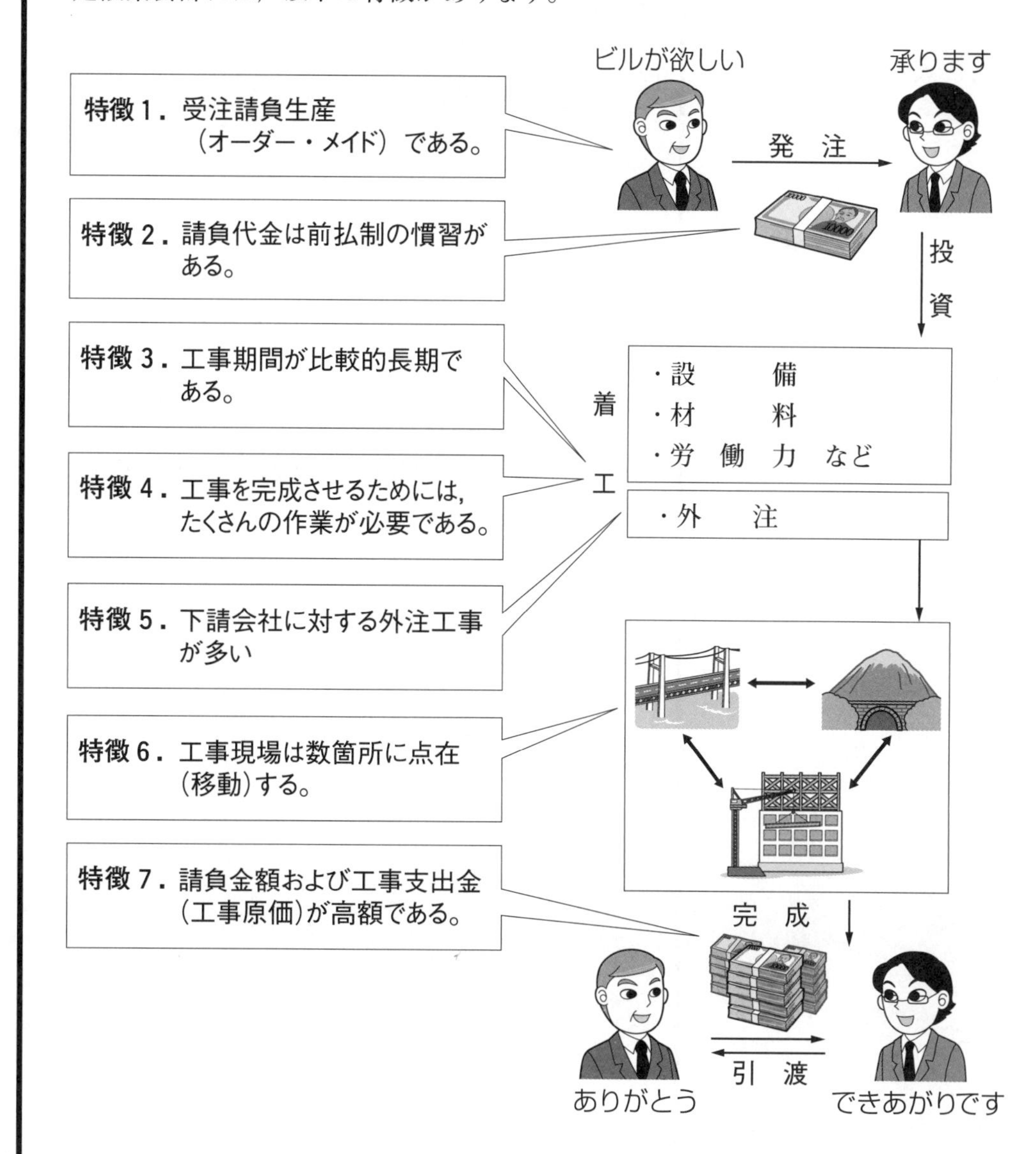

会計法規

会計は会社間で比較できるようルールが定められています。そのルールを会計法規といい，建設業では会社計算規則，財務諸表等規則，建設業法の３つがあります。

会社計算規則…会社法の規定にもとづいて財務諸表を作成するためのルール。

財務諸表等規則…金融商品取引法の規定にもとづいて財務諸表を作成するためのルール。

建　設　業　法…建設業界において規定されている法律。この一部に，建設業界が財務諸表を作成するためのルールが定められています。

おわりに

マイさん：なぁんだ，建設業会計の特徴っていっても，建設業自体の特徴からするとあたりまえのことなんですね。

加藤さん：そうそう，これから学んでいく建設業の会計は，一般に特別だといわれているけれども，建設業自体の特徴を見てみると，あたりまえの会計処理なんだよ。

マイさん：じゃあ，建設業だからって特別難しく考える必要って，ないんですね。

加藤さん：そうそう。

資本を増やすのが収益，減らすのが費用　　重要度 ◇◇◇◇◇

簿記の目的

はじめに 加藤さんは次に，一般的な簿記の知識を確認してもらおうと思っています。
加藤さん：一般的な簿記の勉強って，どれくらいしているんだっけ？
マイさん：短大の講義で受けて単位もとったのですが，イマイチ自信がないんです。
加藤さん：じゃあ，そもそも何のために簿記ってあるの？
マイさん：仕訳をするため！ですよね。
加藤さん：う～ん。仕訳は単なる手段だよ。

簿記とは

簿記とは，企業の経営活動（取引）を帳簿に記録して，それをもとに損益計算書や貸借対照表といった財務諸表[01]を作成するまでの一連の手続をいいます。

01）財務諸表のことを一般に決算書といいます。

簿記の目的

簿記は最終的に次の目的のために行われ，企業に関係のある人たちには財務諸表といった形で報告されます。

改善策を考える 日々の活動をもれなく帳簿に記入して，**経営方法の良し悪しを評価したり，改善策**を考えたり，**今後の方針**を決定するために行われます。

利益を計算する 一定の期間（ふつう１年とか半年）の間に，**どれぐらいの利益をあげたか**を計算するために行われます[02]。
なお，この利益の計算書を**損益計算書**といいます。

02）このことを「経営成績を明らかにする」といいます。

財産を計算する 金銭の収支にかぎらず，企業は預金・自動車・土地・建物など多くの物品を所有しています。それらの内容は絶えず変化しますので，これらの**内容を明らかにするために行われます**[03]。
なお，この財産の一覧表を**貸借対照表**といいます。

03）このことを「財政状態を明らかにする」といいます。

会計期間

財務諸表は各会計期間ごとに作成されます。**会計期間とは，会社の利益（または損失）を計算するために区切られた一定の期間**（通常１年）をいい，会計期間の始まりの日を「期首」，終わりの日を「期末」，そして期末には決算を行うことから「決算日」ともいわれます。

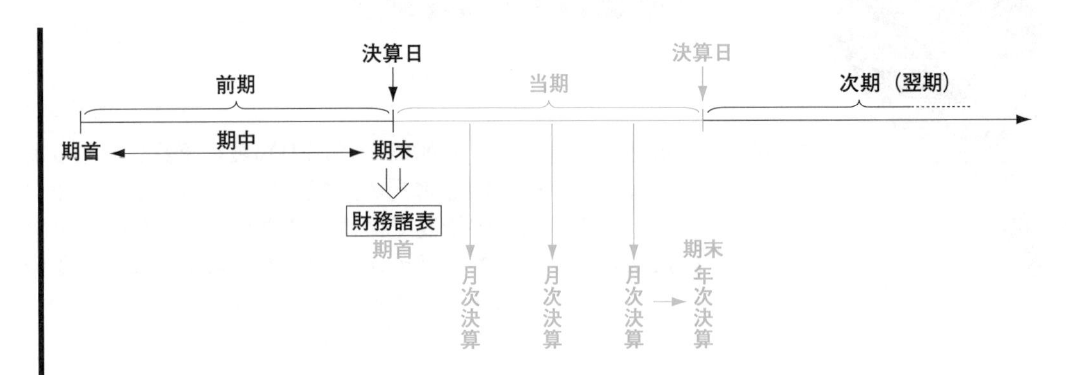

製造業の１つである建設業では，月毎に決算（月次決算）を行い，期末には１年をまとめた年次決算を行います。

原価計算期間

原価計算期間とは，原価計算を行うための計算期間です。財務諸表を作成するための会計期間は通常１年ですが，原価計算はタイムリーな情報で経営管理を行うため，月初から月末までの１カ月です。

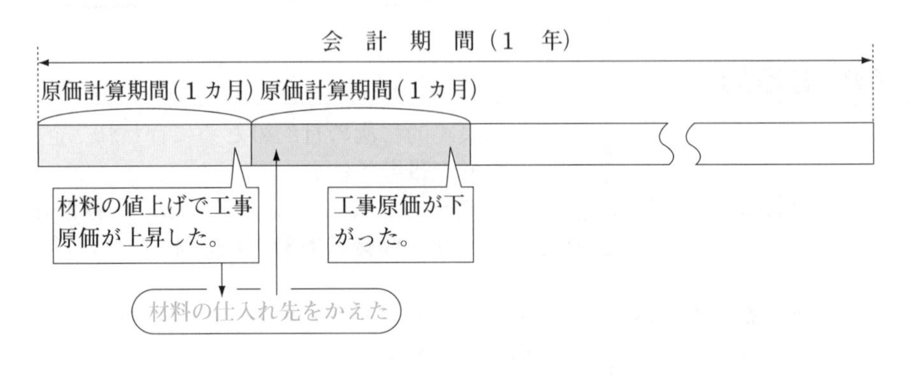

借方と貸方

04）借りる，貸すといった行為とは関係ありません。

簿記では，左側のことを常に**借方（かりかた）**，右側のことを常に**貸方（かしかた）**と呼びます[04]。

借方の「り」は**左に伸びる**ので**左側**，貸方の「し」は**右へ伸ばす**ので**右側**と覚えておきましょう。

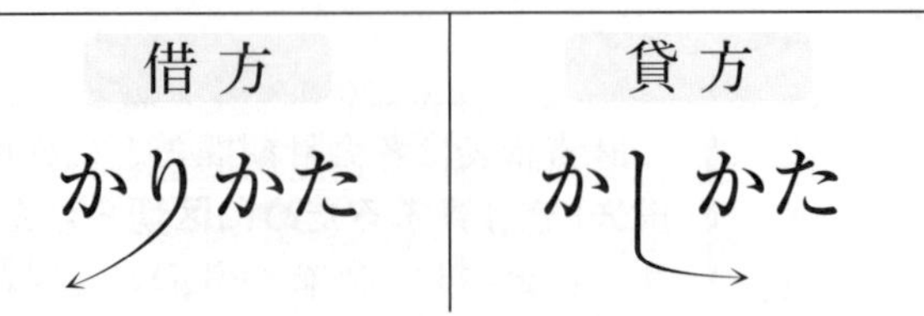

貸借対照表

企業の一定時点における財政状態を明らかにする財務諸表を貸借対照表(Balance Sheet = B/S)といいます。
貸借対照表は，**資産，負債，資本(純資産)の3つの要素**から構成されています。

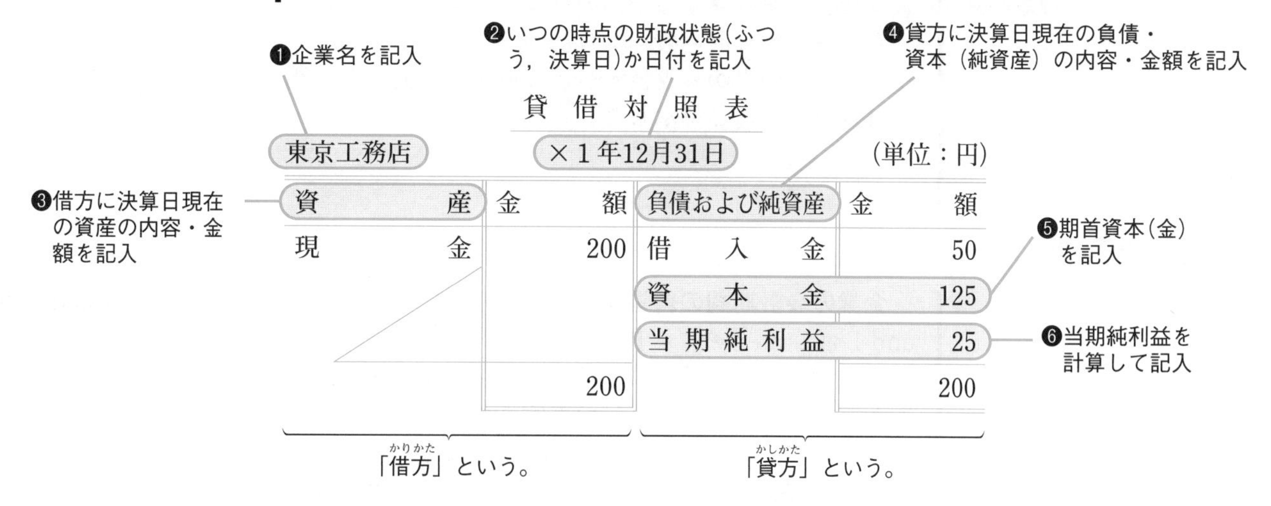

資産の合計と，負債・純資産の合計は必ず一致します。

資　産 **貸借対照表の借方を構成するもの**が資産です。
資産とは企業が所有する現金や預金などの金銭や，建物・土地などの物，貸付金などの権利の総称で，売却すれば現金化できるものというイメージです。

負　債 **貸借対照表の貸方（かしかた）を構成する1つの要素**が負債です。
負債とは借入金など，企業が他者に対して，返済義務を負うものの総称で，いつ，誰に，いくら支払うかが決まっているものです。

資本（純資産） **貸借対照表の貸方を構成するもう1つの要素**が資本(純資産)です。
資本（純資産）とは，資産と負債の差額であり，資本金など，いわゆる元手にあたる部分です。

資産・負債・資本（純資産）の関係 貸借対照表より，資産および負債・資本（純資産）の関係は次の計算式で表すことができます。

資産	＝ 負債 ＋ 資本（純資産）……	貸借対照表等式
資本（純資産）	＝ 資産 － 負債 ……	資本等式

貸借対照表等式 ● **貸借対照表の資産と負債・資本(純資産)の合計は必ず一致することを示す算式です。**

資　産＝負　債＋資　本(純資産)

貸借対照表の借方(＝資産の項目が記入されている)合計と貸方(＝負債と資本(純資産)の項目が記入されている)合計とが必ず一致することを示した等式です。

資本等式 ● **資本(元手)を計算するための計算式です。**

資　産－負　債＝資　本(純資産)

企業の資産の中から返済すべき負債を差し引くと，正味の元手(＝資本(純資産))が計算できることを示した等式です。

損益計算書

企業の会計期間の経営成績を明らかにするための財務諸表を損益計算書(Profit and LossStatement = P/L)といいます。

損益計算書は**費用，収益の２つの要素**から構成され，収益から費用を差引いた額として**利益(または損失)が算定**されます。

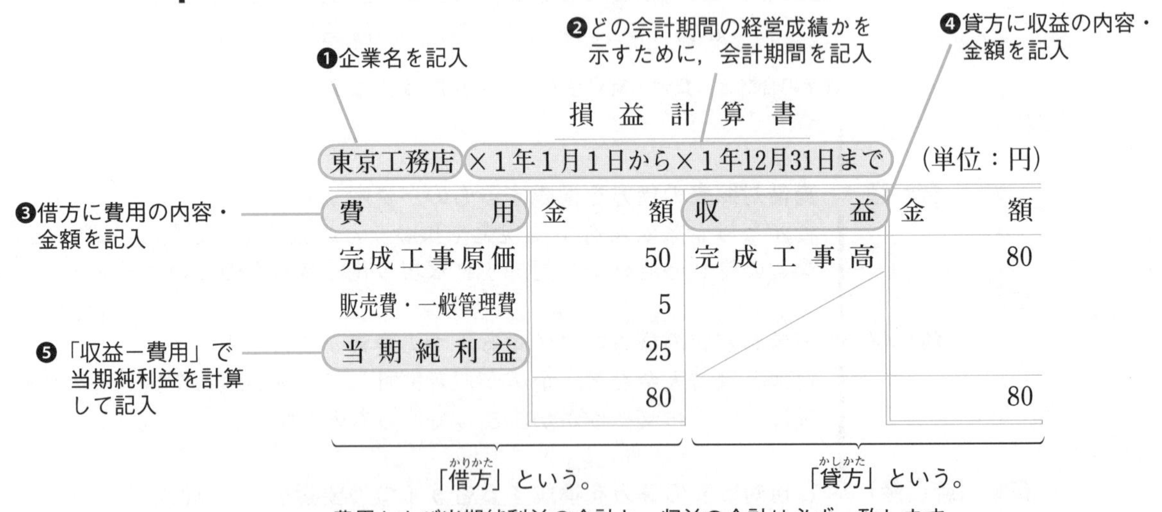

損　益　計　算　書

東京工務店　×1年1月1日から×1年12月31日まで　(単位：円)

費　用	金　額	収　益	金　額
完成工事原価	50	完成工事高	80
販売費・一般管理費	5		
当期純利益	25		
	80		80

費用および当期純利益の合計と，収益の合計は必ず一致します。

収益 ● 収益とは利益(損失)を計算するために必要な要素です。
収益とは，企業活動の結果得られた成果を金額で示したもので，完成工事高(売上高)，受取手数料，などを総称します。
また収益は，元手(資本)の増加要因でもあります。

費用 ● 費用とは成果を得るために費した企業の努力を金額で示したものです。費用とは，完成工事原価(売上原価)，給料，支払手数料などを総称します。
また費用は，元手(資本)の減少要因でもあります。

損益計算書等式 損益計算書の費用と当期純利益の合計額と収益の額は必ず，一致することを示した等式です。

この損益計算書等式によって，損益計算書が作成されます。

費　用 ＋ 当期純利益 ＝ 収　益

損益法 損益計算書で当期純利益を計算するための等式です。

収益合計－費用合計＝当期純利益（マイナスの場合は，当期純損失）

これは，一定期間（会計期間）について，収益と費用を対応させ，収益から費用を控除した差額を利益または損失として算出する損益計算の方法を表しています。

利益の一致

貸借対照表と損益計算書で計算された当期純利益は，おなじ企業のおなじ会計期間のものであれば，必ず一致します。そこで，なぜ一致するのかを簡単な例で考えてみることにしましょう。

例えば，あなたが魚屋さんを営んでいるとして，朝，現金¥100,000で商品の魚を仕入れ，今日１日お店で残らず販売したら，夜には現金¥160,000が手もとに残りました。これを図にすると次のようになります。

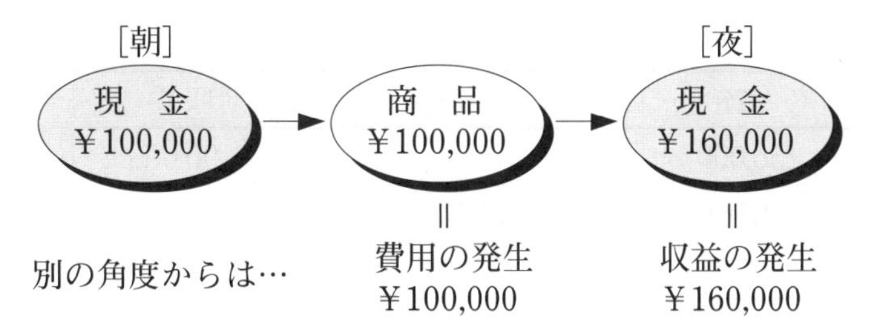

この図から当期純利益の計算を考えると次の**２通りの方法**が考えられます。

その１（財産法） 当初用意した資金¥100,000が最終的に¥160,000に増えていた。そこで**期末資本（純資産）¥160,000から期首資本（純資産）¥100,000を差し引いて当期純利益を計算する**という考え方。**→財産法の発想**

その２（損益法） 商品を¥100,000で仕入れ，それを¥160,000で販売した。そこで，**収益¥160,000から費用¥100,000を差し引いて当期純利益を計算する**という考え方。
→損益法の発想

つまりおなじお金の流れを，別の角度から見ることで２つの違いがあります。したがって，２つの方式で計算される当期純利益は必ず一致することになります[05]。

また，当期純利益の¥60,000は元手の増加となり，明日の朝には¥160,000で商品を仕入れることができるようになります。

05）なお，損益計算書と貸借対照表の当期純利益が一致しない場合，どこかで計算を間違えていることがわかります。このように簿記では自分の計算をセルフチェックできるようになっています。

例題　財務諸表　解答解説 P.1-194

⑴　京都商店の開業時(×１年１月１日)の資産及び負債・資本(純資産)は，次のとおりです。
よって，期首の貸借対照表を作成しなさい。

現　　金（　?　）　建　　物 ¥400,000　借 入 金 ¥100,000
資 本 金 ¥500,000

解答欄

貸借対照表

京都商店　×1年1月1日　(単位：円)

資　　産	金　　額	負債及び純資産	金　　額
(　　)	(　　)	(　　)	(　　)
(　　)	(　　)	(　　)	(　　)
	(　　)		(　　)

⑵　次の表の空欄に適当な金額を記入しなさい。

期首資本（純資産）	期末資本（純資産）	当期収益	当期費用	当期純利益
250,000	(　　)	90,000	70,000	(　　)
300,000	330,000	123,000	(　　)	(　　)
(　　)	225,000	(　　)	85,000	45,000
315,000	(　　)	185,000	(　　)	65,000

Section 3

「完成工事」は「売上」と置き換えてみる。　重要度 ◇◇◇◇◇

資産，負債，資本，収益，費用の項目

はじめに マイさんは，加藤さんに付いて勉強しているうちに不安になってきました。

マイさん：先輩，貸借対照表と損益計算書は思い出したんですけど，この項目がどこに行くのか、習ったときからわからなかったんですよ。

加藤さん：そこ，しっかりわかっておかないとだよね。

マイさん：でも，覚えるのが大変で。

加藤さん：大丈夫だよ。無理して覚えこまなくても，やってるうちに身に付くから。

マイさん：そうなんですね。ありがとうございます。

資産

資産の項目 現金，預金と，売却すれば**現金化できるもの**が資産です。

具体的には次の項目（勘定科目）[01] があります。なお，**太字**は建設業会計，独特の勘定科目を表しています。

01）簿記の世界における計算の単位です（詳しくはSection 4参照）。

現　　金……通貨，他人振出小切手，社債の利札等
小口現金（こぐち）……少額の経費の支払いのために用意された現金
当座預金（とうざよきん）……主に小切手や手形の代金決済のために設けられた銀行預金
普通預金……いつでも出し入れ可能な銀行預金
通知預金……一時的に多額の余裕資金ができた時に使われる銀行預金
（原則として１口５万円以上，７日以上預けることが必要）
定期預金……貯蓄性預金であらかじめ定められた期間預ける銀行預金
貸付金（かしつけきん）……他人に金銭を貸した場合に生じる債権
建　　物……社屋・倉庫・工場等
備　　品……金庫・ロッカー・机・パソコン等
土　　地……自家用の土地
受取手形……得意先との間に発生した営業上の手形債権を処理する勘定
完成工事未収入金[02]……工事代金の未収額を処理する勘定（一般企業における売掛金と同様）
有価証券……株式や社債，国債等
未成工事支出金[03]……工事途中の原価を表す勘定（一般企業における仕掛品と同様）
材　　料……鉄骨・セメント・木材等
貯蔵品（ちょぞうひん）……燃料・油等で工事のために補助的に使用され，未使用のもの
手形貸付金……手形を用いて資金の貸付けをした時に生じる債権
前払保険料（まえばらい）
前払地代
前払家賃
前払利息
　｝すでに支払っているが，まだ費用となっていない分を次期に繰り延べるための勘定
未収入金……固定資産や有価証券等の売却代金のうち，未収の金額

02）商業簿記でいう「売掛金」です。
03）工業簿記でいう「仕掛品」です。

未収家賃
未収利息
未収手数料
} 当期の収益としてすでに発生しているが，まだ収入となっていない分を見越計上するための勘定

立替金（たてかえきん）……従業員または得意先等への立替払いについて生じた債権
仮払金（かりばらいきん）……金額が確定していない場合に使用する一時的な勘定
前渡金（まえわたしきん）……工事に関する費用の前払に使用する勘定
構築物……橋・貯水池・煙突等の土地に定着する土木設備，又は工作物
車両運搬具……軌条車両・自動車，その他陸上運搬具
船舶……浚渫船，砂利採取船，モーターボート等
工具器具……各種の工具又は器具
貸倒引当金[04]……債権の回収不能見込額
減価償却累計額[04]……固定資産の価値の減少を間接的に示す勘定

04）これらの科目は資産のマイナスを表す科目であり，貸方項目となります。

負債

負債の項目 債務（いつ，誰に，いくら支払うかがきまっているもの）が負債です。

具体的には次の項目（勘定科目）があります。なお，**太字**は建設業会計，独特の勘定科目を表しています。

借入金……他人から金銭を借りた場合に生じる債務
支払手形……仕入先または外注先との間に発生した営業上の手形債務を処理する勘定
工事未払金[05]……工事費用の代金の未払額を処理する勘定
未払金……固定資産や有価証券等の購入代金のうち未払いの金額

未払家賃
未払利息
未払地代
} まだ支払っていないが，当期の費用とすべき分を見越計上するための勘定

未成工事受入金（うけいれ）[06]……工事完成・引渡し前の工事代金の前受額を処理する勘定
預り金……他人から金銭を預かった場合に生じる債務
従業員預り金……従業員から金銭を預かった場合に生じる債務（所得税，社会保険料等）

前受家賃（まえうけ）
前受賃貸料
前受利息
} すでに収入となっているが，まだ収益となっていない分を次期に繰り延べるための勘定

仮受金（かりうけきん）……受け取った金銭の内容が不明な時に使用する一時的な勘定
当座借越（かりこし）……当座預金の一時的な借入れ
手形借入金……手形を用いて資金の借入れをした時に生じる債務

05）商業簿記でいう「買掛金」です。

06）商業簿記でいう「前受金」です。

資本

資本の項目 ● 資産と負債の差額であり，いわゆる元手にあたるものが資本です。
具体的には次の項目(勘定科目)があります。

資　本　金…… 事業主（店主）の元手
事業主借勘定…… 事業主による会社への一時的な出資額（元手の増加）
事業主貸勘定[07]…… 事業主による会社からの一時的な引出額（元手の減少）

07) 事業主貸勘定は資本（純資産）の勘定でありながら，借方項目となる科目です。

費用

費用の項目 ● 資本の減少要因となるものが費用です。
費用に属する項目(勘定科目)には次のものがあります[08]。なお，**太字**は建設業会計，独特の勘定科目を表しています。

完成工事原価[09]…… 完成して引渡した工事の原価・一般企業における売上原価
給　　　料…… 従業員に対する給料・賞与
事務用消耗品費…… 日常の事務用消耗品・文具，等
通　信　費…… 電話代・切手代等
旅費交通費…… 電車・バス・タクシー代等
動力用水光熱費…… 水道代・電気代・ガス代等
支(し)払(はらい)地代…… 土地の賃借料の支払い
支払家賃…… 建物の賃借料の支払い
雑　　　費…… 他の支出科目にあてはまらず，少額なもの
支払利息…… 借入金の利子
雑　支　出…… 他の支出科目にあてはまらず，少額なもの
役員報酬…… 役員に対する報酬・賞与・退職金
給料手当…… 従業員に対する給料・賞与
退　職　金…… 従業員に対する退職金
法定福利費…… 健康保険料・社会保険料・労災保険料
福利厚生費…… 従業員の医療保健衛生費，厚生施設備費
修繕維持費…… 機械等の修繕，ＯＡ機器の保守管理費等
広告宣伝費…… 新聞・雑誌・ポスターなどの広告費
貸倒引当金繰入額…… 債権の回収不能見込額を費用化する勘定
交　際　費…… 取引先の接待費，贈答品代
寄　付　金…… 神社・寺院・学校・公益団体への寄付
減価償却費…… 固定資産の価値の減少を費用化する勘定
租税公課…… 収入印紙，固定資産税，自動車税
保　険　料…… 火災保険，自動車保険
手形売却損…… 手形割引時の割引料
有価証券売却損…… 有価証券の売却による損益
有価証券評価損…… 期末において，有価証券の時価が簿価よりも下がった場合の損失

08) 費用の勘定科目の特徴
①前に「支払」と付く（支払手形を除く）
②後に「費」「料」「賃」「損」「支出」が付く

09) 商業簿記でいう「売上原価」です。

収益

収益の項目 資本の増加要因となるものが収益です。

収益に属する項目(勘定科目)には次のものがあります[10)]。なお，**太字**は建設業会計，独特の勘定科目を表しています。

10) 収益の勘定科目の特徴
①前に「受取」と付く（受取手形を除く）
②後に「益」や「収入」が付く

11) 商業簿記でいう「売上」です。

完成工事高[11)]……完成して引渡した工事の代金・一般企業における売上，営業収益ともいう。
受取利息……預貯金の利子，貸付金の利子等
受取地代……土地の貸借料の受取り
受取家賃……建物の貸借料の受取り
雑収入……他の収入科目にあてはまらず，少額なもの
受取配当金……株式等による配当金
有価証券利息……公社債の利子
受取手数料……商品以外のサービスを提供して得た代金
有価証券売却益……有価証券の売却により生じた損益

例題 貸借対照表・損益計算書

解答解説 P.1-195

(1) 京都商店の開業１年後（×１年12月31日）の資産及び負債・資本（純資産）は，次のとおりです。よって×１年12月31日の貸借対照表を作成しなさい。

現金	¥220,000	完成工事未収入金	¥270,000	建物	¥400,000
工事未払金	¥170,000	借入金	¥150,000	資本金	¥500,000

解答欄

貸借対照表

京都商店　×１年12月31日　(単位：円)

資産	金額	負債及び純資産	金額
(　　)	(　　)	(　　)	(　　)
(　　)	(　　)	(　　)	(　　)
(　　)	(　　)	(　　)	(　　)
		(　　)	(　　)
	(　　)		(　　)

(2) ×1年1月1日に開業した京都商店の1年間（×１年12月31日まで）の収益と費用は，次のとおりです。よって，損益計算書を作成しなさい。

完成工事高	¥420,000	受取手数料	¥ 15,000		
完成工事原価	¥240,000	給料	¥120,000	支払利息	¥5,000

解答欄

損益計算書

京都商店　×１年１月１日から×１年12月31日まで　(単位：円)

費用	金額	収益	金額
(　　)	(　　)	(　　)	(　　)
(　　)	(　　)	(　　)	(　　)
(　　)	(　　)		
(　　)	(　　)		
	(　　)		(　　)

Section 本来の位置で増加し，逆側で減少する。 重要度 ◈◈◈◈◈

4 仕訳と転記

はじめに 右と左が混乱してきたマイさんは，先輩の加藤さんに疑問をぶつけてみました。

マイさん：左が借方で，右が貸方。でも，貸付金は資産で右で，借入金は負債で左？先輩、わけわかんなくなってきちゃいました～。

加藤さん：だから「借方・貸方」は借りる，貸すという行為と全く関係なくて，「右・左」でも何でもいいんだよ。

マイさん：でも，借り，貸しって，書いてあるし…。

加藤さん：最初に簿記は，投資家や銀行が使ったから，普通の企業とは逆になってるんだよ。でも，気にしない，気にしない。

マイさん：はーい。

簿記上の取引とは

企業の資産・負債・資本・収益・費用を変化させるすべてのことがらを簿記上の「取引」[01]といいます。またそれらは，帳簿に記入しなければならないものを意味しています[02]。

例えば，商談や売買契約を交わしただけでは資産・負債・資本などに変化がないので，簿記上の取引とはいえません。また逆に，火災や盗難など，ふつう「取引」とはいわないことがらでも，資産・負債・資本などに変化があれば，それは簿記上の取引となります。

01）ここでは，「取引」という言葉が一般的な意味とは違っていることに注意してください。

02）あることがらが簿記上の取引であるかどうかは，それによって資産・負債・資本などが変化したかどうかによって判断します。

ふつうの取引と簿記上の取引の相違

ふつうの取引と簿記上の取引の相違[03]を図の形でまとめると次のとおりです。

(イ)ふつうの取引であるが，簿記上の取引ではないもの

商談をしたり，ビルや店舗の敷地を借りる契約をした場合は，ふつう取引といいますが，単に契約しただけでは企業の**資産・負債・資本などが増減しない**ので簿記上の取引にはなりません。

(ロ)簿記上の取引であるが，ふつうの取引ではないもの

現金が盗難にあった場合や火災によって建物や備品を失った場合は，ふつう取引とはいいませんが，**現金や建物など資産が減少する**ので，簿記上の取引になります。

03）建物を借りる契約を交わし，その場で保証金や前家賃を現金で支払えば，それは簿記上の取引であるとともに，ふつうにいう取引にもなります。

前ページの図のように，ふつうの取引と簿記上の取引とは必ずしも一致しないということを理解することが大切です。

つまり，日頃生じる**出来事のすべてを帳簿に記入するわけではなく，簿記上の取引のみを記入する**点に注意してください。

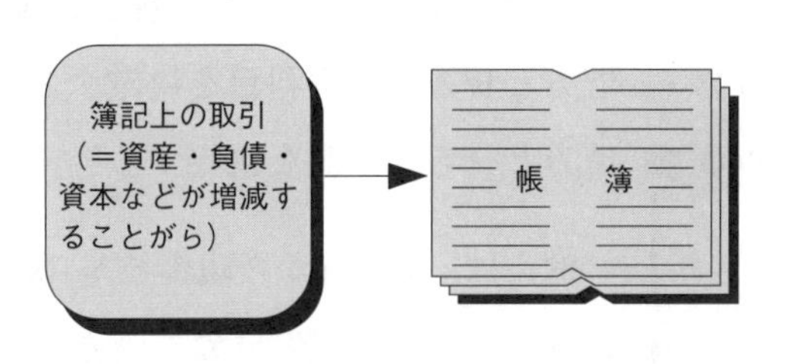

仕訳とは

例えば，銀行から現金を借り入れたときには，現金という**資産が増え**ますが，一方では借入金という**負債が増え**ます。

また車を現金で買うと車両という**資産が増え**るものの，一方では現金という**資産が減る**ことになります。

このように簿記上の取引はすべて2つの側面を持っています。

仕訳とはこのような**簿記上の取引を借方の側面と貸方の側面に分け，借方と貸方の具体的な項目**[04]**と金額を決定すること**です。

04）これを勘定科目といい，簿記上の計算（勘定）単位（科目）です。

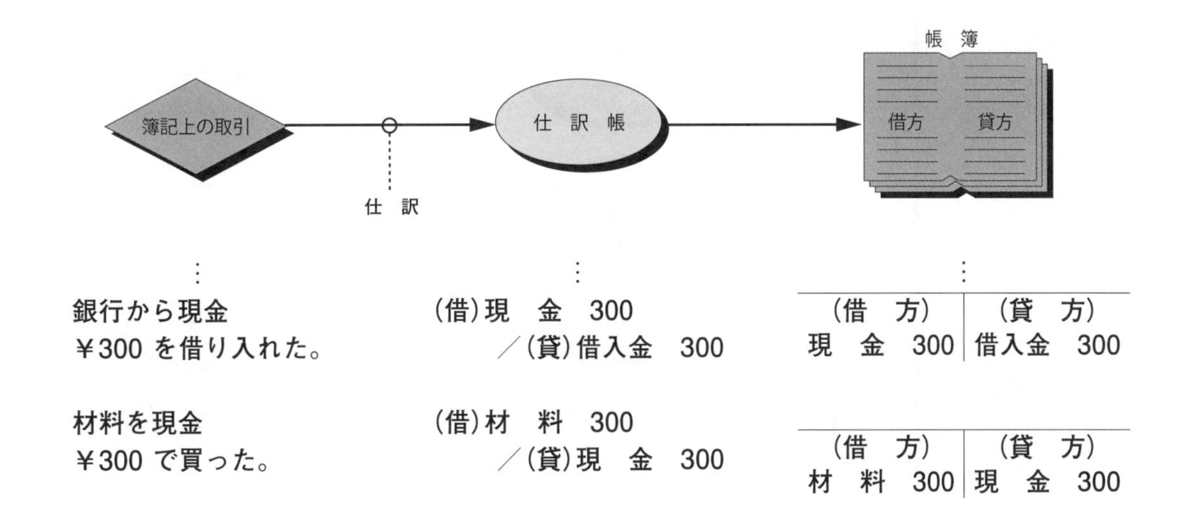

仕訳のしかた

仕訳は次の３つのステップで作られます。

Step 1 取引を２つの側面（**借方と貸方の要素**）に分解する。

Step 2 借方と貸方の**勘定科目**を決定する。

Step 3 借方と貸方の**金額**を決定する。

例えば，T銀行から現金で￥100,000を借り入れた場合には次のように考えます。

▶ Step 1 → **借方の要素**：資産の増加，**貸方の要素**：負債の増加

▶ Step 2 → **借方の勘定科目**：現　金[05]，**貸方の勘定科目**：借入金

▶ Step 3 → **借方の金額**，**貸方の金額**とも￥100,000[06]

fin. →**（借）現　金　　100,000（貸）借入金　　100,000**[07]

05）単に資産が増加したというだけでは，建物が増えたのか現金が増えたのかがわかりませんね。そこで，具体的に何の資産が増えたのかをはっきりさせるために，勘定科目を決定します。これは負債についても同様です。
　つまり，簿記の５要素（資産・負債・資本・収益・費用）と勘定科目との間には，例えば東京都と東京23区のような関係があることになります。

06）１つの取引を２つの側面から見るため，金額は借方・貸方ともに同じ金額になります。

07）借り方・現金　100,000円
　　貸し方・借入金 100,000円
と読みます。

なお，次の「取引要素の結合関係」に示すとおり，**簿記上の取引はすべて，ある借方要素と貸方要素とが結びついて発生します**。そのうち代表的なものが図中の実線で示されているものです。

取引要素の結合関係

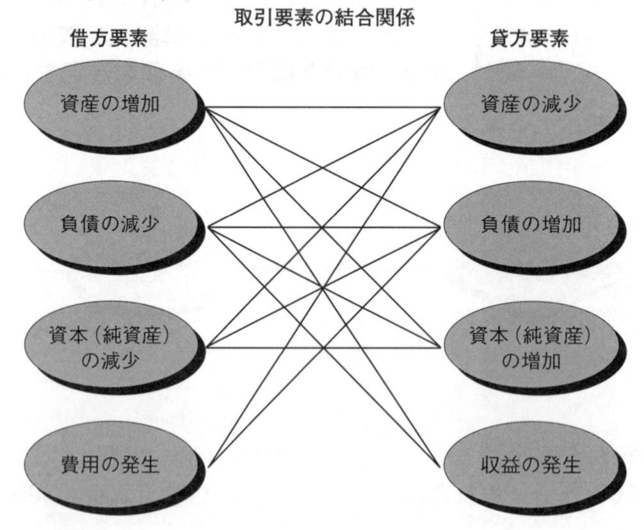

各科目とも，貸借対照表や損益計算書に記載される側（本来の位置）で増加し，逆側で減少すると認識しておきましょう。

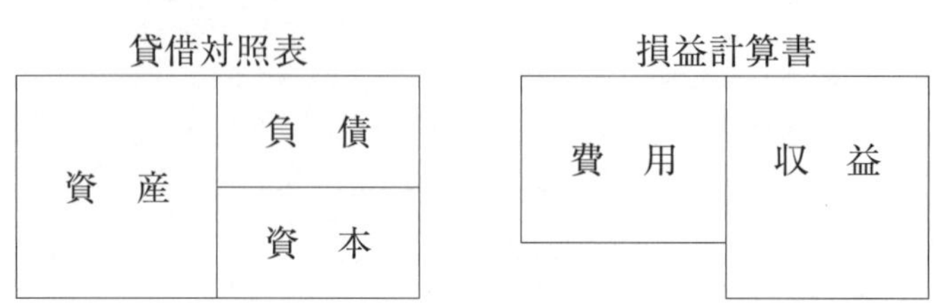

具体例で仕訳を学ぶ

08) この仕訳はわかりにくいものの1つです。コツはあなた個人と店（仕事）を区別して，店の立場で考えることです。
●店にとっての現金は増えるのでしょうか，それとも減るのでしょうか？
●店にとっての元手は増えるのでしょうか，それとも減るのでしょうか？

ある会社の1カ月間の代表的な取引を例にとって，仕訳のしかたを説明しましょう。

［取　引］

4.1　本日，現金で¥10,000を元入れ（出資）して開業した[08]。
4.3　A銀行から現金¥2,000を借り入れた。
4.7　材料¥3,000を現金で購入した。
4.16　完成した建物を引き渡し，代金として現金¥5,000を受け取った。
4.24　家賃¥500と事務員給料¥800を現金で支払った。
4.30　A銀行に対する借入金¥2,000を現金で返済した。

仕訳のしかた

▶ Step 1 → ページの取引要素の結合関係を見ながら，それぞれの**取引を借方要素と貸方要素に分解**します。なお，1カ月間の取引を分解した結果は次のとおりです。

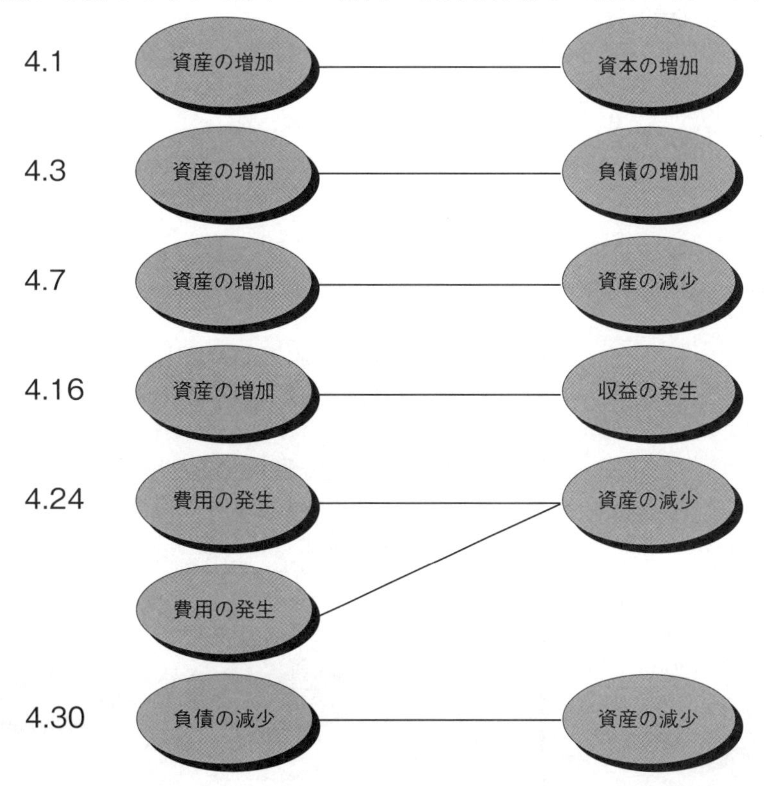

09) 最もふさわしい勘定科目を選びます。

▶ Step 2 → Section 3を参考に**借方・貸方の勘定科目**を決定します[09]。

4.1　借　方：**現　金**，　貸　方：**資本金**
4.3　借　方：**現　金**，　貸　方：**借入金**
4.7　借　方：**材　料**，　貸　方：**現　金**
4.16　借　方：**現　金**，　貸　方：**完成工事高**
4.24　借　方：**支払家賃**，　貸　方：**現　金**
　　　　　　　給　料
4.30　借　方：**借入金**，　貸　方：**現　金**

10) 1つの出来事（取引）を2つの側面から眺めているわけですから，金額は一致するはずですね。

▶ Step 3 → **借方・貸方の金額**を決定します。なお，このとき借方あるいは貸方の勘定科目が2つ以上になったときにも，借方・貸方の金額は必ず一致します[10)]。

4.1	借　方：¥10,000，	貸　方：¥10,000
4.3	借　方：¥ 2,000，	貸　方：¥ 2,000
4.7	借　方：¥ 3,000，	貸　方：¥ 3,000
4.16	借　方：¥ 5,000，	貸　方：¥ 5,000
4.24	借　方：¥ 500， ¥ 800	貸　方：¥ 1,300
4.30	借　方：¥ 2,000，	貸　方：¥ 2,000

まとめ

4.1	(借) 現　　金	10,000	(貸) 資　本　金	10,000
4.3	(借) 現　　金	2,000	(貸) 借　入　金	2,000
4.7	(借) 材　　料	3,000	(貸) 現　　金	3,000
4.16	(借) 現　　金	5,000	(貸) 完成工事高	5,000
4.24	(借) 支払家賃	500	(貸) 現　　金	1,300[11)]
	給　　料	800		
4.30	(借) 借　入　金	2,000	(貸) 現　　金	2,000

11) このように，借方や貸方の科目が1つだけとは限りません。なお，「借り方・支払家賃　500円，同じく　借方・給料　800円，貸し方・現金　1,300円」と読みます。

転記とは

仕訳だけをして放っておくと、「いま現金の残高はいくらあるのだろう？」と思ったときに、大量の仕訳の中から現金の増減を1つ1つ捜していかなければならなくなります。

このような問題を解決するためには，仕訳をしたあとそれぞれの**勘定科目の増減を1カ所にまとめておく**必要があります。そのために**勘定口座**[12)]**を作り，仕訳した結果をそこに書き移す**ようにします[13)]。なお，勘定口座をまとめた帳簿を**総勘定元帳**といいます。

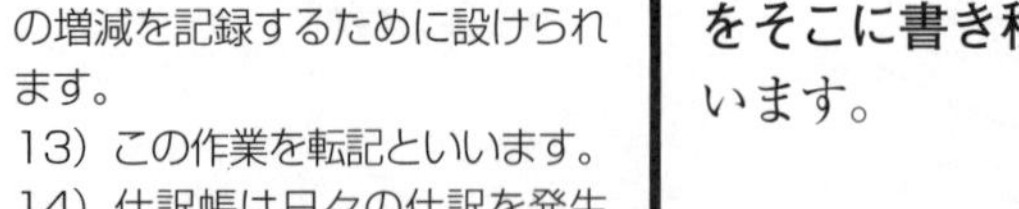

12) 勘定口座は，ある勘定科目の増減を記録するために設けられます。
13) この作業を転記といいます。
14) 仕訳帳は日々の仕訳を発生順に記入した帳簿です。

このようにすることで，特定の勘定科目の増減が一目でわかるようになり，例えば，1カ月間の売上高を調べたり，月末の現金残高がいくらかということが簡単にわかります。

転記のしかた

転記とは仕訳された取引の内容を総勘定元帳に書き移す作業をいいます。

転記に際し，各勘定口座には，①**日付**，②**仕訳の相手勘定**，③**金額**の3つを記入していきます。その手順は次のとおりです[15]。

15) 仕訳の借方科目はその勘定の借方に，貸方科目はその勘定の貸方にそれぞれ転記します。

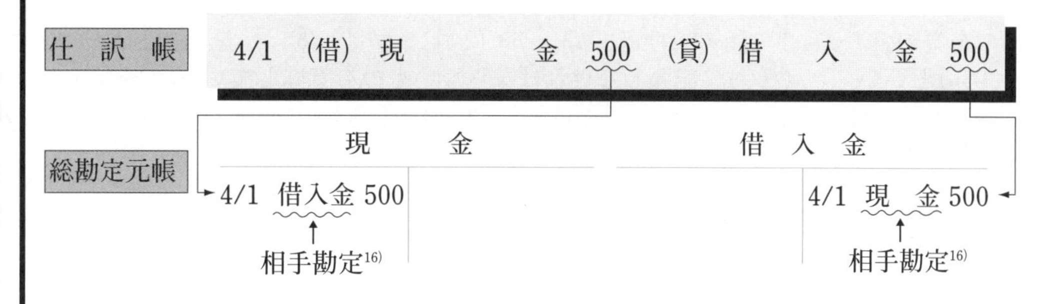

16) 現金勘定にとって借入金が相手勘定，借入金勘定にとって現金が相手勘定となります。
このように相手勘定を書くことにより，総勘定元帳の現金だけを見ても，「4月1日に現金500円が借入金を相手にして増えた」と，仕訳そのものがわかる形になっています。

相手勘定が複数ある場合には，相手勘定を記入する代わりに**諸口**（しょくち）とします[17]。

17)「諸口（しょくち）」とは「諸々の勘定口座」の略で，この例では現金勘定に転記する際の相手勘定が複数あることを示しています。

勘定記入のルール

勘定口座に記入を行う場合のルールは次のとおりです。**例えば，資産に属する勘定であれば増加は借方に，減少は貸方に記入するようにして下さい。**ということは，仕訳を行うときのルールと全く同じですね。

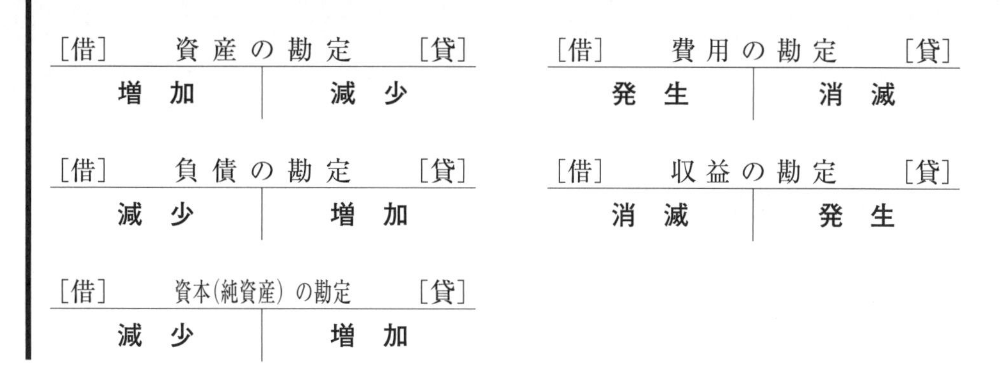

例題　簿記上の取引

解答解説 P.1-196

問１　次の(　　)の中にあてはまる言葉を入れなさい。

企業の（　①　）・（　②　）・（　③　）・（　④　）・（　⑤　）を変化させるすべてのことがらを簿記上の（　⑥　）といい，（　⑦　）に記入しなければならないものを意味している。あることがらが簿記上の（　⑥　）であるかどうかは，それによって（　①　）・（　②　）・（　③　）・（　④　）・（　⑤　）が変化したかどうかによって判断する。

解 答 欄

①		②		③		④		⑤	
⑥		⑦							

問２　次の文章のうち，簿記上の取引となるものを選び，番号で示しなさい。

(1)　材料￥50,000 を購入し，代金は現金で支払った。
(2)　工事￥200,000 の受注を受けた。
(3)　銀行から現金￥40,000 を借り入れた。
(4)　倉庫を月額￥30,000 で借りる契約を結んだ。
(5)　作業員の給料￥20,000 を現金で支払った。
(6)　事務所金庫の現金￥5,000 が盗まれた。

解 答 欄

例題　仕 訳

解答解説 P.1-196

次の取引の仕訳を示しなさい。

5.1　本日，現金￥20,000 と建物￥60,000 を元入れ(出資)して開業した。
5.6　Ｂ銀行から現金で￥30,000 を借り入れた。
5.10　材料￥10,000 を現金で購入した。
5.14　完成した建物を現金￥20,000 で引き渡した。
5.26　家賃￥5,000 と電話代￥500 を現金で支払った。
5.31　Ｂ銀行に対する借入金￥30,000 を利息￥2,000 とあわせて現金で返済した。

解 答 欄

5.1				
5.6				
5.10				
5.14				
5.26				
5.31				

例題　仕訳・転記

解答解説 P.1-197

次の取引を仕訳し，勘定口座に転記しなさい。

- 7.1　青山工務店は本日，現金¥200,000 とトラック¥50,000 を元入れして開業した。
- 7.5　本日，Ｓ銀行から現金で¥100,000 を借り入れた。
- 7.15　現金で¥80,000 の資材を購入した。
- 7.20　完成済建物を¥150,000 で販売し，代金は現金で受け取った。
- 7.24　本日，事務員に給料¥30,000 と家主に家賃¥5,000 を現金で支払った。
- 7.29　本日，借入金の全額を返済し，利息¥2,000 とともに，現金で支払った。

解答欄

7.1				
7.5				
7.15				
7.20				
7.24				
7.29				

現　　金

借 入 金

資 本 金

車　　両

完成工事高

材　　料

給　　料

支払利息

支払家賃

現金・当座預金①

はじめに 加藤さんは暗記に頼るのではなく，意味を分かってほしいと思っています。

加藤さん：小切手って受け取ったら現金として扱うよね。なぜか知ってる？
マイさん：えっ。通貨と同じように扱えるから，ですよね。
加藤さん：じゃあ，どうして小切手は通貨と同じように扱えるんだろう？
マイさん：えっ。理由ですか？うーん。
加藤さん：小切手の宛先と書いてある言葉を見てごらん。銀行宛に「お支払いください」って書いてあるね。だから信用度抜群なので，もらった方は現金として扱えるんだよ。
マイさん：へーえ。言葉なんて読んだことなかった…。

簿記上の現金

まず，現金を正しく処理するためには簿記上の現金(つまり現金勘定で処理されるもの)を正しく理解する必要があります。

一般に**簿記上の現金には通貨のほか，通貨代用証券**(だいようしょうけん)[01] が含まれます。通貨代用証券は，金融機関に持ち込むことによって換金することができるので，通貨と同様に扱うことができるのです。

簿記上の現金 ＝ 通 貨 ＋ 通貨代用証券

01) ①他人振出の小切手
②株主配当金領収証
③送金小切手
④普通為替証書
⑤小為替
などがあります。

当座預金

当座預金(とうざよきん)は銀行預金の一種であり，**預金の引出しには小切手を用いること**，無利息であること，通帳が発行されないことがその特徴です[02]。

また小切手は，万一紛失した場合でも，拾った人が勝手に換金することはできないようになっており，金銭で支払いをする場合に比べて安全なため，商取引などで用いられています[03]。

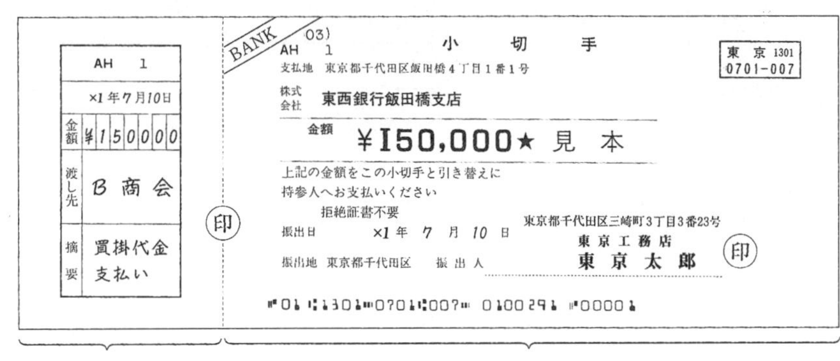

小切手の控え　　小切手

02) 小切手は預金者が銀行に対し，それを持参した人に支払うことを委託する旨が記載された証券をいいます。これは支払いの手段として多く用いられています。

03) このような小切手を特に「銀行渡り」といいます。

当座取引の処理

当座預金への預入れ

現金を当座預金に預け入れたときには，**当座預金勘定（資産の勘定）の増加**として処理します。

例えば，現金￥500,000 を当座預金に預け入れたときには次のように仕訳します。

（借）当　座　預　金	500,000	（貸）現　　　　　金	500,000

小切手の受取り

他人振出の小切手を受け取ったときは，現金勘定（資産の勘定）の増加として処理します。

例えば，貸付金の利息￥500 を小切手で受け取ったときには次のように仕訳します。

（借）現　　　　　金	500	（貸）受　取　利　息	500

当座預金の引出し

04）「小切手を振り出した」というだけで当座預金勘定を減少させます。

小切手を振り出したときには，**当座預金勘定（資産の勘定）の減少**として処理します。

例えば，材料￥300,000 を購入し，その代金を小切手を振り出して[04]支払った場合には，次のように仕訳します。

（借）材　　　　　料	300,000	（貸）当　座　預　金	300,000

try it Q 例題　当座預金　解答解説 P.1-198

次の一連の取引について仕訳を示しなさい。

① N銀行と当座取引契約を結び，当座預金口座に現金￥100,000 を預け入れた。
② 横浜建材㈱に対する工事未払金￥35,000 を小切手を振り出して支払った。
③ 借入金の利息￥8,000 が当座預金から引き落とされた。

解 答 欄

①				
②				
③				

Chapter 1

建設業会計の基礎知識

マイさんの経理部第１日目が始まりました。建設業は，受注してから完成するまでに時間がかかることや，完成品一つひとつの価格が高いことに特徴があります。それにともない，会計処理にも建設業独特の処理があります。加藤さんはマイさんに，まずそこを理解してもらおうと思いました。

Chapter 1 では，建設業会計の概要をつかんでください。

Section 1　分譲マンションの売出広告代も原価のうち。　重要度

工事原価の基礎知識

はじめに　マイさんは，昼食から戻ってきました。

マイさん：加藤さん，聞いてください！　私，さっきお昼にエビフライ定食を食べたんですけれど，1,200円もしたんですよ。絶対，高いですよね。

加藤さん：そうかなあ？

マイさん：原価は，200円か，300円ぐらいですよね。絶対，ぼられてる！

加藤さん：きみさあ，エビフライ定食の中のエビの値段だけが原価だと思ってない？

マイさん：えっ，違うんですか？

加藤さん：もちろんだよ。勉強しなさい。

原価とは

原価とは一般に「経営における一定の給付にかかわらせて，把握された財貨または用役の消費を貨幣価値的に表したものである」と定義されます[01]。

工事にかかわる原価には，**工事原価**と**販売費及び一般管理費**があります。

工事原価とは，工事を完成させるためにかかる原価をいい，材料購入費用，作業員の給料，電気・ガスの経費などの費用がこれにあたり，最終的に生産物に集計されます[02]。

販売費及び一般管理費とは，販売活動および一般管理活動にかかる費用をさし，広告宣伝費や本社の管理者給料がこれにあたり，発生した会計期間の費用として処理されます[03]。

01）この定義は覚える必要はありません。

02）これをプロダクト・コスト（製造原価）といいます。

03）これをピリオド・コスト（期間費用）といいます。

原価の分類

工事原価はいろいろな観点から分類されますが，本書では，7つの分類方法について説明します。

計算目的別分類（けいさんもくてきべつぶんるい）

原価計算をどのような目的のために行っているかにより，分類したものです。計算目的別分類では，原価をまず⑴**取得原価**，⑵**製造原価（建設業では工事原価）**，⑶**販売費及び一般管理費**に分類ができるため，行動別原価分類ともいえます。

発生形態別分類（はっせいけいたいべつぶんるい）

工事原価がどのような形で発生するかによる分類です。形態別分類では，工事原価を⑴**材料費**，⑵**労務費**，⑶**外注費**，⑷**経費**に分類します[04]。

⑴**材料費**…物品を消費することで発生する原価。

⑵**労務費**…労働力を消費することで発生する原価。

⑶**外注費**…下請などの外注業者に支払われる原価。

⑷**経　費**…材料費，労務費，外注費以外の原価財を消費することで発生する原価。

04）第４問で毎回のように出題される重要な分類方法です。

作業機能別分類（さぎょうきのうべつぶんるい）

発生形態別に分類した原価を，さらに細かく，**どのような機能のために発生したか**により分類したものです。

材料費→主要材料費，補助材料費，試験研究材料費など
労務費→直接工作業賃金，管理者給料，事務員給料など
電力料→動力用電力料，修繕用電力料など

工事との関連による分類

工事原価は複数の工事との関連で，その発生がどの工事現場で発生したかを直接的に把握されるか否かにより，(1)**工事直接費（現場個別費）**と(2)**工事間接費（現場共通費）**に分類することができます。

(1)工事直接費（現場個別費）

工事現場ごとに個別的に発生し，工事原価として直接集計できるものをいいます。つまり工事現場ごとに消費高を計算することのできる工事原価です。

(2)工事間接費（現場共通費）

複数の工事現場に共通的に発生し，特定の工事に集計できない原価をいいます。つまり，工事現場ごとに消費高を計算できない工事原価です。

形態別分類と工事との関連による分類を組み合わせると次のようになります。

形態別分類	工事との関連による分類
材料費	工事直接費（現場個別費）
労務費	
外注費[05)]	工事間接費（現場共通費）
経費	

05) 外注費は主に工事直接費となります。

以上をまとめると次のような図になります。

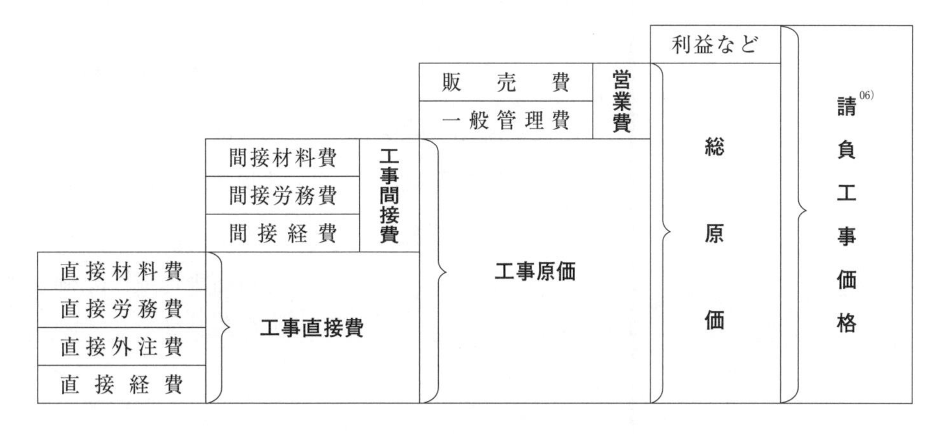

06) 請負工事価格を「工事費」ということもあります。

操業度との関連による分類

操業度（業務量）の変化に対する原価の動きの違いにより分類したものです。操業度との関連による分類では，原価を(1)**変動費**と(2)**固定費**に分類できます。

(1)**変動費**…操業度の増減に応じて比例的に増減する原価[07)]。
(2)**固定費**…操業度の増減に関わらず，一定額が発生する原価[08)]。

07) 作れば作るほど増加する原価です。
08) どれだけ作っても発生額が変わらない原価です。

発生源泉別分類（はっせいげんせんべつぶんるい）

原価管理の要請から，原価を活動すれば発生する，活動しなくても発生するというように，原価を発生もとから分類したものです。発生源泉別分類では，原価を(1)**アクティビティ・コスト**と(2)**キャパシティ・コスト**に分類できます。

(1)**アクティビティ・コスト**（業務活動費）…製品の製造・販売活動をすれば発生し，製造・販売活動をしなければ発生しない原価。

(2)**キャパシティ・コスト**（経営能力費）…製造・販売活動をしなくても，キャパシティ（製造・販売能力）を維持するために，一定額発生する原価。

管理可能性分類（かんりかのうせいぶんるい）

原価が一定の管理者にとって，管理できるか否かにより分類したものです。管理可能性分類では，原価を(1)**管理可能費**と(2)**管理不能費**に分類できます。

(1)**管理可能費**…原価の発生が一定の管理者にとって管理可能な原価。

(2)**管理不能費**…原価の発生が一定の管理者にとって管理不能な原価。

原価計算制度と特殊原価調査

原価計算制度と特殊原価調査（げんかけいさんせいどととくしゅげんかちょうさ）

原価計算は，常時継続的に行うか否かによって，**原価計算制度**と**特殊原価調査**に分類できます。

原価計算制度とは，財務諸表の作成などのために会計帳簿と結びつき，常時継続的に行われる原価計算のことです。

また，特殊原価調査とは，経営意思決定などのために会計帳簿の外で，必要に応じて断片的に行われる原価計算のことです[09]。

原価計算制度は，制度として従うべきものですが，特殊原価調査は，制度の外で財務諸表と直結せずに行われるという特徴があります。

	原価計算制度	特殊原価調査
複式簿記との関係	複式簿記に記録	複式簿記に記録せず計算
実施形態	常時継続的に行われる	必要に応じて行われる
原価概念	過去原価，支出原価	差額原価，機会原価
目　的	財務諸表作成，原価管理，予算統制など	経営意思決定，損益分岐点分析など

09）1級・原価計算で出題されます。

非原価項目(ひげんかこうもく)

10) 非原価項目は，この他に税法上特に認められている損金算入項目（特別償却費）や企業の利益から支払われる項目（法人税，配当金など）があります。

次にあげる費用・損失は非原価項目[10]として扱い，原価に含めません。

(1) **経営目的に関連しないもの**

(a)投資資産である不動産・有価証券，未稼働の固定資産，長期にわたって休止している設備，その他経営目的に関連しない資産などに関する減価償却費，管理費，租税などの費用。

(b)寄付金など経営目的に関連しない支出項目。

(c)支払利息，手形売却損などの財務費用。

(d)有価証券評価損および売却損。

(2) **異常な状態を原因とするもの**

(a)異常な仕損・減損・棚卸減耗・貸倒損失など。

(b)火災・風水害などの偶発的事故による損失。

(c)その他訴訟費用，偶発債務損失など。

おわりに

マイさん：そっか，じゃあエビフライ定食の値段の中には，場所代とかおばちゃんのお給料とかも入っているんですね。
加藤さん：そうだよ。原価に含めるものと，含めないものがあるから気をつけてね。
マイさん：もうバッチリですよ。それでもやっぱり，1,200 円は高かったです。
加藤さん：……。

例題　原価と利益

解答解説 P.1-198

次の図の(　)の中に，適当な用語および金額を記入しなさい。

解答欄

<table>
<tr><td>直接材料費
¥120,000</td><td rowspan="4">工事直接費
（現場個別費）
¥（　　　　）</td><td rowspan="5">（　　　　）
¥380,000</td><td rowspan="6">（　　　　）
¥480,000</td><td rowspan="7">請負工事価格
¥650,000</td></tr>
<tr><td>（　　　　）
¥100,000</td></tr>
<tr><td>外注費
¥50,000</td></tr>
<tr><td>直接経費
¥（　　　　）</td></tr>
<tr><td colspan="2">工事間接費（現場共通費）
¥80,000</td></tr>
<tr><td colspan="2">販売費・一般管理費
¥100,000</td><td></td></tr>
<tr><td colspan="2">利益など
¥（　　　　）</td><td></td><td></td></tr>
</table>

Section 2　　　　重要度 ◈

原価計算の基礎知識

はじめに マイさんは，まだエビフライ定食にこだわっています。

マイさん：加藤さん，さっきのエビフライ定食なんですけど，エビの値段が原価に含まれるのは理解できるんですよ。でも，お味噌汁とか千切りのキャベツとかって，いちいちお味噌が１人前で何ｇ使って，何日間でなくなるとか，キャベツは１人前で４分の１を千切りにするとか，知らないと原価って計算できないですよね。

加藤さん：そうかな。まあ，その定食屋さんがどうやって原価を計算しているかはわからないけれども，まず，一般的な「原価を計算する手続」を知るのもいいんじゃないかな。

原価計算とは

原価計算にはさまざまな定義がありますが，２級建設業経理士試験の勉強では，**原価計算とは工事原価を知るための計算方法**と理解してください。

原価計算の計算手続

原価計算は原則として，次の３段階の手続を経て行われます。

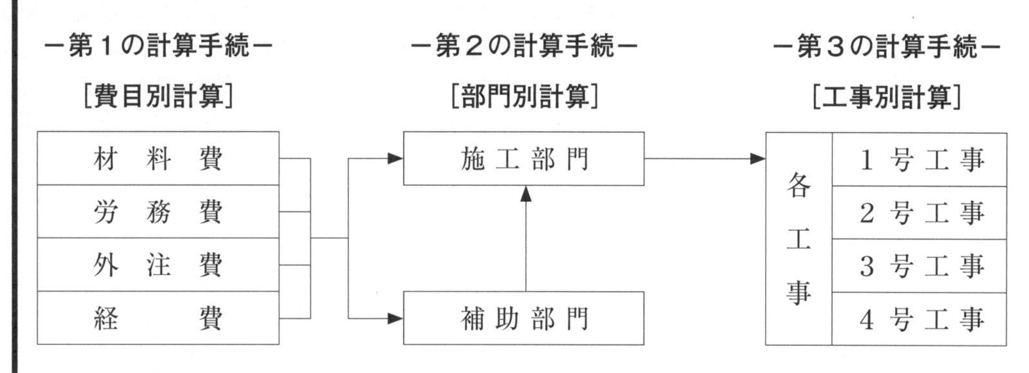

費目別計算（ひもくべつけいさん） 費目別計算とは，一定期間に発生した費用を材料費，労務費などの各費目に分類，集計する手続をいいます（Chapter 2 で学習）。

部門別計算（ぶもんべつけいさん） 部門別計算とは，費目別計算で把握された原価要素を原価の発生場所別に分類集計する手続です。なお，部門別計算をしない会社もあります（Chapter 3, 4 で学習）。

工事別計算（こうじべつけいさん） 工事別計算とは，最終的に原価を負担させる現場工事ごとに原価要素を集計し，完成工事原価を計算する手続をいいます（Chapter 5 で学習）。

個別原価計算と総合原価計算

原価の計算方法には，(1)**個別原価計算**と(2)**総合原価計算**とがあります。

(1)個別原価計算（こべつげんかけいさん）
顧客からの注文に応じて製品を生産するときに用いられる原価の計算方法です。２級建設業経理士では，個別原価計算について学びます。
例）船舶，航空機，高層ビルなど

(2)総合原価計算（そうごうげんかけいさん）
不特定多数の顧客に対して製品を大量生産するときに用いられる原価の計算方法です。
例）製紙，家電製品，自動車など

実際原価計算と標準原価計算

原価の算定にどのような金額を用いるかによって**実際原価計算**と**標準原価計算**に分類できます。

実際原価計算（じっさいげんかけいさん）
工事の完成のために実際に費やした原価，つまり実際原価を用いる原価計算です。２級建設業経理士では実際原価計算について学びます。

標準原価計算（ひょうじゅんげんかけいさん）
科学的統計的な分析調査にもとづいて標準（目標）となる原価をあらかじめ計算しておき，この原価(標準原価という)で原価計算を行う方法です。

おわりに

マイさん：…ってことは，エビフライ定食の原価を計算するには，まず原価計算期間なるものを設定するんですね。なにも定食１人前あたりの値段を出さなくてもまとめて計算できるんですね。
加藤さん：エビフライ定食はどうでもいいから，工事にかかわる原価計算の手続は押さえておいてね。

例題　原価計算の基礎知識　解答解説 P.1-199

次の文章は，下記の〈原価計算の種類〉のいずれと最も関係の深い事象か，該当する記号（A～E）で解答しなさい。なお，同じ記号を２回以上使用してはならない。

1．建設業では，工事原価を材料費，労務費，外注費，経費に区分して原価を計算し，これを報告書の基本としている。
2．原価計算基準にいう「原価の本質」の定義からすれば，工事原価と販売費及び一般管理費を含めたものがいわゆる原価性を有するものである。
3．コストコントロールのために能率水準としての目標を定める。
4．建設工事用の鉄骨を製造している工場では，素材とそれを加工する作業の区分を重視して原価計算を実施している。

〈原価計算の種類〉

A　個別原価計算　　B　総合原価計算　　C　形態別原価計算　　D　標準原価計算
E　総原価計算

解答欄

1	2	3	4

Section 3

4(材・労・外・経)⇒2(未成工事支出金・工事間接費)⇒1　重要度 ◈◈

建設業会計の原価の流れ

はじめに マイさんは加藤さんの指示どおり，NS工務店の帳簿を見ていました。すると，材料費や労務費が集められている勘定科目があることに気づきました。

マイさん：この材料費とか労務費とかって，必ずスエナリコウジシシュツキンていう科目と工事間接費という科目に集められていますよね。どうしてですか。

加藤さん：いいところに気づいたね。ちなみに，これ(未成工事支出金)は，ミセイコウジシシュツキンて読んでね。未完成の工事にかかった費用のことだよ。

マイさん：え？　あ，すみません。

加藤さん：いやいや。そう，工事原価はこの未成工事支出金勘定にそれぞれの勘定を振り替えて，集計していくんだよ。全体的な流れを見ておいてね。

建設業における帳簿組織

建設業会計では，工事原価の分類・集計を行うための多くの勘定が設けられています。工事の進行にともなって工事原価の記録・計算，勘定間の振替記入が頻繁に行われます。

費目別仕訳法（ひもくべつしわけほう）

費目別仕訳法とは，工事原価を費目別(材料費，労務費など)に勘定を設けて処理する方法です。

費目別仕訳法による勘定連絡

01) 製造原価を集計する最も中心となる勘定科目です。
02) 外注費は主に個別費として扱われます。

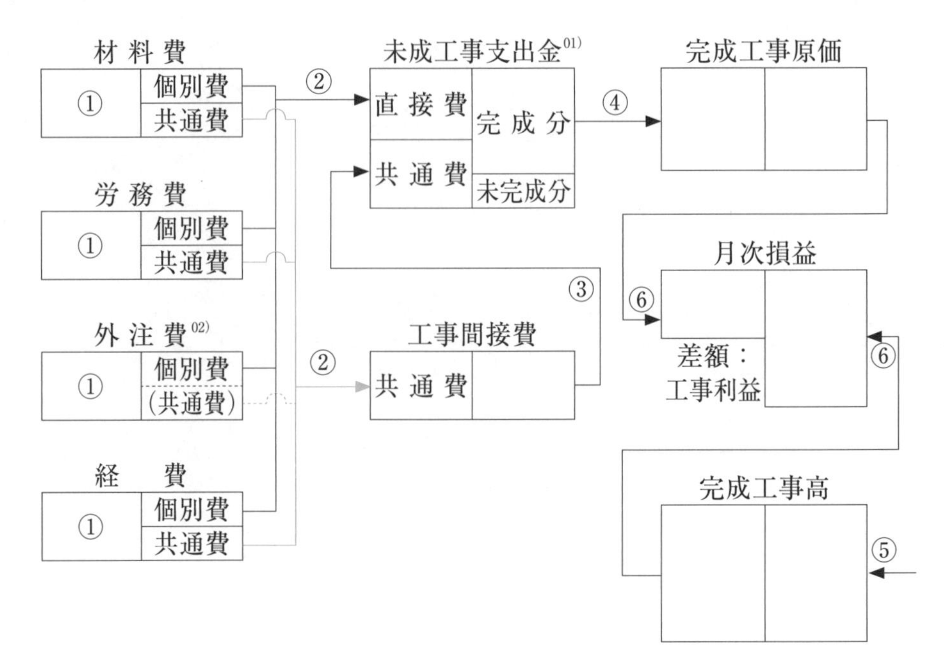

仕訳 材料の購入から販売に至るまでの一連の仕訳は次のようになります。

①各費目の記録 工事を完成させるための材料の購入，人件費の支払い，下請会社への外注費の支払い，諸経費の支払いなどの取引は，要素別の勘定に記録します。

(借)	材料費	×××	(貸)	現金・工事未払金など	×××
(借)	労務費	×××	(貸)	現金・当座預金など	×××
(借)	外注費	×××	(貸)	現金・工事未払金など	×××
(借)	経費	×××	(貸)	現金・工事未払金など	×××

②直接費・間接費の分類・振替 要素別に記録した費用の消費高がわかると，直接費（個別費）は未成工事支出金（みせいこうじししゅつきん）勘定へ，共通費は工事間接費（こうじかんせつひ）勘定へ振り替えます。

イ．直接費

(借)	未成工事支出金	×××	(貸)	材料費	×××
				労務費	×××
				外注費	×××
				経費	×××

ロ．間接費

(借)	工事間接費	×××	(貸)	材料費	×××
				労務費	×××
				経費	×××

③間接費の配賦 工事間接費を適当な基準により工事原価に配賦したら，未成工事支出金勘定に振り替えます。

(借)	未成工事支出金	×××	(貸)	工事間接費	×××

④完成工事原価の振替 工事が完成したときに発注者に引き渡されるので，完成した工事の原価は，未成工事支出金勘定から完成工事原価勘定に振り替えます（このとき，未成工事支出金勘定の借方残高は，未完成の工事の原価を意味します）。

(借)	完成工事原価	×××	(貸)	未成工事支出金	×××

⑤収益の認識 工事の完成引渡と同時に，売上収益を認識します。

(借)	完成工事未収入金	×××	(貸)	完成工事高	×××

⑥月次損益への振替 原価計算期間は通常１カ月なので月ごとに損益を計算します。このとき完成工事原価を月次損益勘定の借方に，完成工事高を月次損益勘定の貸方に振り替えます。

(借)	月次損益	×××	(貸)	完成工事原価	×××
(借)	完成工事高	×××	(貸)	月次損益	×××

代表科目仕訳法（だいひょうかもくしわけほう） 建設業・論点

代表科目仕訳法[03]とは，各費用に関する勘定は設けず，これらを購入（消費）したときに直接未成工事支出金勘定に記録する方法です。

代表科目仕訳法による勘定連絡

03）本試験では第１問（仕訳問題）で費目別仕訳法が，第５問（精算表）で代表科目仕訳法で出題されることが多いです。

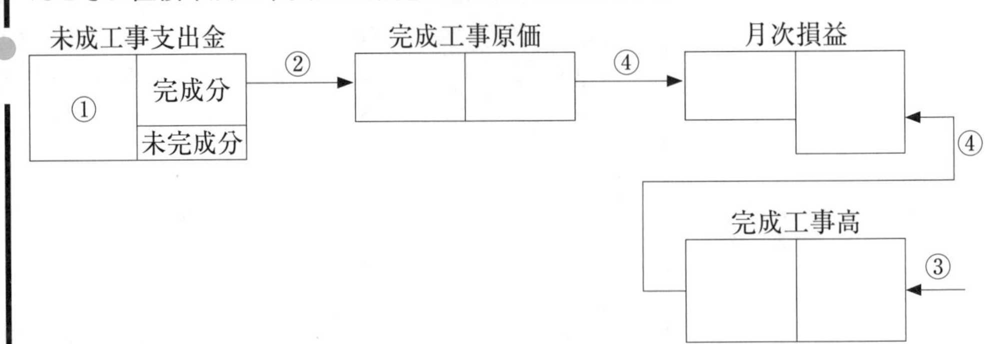

①各費目の記録

工事に必要な経済的資源を購入したさい，すぐに消費したとみなして未成工事支出金勘定の借方に記入します。

（借）	未成工事支出金	×××	（貸）	現金・工事未払金など	×××

②完成工事原価の振替

工事が完成したときに発注者に引き渡されるので，完成した工事の原価は，未成工事支出金勘定から完成工事原価勘定に振り替えます。

（借）	完成工事原価	×××	（貸）	未成工事支出金	×××

③収益の認識

工事の完成引渡と同時に，売上収益を認識します。

（借）	完成工事未収入金	×××	（貸）	完成工事高	×××

④月次損益への振替

原価計算期間は通常１カ月なので月ごとに損益を計算します。このとき完成工事原価を月次損益勘定の借方に，完成工事高を月次損益勘定の貸方に振り替えます。

（借）	月次損益	×××	（貸）	完成工事原価	×××
（借）	完成工事高	×××	（貸）	月次損益	×××

おわりに

マイさん：材料費とか労務費とかをスエナリ，いやミセイ工事支出金に振り替えているってことは，うちの会社は，費目別仕訳法をとっているんですね。
加藤さん：おっ。頭の回転がはやいね。どうしたの？
マイさん：やだな，加藤さん。いつもですよ。
加藤さん：……。

例題 取引の流れ

解答解説 P.1-199

次の諸取引について費目別仕訳法により仕訳を示しなさい。

■取　引■

①	材料の仕入高(手形支払い)	¥60,000
②	材料の消費高	
	直接材料費	¥40,000
	間接材料費	¥15,000
③	労務費の支払高(現金払い)	¥90,000
④	労務費の消費高	
	直接労務費	¥70,000
	間接労務費	¥17,500
	販売費及び一般管理費	¥7,500
⑤	外注費の支払高(現金払い)	¥50,000
⑥	外注費の消費高	¥55,000
⑦	経費の支払高(小切手払い)	¥60,000
⑧	経費の消費高	
	間接経費	¥50,000
	販売費及び一般管理費	¥15,000
⑨	工事間接費(現場共通費)の配賦高	¥82,500
⑩	完成工事原価	¥200,000
⑪	完成工事高(引渡のみ，代金未回収)	¥350,000
⑫	完成工事高，完成工事原価，販売費及び一般管理費を月次損益勘定に振り替えた。	

解答欄

①	(借)		(貸)	
②	(借)		(貸)	
③	(借)		(貸)	
④	(借)		(貸)	
⑤	(借)		(貸)	
⑥	(借)		(貸)	
⑦	(借)		(貸)	
⑧	(借)		(貸)	
⑨	(借)		(貸)	
⑩	(借)		(貸)	
⑪	(借)		(貸)	
⑫	(借) (借)		(貸) (貸)	

Chapter 2
原価の費目別計算

Chapter 2 から Chapter 5 までは，工事原価について説明していきます。皆さんは，自分が今何を学んでいるのかを Chapter ごとに確認しながら勉強を進めてください。

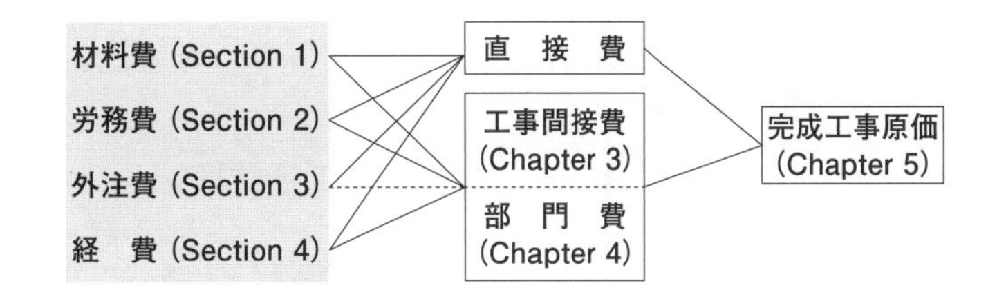

Chapter 2 では，まずそれぞれの費用が具体的に材料費，労務費，外注費，経費のどれにあたるかを判断できるよう理解してください。そして，その費用が工事と直接的にかかわるのか，間接的にかかわるのかを押さえてください。

材料費

はじめに マイさんは加藤さんとヘルメットをかぶり，ビルの工事現場に現場研修に行きました。

マイさん：加藤さん，すごいですね。何がどうなっているのかわからないけど。

加藤さん：今日は，工事現場でどんなものが使われているかを見て，うちの部（経理部）でどう処理していくのかを考えてね。

マイさん：？？？

加藤さん：ここで行われる工事に関する費用は，材料費か，労務費か，外注費か，経費として原価に算入されるんだ。まず，何が材料費にあたるのかを見ていこう。

材料費とは

材料費とは，工事を完成させるために，**物品を消費することによって発生する費用**をいいます。

材料費の分類

直接材料費と間接材料費

材料費は工事との関係によって⑴**直接材料費**と⑵**間接材料費**に分類できます。

材料費
- ⑴**直接材料費**…特定の工事と原価の関係が明らかな原価
  例）主要材料費（鉄筋，鉄骨，セメントなど）
  買入部品費（ビル建築のさいのエアコン，照明設備など）
- ⑵**間接材料費**…工事と原価との関係が不明確な原価，または金額的に重要ではない（低い）原価
  例）燃料費（石炭，重油など）
  工事消耗品費（切削油，くず布，グリス，電球など）
  消耗工具器具備品費（スパナ，ペンチ，測定器具など）

本工事材料費と仮設材料費

材料費はその工事での用途によって，⑴**本工事材料費**と⑵**仮設材料費**とに分類できます。

材料費
- ⑴**本工事材料費**…工事に直接投入されて工事の本体を形成する原価
  例）鉄骨，生コン，セメント，管類など
- ⑵**仮設材料費**…工事実施を補助する役割をもって現場に投入され，工事の完了とともに撤去される材料の原価[01)]
  仮設材料費＝使用仮設材料費－仮設材料の評価額
  例）足場材，鋼製型枠材，ベニアなど

01）工事の本体を形成するものだけが材料費ではありません。

また，工事との関連によって，その工事のみに使用される現場個別費と工事完了後，他の工事現場に移設される工事間接費に分けられます。

材料の購入

材料の購入原価

材料の購入原価は次のように計算します。

購入原価＝購入代価－返品，値引，割戻＋付随費用(ふずいひよう)[02]

02）割引を受けた場合は，仕入割引として処理します(Chapter 6参照)。
付随費用とは，購入手数料，引取運賃，保険料など材料の購入から出庫までにかかる費用です。

計算例

Q **次の材料の購入原価および購入単価を計算しなさい。**
材料（@￥300/kg）を500kg購入した。なお購入時に手数料として￥1,000支払っている。

A **購入原価**：@￥300/kg × 500kg ＋￥1,000 ＝￥151,000
購入単価：￥151,000 ÷ 500kg ＝@￥302/kg

材料の購入・消費の処理

材料の会計処理

材料は，購入時に材料勘定（または材料貯蔵品勘定）に計上し，消費時に未成工事支出金勘定などに振り替えて処理します(原則)。

取引例

Q **次の取引を仕訳しなさい。**
①材料￥10,000を掛けで購入した。
②上記材料のうち￥8,000について直接材料として消費した（残材が￥2,000ある）。

A

①	（借）材料	10,000	（貸）工事未払金	10,000
②	（借）未成工事支出金	8,000	（貸）材料	8,000

材料

借方		貸方	
工事未払金	10,000	未成工事支出金	8,000
		次月繰越	2,000

→ 未成工事支出金

借方		貸方
材料	8,000	

また，すぐに使用するものであれば，購入時に材料費勘定で処理することもあります。

材料の消費額の計算

材料の消費額(材料費)は消費単価×消費数量で計算されます[03]。

したがって，材料の消費額を算定するためには，**消費数量の計算**と**消費単価の計算**とが必要になります。

03）本工事材料費の計算です。

消費数量の計算

消費数量の計算には，(1)**継続記録法**と(2)**棚卸計算法**の２つの方法があります。

(1)継続記録法（けいぞくきろくほう）

材料の受入数量および払出数量をそのつど記録する方法です。

継続記録法を採用することによって，月末（または期末）に帳簿残高が計算されます。これと実地棚卸（じっちたなおろし）[04]による実際残高とを比較することで棚卸減耗[05]を把握することができます。

04）実地棚卸とは材料等が実際にどれ位残っているのかを直接調べることです。

05）棚卸減耗とは，材料保管中の紛失または損傷による減少をいいます。

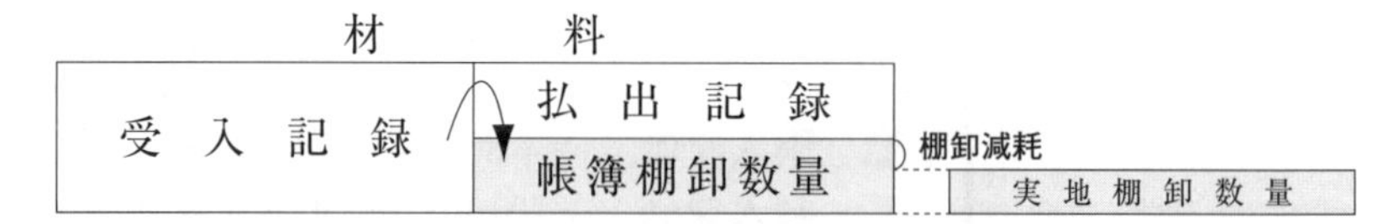

(2)棚卸計算法（たなおろしけいさんほう）

材料の受入数量は記録しますが，払出数量の記録はせず，月末（または期末）に実地棚卸を行って実際残高を算定し，次の算式により払出数量を計算する方法です。

当月払出数量＝月初（＝前月末）繰越数量＋当月受入数量－月末実地棚卸数量

棚卸計算法では，棚卸減耗があったとしてもこれを把握することができません。したがって，継続記録法の実施が困難なもの，あるいは重要性の低い材料について適用されます。

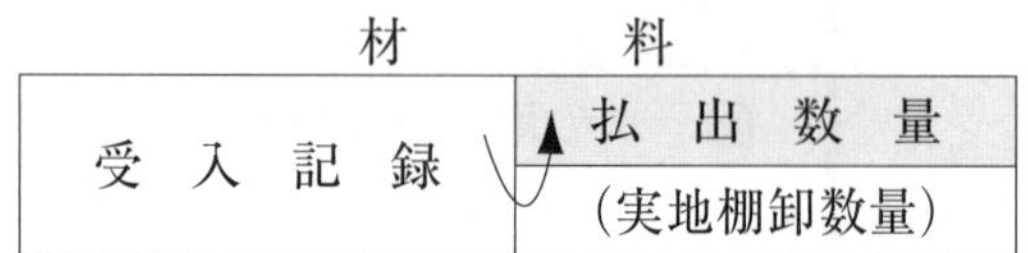

消費単価の計算

材料の消費単価は購入単価をもとに計算します。同種材料を異なる購入単価で受け入れた場合には，(1)**先入先出法**，(2)**平均法**の２つの方法があり，さらに平均法には①**移動平均法**と②**総平均法**とがあります。これらを用いて消費単価を計算します。

- (1)　**先入先出法**
- (2)　**平　均　法**
  - ①　**移動平均法**
  - ②　**総 平 均 法**

計算例

Q　以下の材料の受払記録をもとに，⑴先入先出法，⑵平均法による当月の材料払出高および次月繰越高を計算しなさい。

当月の材料の受払いは次のとおりである。

4／1	前月繰越	@¥100×30kg	20	払　出	80kg
15	受　入	@¥103×70kg	30	次月繰越	@¥？×20kg

⑴先入先出法（さきいれさきだしほう）　先に購入した材料から順次払い出されると仮定した消費単価の計算方法です。

A

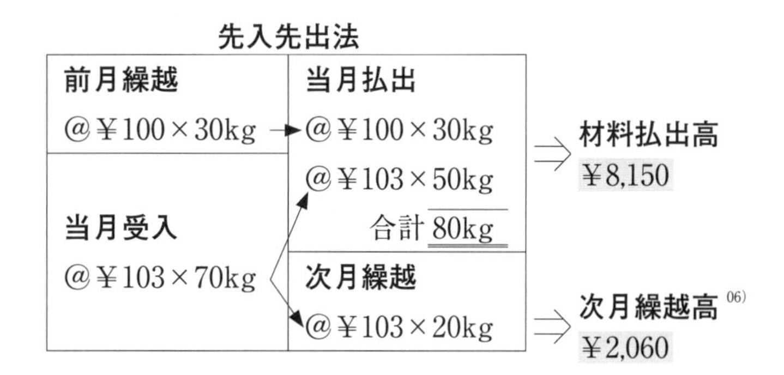

06）結果的に次月繰越高（月末残高）は当月受入の単価で計算されます。

⑵平　均　法（へいきんほう）　平均単価を消費単価とする方法です。

$$\text{平均単価}=\frac{\text{前月繰越高}+\text{当月受入高}}{\text{前月繰越数量}+\text{当月受入数量}}$$

A

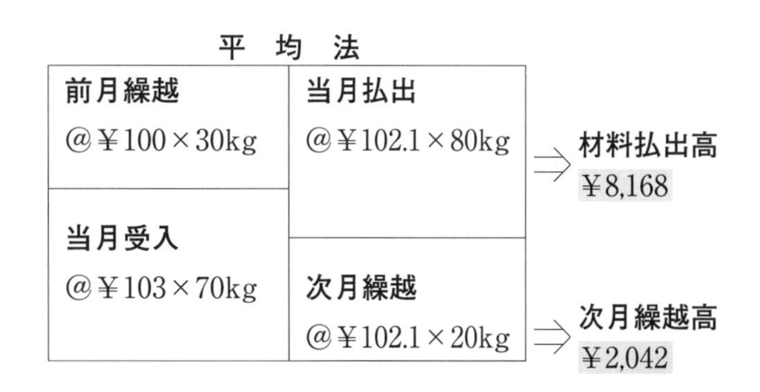

$$\text{平均単価}：\frac{@¥100\times30\text{kg}+@¥103\times70\text{kg}}{30\text{kg}+70\text{kg}}=@¥102.1$$

1カ月に複数回の受払いがある場合，平均法はさらに①**移動平均法**と②**総平均法**に分かれます。

計算例

Q　以下の材料の受払記録をもとに①移動平均法，②総平均法による当月の材料払出高および次月繰越高を計算しなさい。

当月の材料の受払いは次のとおりである。

4／1	前月繰越	@¥100×30kg	20	受　入	@¥108×70kg
15	受　入	@¥105×20kg	25	払　出	60kg
18	払　出	20kg	30	次月繰越	40kg

①移動平均法（いどうへいきんほう）　材料の仕入れのつど平均単価を計算し，払出単価とする方法です。

A

	受　入（払　出）	繰　越
4／1		@¥100×30kg
15	@¥105×20kg	@¥102×50kg
18	(@¥102×20kg ＝¥2,040)	@¥102×30kg
20	@¥108×70kg	@¥106.2×100kg
25	(@¥106.2×60kg ＝¥6,372)	@¥106.2×40kg

材料払出高：¥2,040＋¥6,372 ＝**¥8,412**

次月繰越高：@¥106.2×40kg ＝**¥4,248**

②総平均法（そうへいきんほう）　期間の平均単価を払出単価とする方法です[07]。

07）期中（月中）は払出単価がわからない方法です。

A

$$平均単価＝\frac{@¥100×30kg＋@¥105×20kg＋@¥108×70kg}{30kg＋20kg＋70kg}＝@¥105.5/kg$$

材料払出高：@¥105.5/kg×（20kg＋60kg）＝**¥8,440**

次月繰越高：@¥105.5/kg×40kg ＝**¥4,220**

以上をまとめると次のようになります。

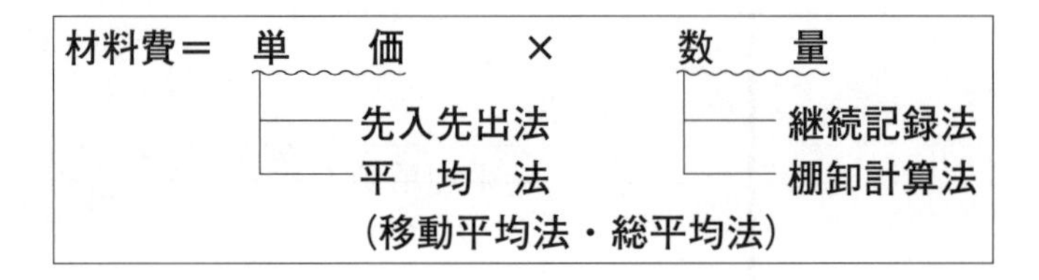

期末材料の評価

期末における材料の帳簿棚卸高と実際の評価額とは必ずしも一致しません。この原因として，材料の数量不足と時価(正味売却可能価額)の下落が考えられます。

(1)棚卸減耗損(たなおろしげんもうそん)

期末における材料の実際の棚卸量は，材料の保管中の紛失などで帳簿棚卸量より少なくなることがあります。これを棚卸減耗といい，この差額を**棚卸減耗損**[08]といいます。

(2)材料評価損(ざいりょうひょうかそん)

期末における材料の価値は，時価の下落などで帳簿価額より低くなっていることがあります。この帳簿価額と時価との差額を**材料評価損**といいます。

08）財務諸表上，通常発生する程度の正常な棚卸減耗である場合には，原価性があるため，工事原価に含ませるか，販売費及び一般管理費の区分に記載します。
盗難・火災・水害などの異常な原因による棚卸減耗損は，原価性がないと考え，営業外費用または特別損失の区分に「棚卸減耗損」として記載します。

計算例

Q **次の棚卸高より，棚卸減耗損および材料評価損を計算しなさい。なお，減耗は正常な範囲内である。**

期末帳簿棚卸高　500kg　(原価) @¥450/kg
期末実地棚卸高　480kg　(時価) @¥420/kg

A 棚卸減耗損：@¥450/kg×（500kg － 480kg）＝¥9,000
材料評価損：(@¥450/kg－@¥420/kg）×480kg＝¥14,400
期末材料価額：@¥420/kg×480kg＝¥201,600

材料の評価は，次の図を使って計算します。

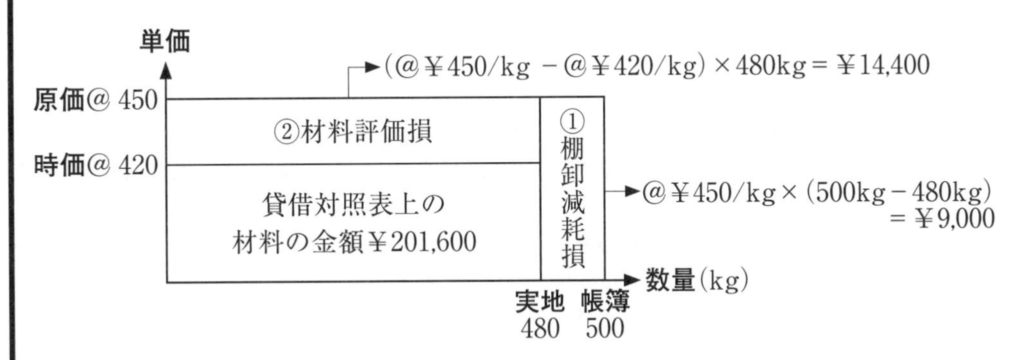

おわりに

マイさん：要は，工事することで完成工事の一部となるものを材料費っていうんですね。
加藤さん：…まあ，そういうことになるね。
マイさん：あと，材料費は“単価×数量”で表されて，どの単価を使うかで原価は変わってきてしまうことがあるんですね。
加藤さん：おっ，結構さえてるね。材料費の計算では，後で他の科目に振り替えられる可能性の高い棚卸減耗損とかにも注意しようね。
ただし，これは本工事材料の話で，仮設材料は別だからね。
マイさん：えっ。

仮設材料費の計算（すくい出し法）

仮設の足場[09]などの消費額の計算に用いる方法として，**すくい出し法**があります。

09）材料貯蔵品勘定で処理されることが多い。

設置時

特定の工事現場に仮設材料を設置した時点で，材料貯蔵品勘定から未成工事支出金勘定に振り替えます。

取引例

Q A工事に評価額￥10,000の仮設の足場を設置した。

A （借）未成工事支出金　10,000　（貸）材 料 貯 蔵 品　10,000

撤去時

工事が完了し，撤去した時点で，仮設材料の評価額を未成工事支出金勘定から差し引き，材料貯蔵品勘定に戻します[10]。

10）つまり，すくい出します。なお，撤去費用は工事原価（未成工事支出金）となります。

取引例

Q A工事が完了し，仮設の足場（評価額￥6,000）を撤去し，倉庫に戻した。

A （借）材 料 貯 蔵 品　6,000　（貸）未成工事支出金　6,000

結果的に，設置時と撤去時の評価額の差額が未成工事支出金勘定に残り，その工事の原価となります。

おわりに

マイさん：設置したときに工事原価に入れておいて，撤去したら工事原価からすくい出すから「すくい出し法」って言うんですか？

加藤さん：そうだよ。仮設材料の評価額が下がった分だけが工事原価として残る方法なんだよ。

マイさん：なるほど！

例題　材料の購入と消費　解答解説 P.1-200

1．次の材料に関する仕訳を，⑴代表科目仕訳法と⑵費目別仕訳法によって示しなさい。

① 材料100kgを@¥100/kgで購入し，代金は買入手数料¥ 1,000とともに小切手を振り出して支払った。
② 材料300個を@¥60で購入し，代金は月末払いとした。なお，この購入にともない引取運賃 ¥1,000と保管料¥500を小切手を振り出して支払った。
③ 仮設材料 150本を@¥200で購入し，代金は月末払いとした。なお，この仮設材料の購入にともない，買入手数料¥1,000と保管料¥800を現金で支払った。

解答欄

⑴	①	（借）		（貸）	
	②	（借）		（貸）	
	③	（借）		（貸）	
⑵	①	（借）		（貸）	
	②	（借）		（貸）	
	③	（借）		（貸）	

2．次の資料により①先入先出法，②平均法により当月の材料費を計算しなさい。

資　料

9月1日	前月繰越	200個	@¥ 98
8日	受入(仕入)	800個	@¥108
15日	払出	700個	

解答欄

① 先入先出法　¥

② 平　均　法　¥

Section 2

賃金を先にもらうのはゴルゴ 13 と必殺仕事人くらい　重要度 ◇

労務費（賃金）

はじめに　加藤さんとマイさんが工事現場をうろうろしていると，腕利きの作業員である岩本さんに話しかけられました。

岩本さん：おお，加藤ちゃん，ひさしぶり？
加藤さん：こんにちは，岩本さん。相変わらず元気そうですね。
岩本さん：ねえねえ，加藤ちゃん，給料もっと早く払ってよ。いろいろ物入りでさ。
加藤さん：でも，後払いはルールですからね。
岩本さん：やっぱり，経理は堅いね。
加藤さん：そう，経理は堅いんです。
マイちゃん，ついでだから労務費の計算の仕方，学んでおいてね。

賃金の支払い

労務費とは**工事に従事する従業員の労働用役の消費によって発生する原価**[01]をいいます。

建設業会計における労務費は，工事に直接従事した直接雇用の作業員に対する賃金，給料，手当などを指します。

労務費会計では賃金の支払いと消費が問題になります。

賃	金
賃金の支払い	賃金の消費

賃金の支払額は時間給[02]や出来高給[03]などの支払形態に応じて計算（給与計算）されます。賃金は，税金などの預り金を差し引いて，従業員に支払われ，預かった分は後日，税務署などに納税されます。

01）一般的な製造業と建設業では労務費の範囲が大きく異なります。簿記検定などで工業簿記を学習した人は注意しましょう。

一般的な製造業の労務費

工事に直接従事した作業員に対する賃金，給料，手当等
工事現場の管理業務に従事する技術，事務職員の給料，手当等
退職給付引当金繰入額
法定福利費等

建設業の労務費（工事に直接従事した作業員に対する賃金，給料，手当等）
建設業の経費（工事現場の管理業務に従事する技術，事務職員の給料，手当等～法定福利費等）

02）作業時間に比例して賃金が計算されます。

03）出来高に応じて賃金が計算されます。

取引例

Q　次の取引について，仕訳をしなさい。

①賃金￥500,000から所得税￥50,000および社会保険料￥20,000を差し引き，従業員に当座預金から支払った。
②所得税￥50,000を税務署に現金で支払った。
③社会保険料￥40,000を現金で支払った。なお，このうち￥20,000は従業員の負担分として，給料の支払時に預かったものである。

A

	借方	金額	貸方	金額
①	（借）賃　金	500,000	（貸）当座預金	430,000
			従業員預り金	70,000
②	（借）従業員預り金	50,000	（貸）現　金	50,000
③	（借）従業員預り金	20,000	（貸）現　金	40,000
	法定福利費	20,000		

賃金の消費

消費賃金の計算 消費賃金は次の式で計算されます。

消費賃金＝消費賃率×実際現場作業時間[04]

04）時間給が前提となっています。

作業員の賃金は作業に対して支払われるので，賃金の支払額と消費額（工事原価）は一致します。

しかし，原価計算期間が通常暦年による１カ月（毎月１日～末日まで）なのに対し，給与計算期間は暦年を基準としていない（たとえば毎月21日～翌月20日まで）ことが多いため，両者は異なることがあります。そこで，消費賃金を算定するために調整が必要になります。

3/21	4/1	4/20	4/30
給与計算期間			（当月未払賃金）
（前月未払賃金）	原価計算期間		

取引例

Q **次の取引について，仕訳しなさい。**

3／31　当月の未払賃金¥50,000を計上した。
4／１　前月の未払賃金について再振替仕訳を行った。
4／20　当月の賃金¥240,000を現金預金から支払った。
4／30　４月分の未払賃金¥48,000を計上した。また，当月の賃金消費額を未成工事支出金勘定に振り替えた。

A

3/31の仕訳	（借）賃金	50,000	（貸）未払賃金	50,000
4/1 の仕訳	（借）未払賃金	50,000	（貸）賃金	50,000

前月末の未払賃金について再振替仕訳をします[05]。

05）再振替仕訳とは月末（期末）に見越・繰延した費用・収益を翌月初（期首）にもとの勘定に振り替えることをいいます。
例）営業費¥1,000を繰り延べる決算整理仕訳
（借）前払費用1,000　（貸）営業費1,000
再振替仕訳
（借）営業費1,000　（貸）前払費用1,000

4/20の仕訳	（借）賃金	240,000	（貸）現金預金	240,000

当月の支払額を賃金として計上します（支払額には前月未払分が含まれています）。

4/30の仕訳	（借）賃金	48,000	（貸）未払賃金	48,000
	（借）未成工事支出金	238,000	（貸）賃金	238,000

賃金勘定の貸借差額が当月の消費高になり，未成工事支出金勘定に振り替えられます。

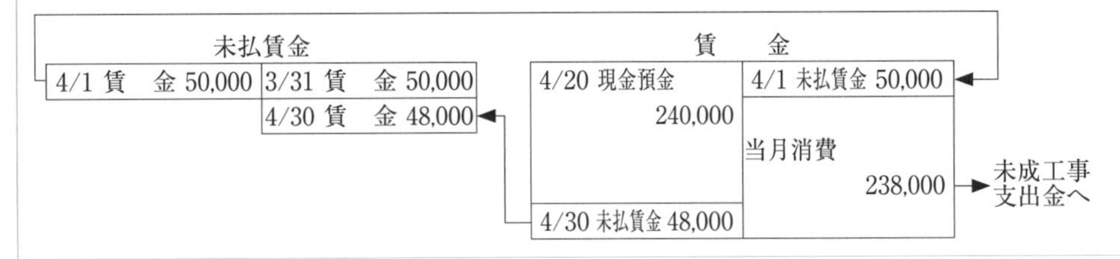

定時間外作業手当(超勤手当)の処理

残業などによって時間外の作業時間が発生したときには，定時間外作業手当(超勤手当)が発生します。定時間外作業手当が発生したときは，時間内に発生した賃金と区別して処理します。

計算例

Q 次の資料により，A-1工事およびA-8工事にかかる労務費を計算しなさい。
作業員Aの賃率は@¥1,500/時間である。当月の作業時間はA-1工事40時間，A-8工事60時間である。A-8工事の作業のうち10時間は定時間外作業であり，これに対して¥24,000の超勤手当が支給された。

A

A-1工事にかかる労務費：@¥1,500/時間×40時間＝¥60,000
A-8工事にかかる労務費：@¥1,500/時間×(60時間−10時間)＝ ¥75,000
定時間外作業： ¥24,000
合計 ¥99,000

予定賃率による賃金消費額の計算

消費賃金の計算にあたり，予定賃率を用いる場合があります。この場合，予定賃金と実際支払額の差額を賃率差異[06]として処理します。

06) 賃率差異とは予定賃率と実際賃率の不一致を原因とする原価差異です（原価差異についてはChapter 3. Section 2を参照）。

計算例

Q 以下のデータにより，当月消費賃金および賃率差異を計算しなさい。

前月未払賃金	¥ 50,000	当月未払賃金	¥48,000
当月支払賃金	¥240,000		
当月直接作業時間	220時間	予定賃率	@¥1,000

A 当月消費賃金：@¥1,000×220時間＝¥220,000
賃率差異：¥220,000−(¥240,000＋¥48,000−¥50,000)＝¥(−)18,000(不利差異)
予定賃金　実際消費額

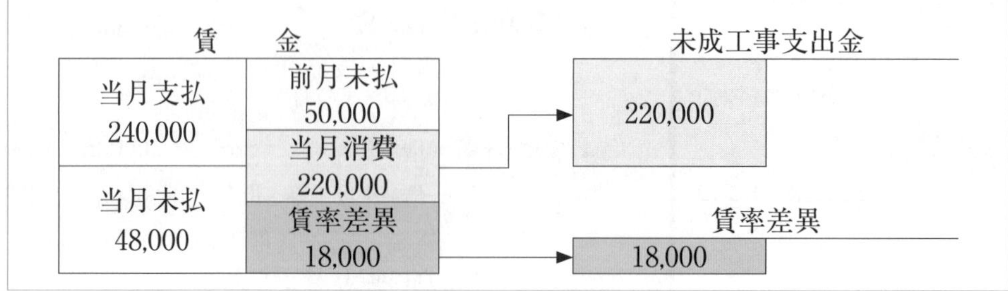

おわりに

マイさん：労務費は，“消費賃率×作業時間”ですね。あとは当月未払いと前月未払いに注意すればいいんですね。
加藤さん：そうだよ。労務費は後払いだから，負債があるのと同じで，月初は貸方から始まるんだよ。
マイさん：後払い⇒未払い⇒負債⇒貸方から，ということなんですね。

例題　工事別の労務費の計算　解答解説 P.1-200

下記の資料よりA -17号工事が負担すべき労務費はいくらかを計算しなさい。

当月の作業員の給与は¥621,240(超勤手当を除く)である。当月は，A-17号工事現場での夜勤作業のため¥55,800(9時間作業)の超勤手当が追加して支給された。当月の作業日報のデータは次のとおり。
A-15号工事 83時間　　A-16号工事 42時間　　A-17号工事 51時間

解 答 欄

¥

Section 3 足りないところは専門の会社に発注，アウトソーシングやね。 重要度 ◈

外注費 建設業・論点

はじめに ■ 加藤さんとマイさんは工事現場にある仮設の事務所を訪ねました。どうやら，仮設事務所には，協力会社の方がいらしているようです。

マイさん：こんにちはーっ。経理から…。
加藤さん：しーっ。お客様じゃないか。
マイさん：ごめんなさい。でも誰ですか。
加藤さん：「誰」じゃなくて，「どなた」と言いなさい。あの方は配管工事の方だよ。
マイさん：すみません。配管っていうと水道管をひっぱってきてくれるってことですよね。
加藤さん：そうそう，工事の中にはうちではできないこともあるから，専門の会社に頼んでいるんだ。今日は外注費について学んでね。

外注費とは

外注費[01]とは，**下請契約にもとづいて発生した原価**のことをいいます。

一般的な製造業においては，外注費は経費（直接経費）として処理されます。しかし，建設業においては，工事全体に占める外注費の比率が非常に高いため，経費とは別に**外注費として独立した勘定で処理**します。

例）配管工事費，仮設工事費，土木工事費，鉄筋工事費など

01）この外注費のうち，大部分が労務費（人件費）であるものについては，外注費とせずに，労務費として処理することもあります。この場合，完成工事原価報告書において，労務費の内訳として労務外注費と記載されます。

外注費の会計処理

外注費は，外注工事の出来高（発生高）に応じて仕訳を行います。外注費を下請会社に対して前払いする場合には前渡金勘定を用いて処理します。

取引例

Q 次の取引について仕訳しなさい。

9／15 岡山工務店㈱から外注工事費￥900,000に関する工事金請求書を受け取った。

9／23 福島工務店㈱と下請契約を結び，契約代金￥1,500,000のうち10%を現金で前払いした。

A

9/15	費目別仕訳法	(借) 外　注　費	900,000	(貸) 工事未払金	900,000
	代表科目仕訳法	(借) 未成工事支出金	900,000	(貸) 工事未払金	900,000
9/23		(借) 前　渡　金[02]	150,000	(貸) 現　　金	150,000

02）前渡金勘定は財務諸表（建設業法）上，未成工事支出金勘定に含めて表示するので注意してください。

例題　外注費の会計処理

解答解説 P.1-201

次の連続した取引を(1)費目別仕訳法(2)代表科目仕訳法により仕訳しなさい。

① 当社は甲建設㈱と空調工事の下請契約を結び，契約代金 ¥14,000,000 のうち ¥4,900,000 を小切手を振り出し，前払いした。
② 本日，下請工事の進行状況が出来高調書で50％であることが判明した。
③ 空調工事が完成したので，¥8,400,000 の小切手を振り出し，残高は後日支払うことにした。
④ 残高を現金にて支払った。

解答欄

		(借)		(貸)	
(1)	①	(借)		(貸)	
	②	(借)		(貸)	
	③	(借)		(貸)	
	④	(借)		(貸)	
(2)	①	(借)		(貸)	
	②	(借)		(貸)	
	③	(借)		(貸)	
	④	(借)		(貸)	

4 経　費

はじめに 仮設事務所には，CD ラジカセが置いてあります。

マイさん：工事するときって，朝ラジオ体操するんですよね。私，見たことあります。
加藤さん：そうだよ。みんな体をならしてから工事をするんだ。
マイさん：ふと疑問に思ったんですけど。こういう CD 代とか電気代とかも，工事の原価に入るんですか？
加藤さん：マイちゃんも，ようやく経理っぽくなってきたね。今度は経費について勉強してごらん。
マイさん：経理っぽいって，加藤さんのようになるってことですか？

経費（けいひ）とは

経費とは 経費とは，工事について発生した**材料費，労務費，外注費以外の原価要素**をいいます。

経費
- 材料費に関係するもの（棚卸減耗損など）
- 労務費に関係するもの（労務管理費，福利厚生費など）
- 固定資産に関するもの（減価償却費，賃借料，修繕費，保険料など）
- 外部サービスに関係するもの（動力用水光熱費など）
- その他（租税公課，公害防止費，補償関係費など）

材料費，労務費，外注費はそのほとんどが工事直接費になりますが，経費は大部分が工事間接費となります。

経費は，(1)**工事との関連**や(2)**消費額の計算方法**などによって分類されます。

(1)工事との関連による分類 経費が工事ごとに把握できるかどうかによる分類です。

①**工事直接費（現場個別費）**…設計費，動力用水光熱費など
②**工事間接費（現場共通費）**…機械使用料，修繕費，福利厚生費，労務安全管理費など

なお，経費のうち，従業員給料手当，退職金，法定福利費および福利厚生費の合計額は，完成工事原価報告書において**人件費**として表示します。

(2)消費額の計算方法による分類

経費の発生額をどのように計算するかによる分類です。

①支払経費…実際の支払額または要支払額にもとづいて消費額の計算をする経費で，厚生費，設計費，雑費などがこれに属します。支払経費は，経費の前払分と未払分を整理するために経費支払票を作成します。

経費支払票

＿○＿月号　　No.＿＿＿

費目	当月支払高	前月		当月		当月消費高
		(－)未払高	(＋)前払高	(＋)未払高	(－)前払高	
設計費	3,000	－	600	－	300	3,300
運賃	9,000	900	－	1,200	－	9,300
…………						
備考						

②月割経費…数カ月分が一括して計算された，または支払われた経費について，これを各月（各原価計算期間）に割り当て，その月の消費額とする経費で，減価償却費や保険料などがこれに属します。月割経費は経費月割票を作成することにより，あらかじめ負担額を計算します。

経費月割票

○年度上期分　　No.＿＿＿

費目	金額	月割高					
		4月	5月	6月	7月	8月	9月
減価償却費	6,000	1,000	1,000	1,000	1,000	1,000	1,000
保険料	1,200	200	200	200	200	200	200
…………							
備考							

③測定経費…その月の消費額が測定票などにもとづいて計算される経費で，電力料，ガス代，水道料などがこれに属します。測定経費は経費測定票を作成することによって把握されます。

経　費　測　定　票

○月分　　　年　月　日　　　No.______

費　　目	前回検針	当月検針	当月消費量	単　価	金　額
電　力　料	5,400kw	5,600kw	200kw	20	4,000
ガ　ス　代	6,200 ㎥	6,300 ㎥	100 ㎥	30	3,000
…………					
備　　考					

④発生経費…実際発生額をその月（原価計算期間）の消費額（負担額）とする経費で，棚卸減耗損などがこれに該当します。

(3)経費仕訳帳の作成

上記の経費票にもとづき集計された経費は，経費仕訳帳に記帳し，仕訳を行います。

経　費　仕　訳　帳

○月分　　　年　月　日

経費票及び枚数		借　　方			貸　方
		費　　目	未成工事支出金	工事間接費	金　　額
経費支払票	枚	設　計　費	3,300		3,300
		運　　賃		9,300	9,300
経費月割票		減価償却費		1,000	1,000
		保　険　料		200	200
経費測定票		電　力　料		4,000	4,000
		ガ　ス　代		3,000	3,000
			3,300	17,500	20,800

（借）未成工事支出金	3,300	（貸）設　計　費	3,300
工　事　間　接　費	17,500	運　　　賃	9,300
		減価償却費	1,000
		保　険　料	200
		電　力　料	4,000
		ガ　ス　代	3,000

経費の会計処理

経費の会計処理は(1)**経費勘定を設けない場合**と(2)**経費勘定を設ける場合**があります。

(1)経費勘定を設けない場合

経費勘定を設けない場合，経費の諸勘定を直接，未成工事支出金勘定(工事直接費)と工事間接費勘定(現場共通費)に振り替えます。

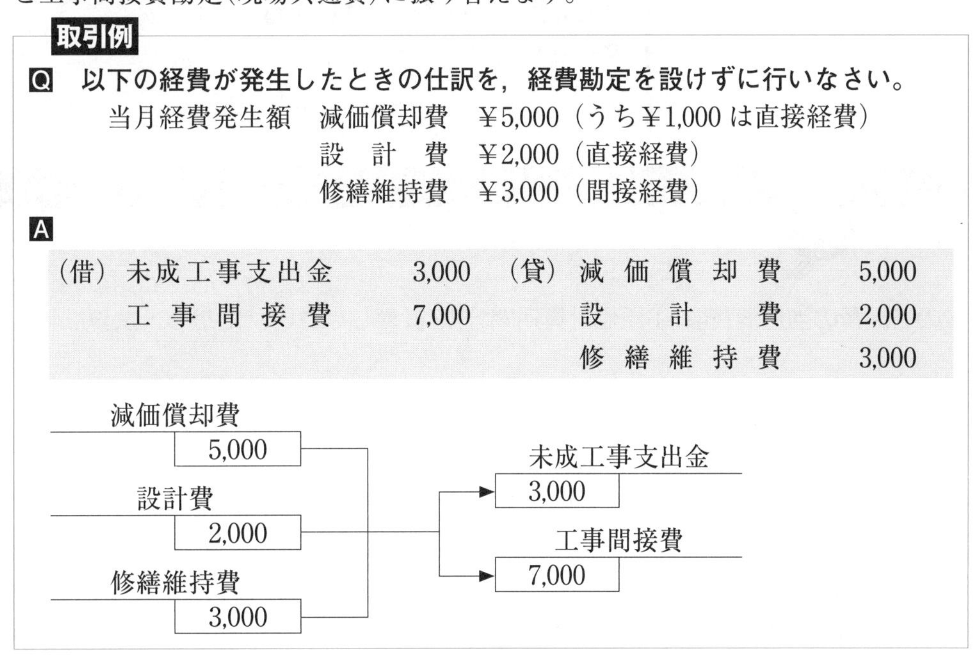

取引例

Q 以下の経費が発生したときの仕訳を，経費勘定を設けずに行いなさい。

当月経費発生額　減価償却費　¥5,000（うち¥1,000は直接経費）
　　　　　　　　設　計　費　¥2,000（直接経費）
　　　　　　　　修繕維持費　¥3,000（間接経費）

A

(借)	未成工事支出金	3,000	(貸)	減価償却費	5,000
	工事間接費	7,000		設計費	2,000
				修繕維持費	3,000

(2)経費勘定を設ける場合

経費勘定[01]を設ける場合，経費の諸勘定を経費勘定に集計した後，未成工事支出金勘定と工事間接費勘定に振り替えます。

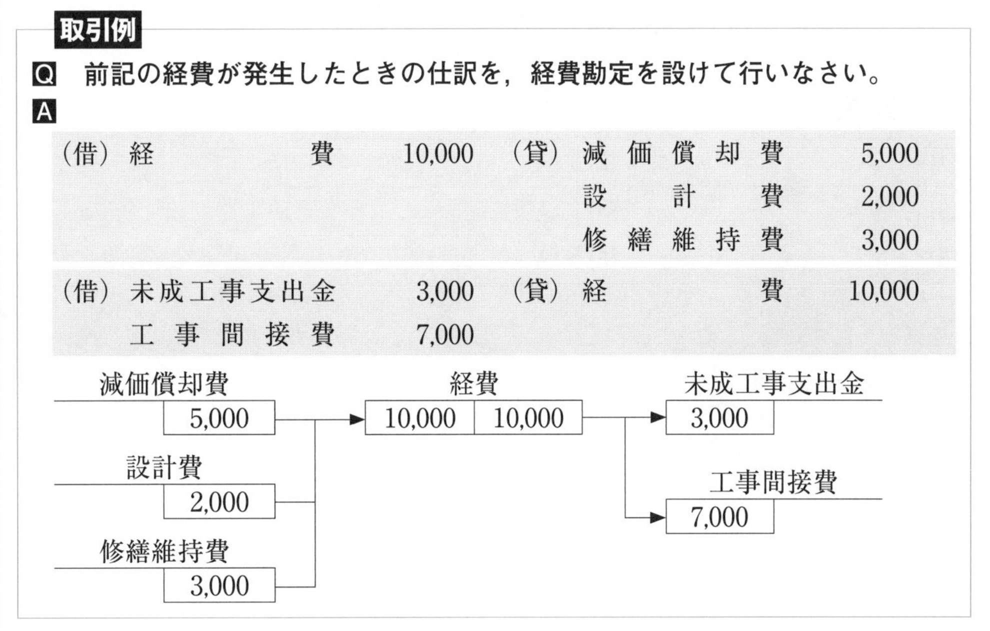

取引例

Q 前記の経費が発生したときの仕訳を，経費勘定を設けて行いなさい。

A

(借)	経費	10,000	(貸)	減価償却費	5,000
				設計費	2,000
				修繕維持費	3,000

(借)	未成工事支出金	3,000	(貸)	経費	10,000
	工事間接費	7,000			

01）集計のために用いる経費勘定を統制勘定といいます。

おわりに

マイさん：なんか，経費の計算って大変そうですね。
加藤さん：特に測定経費なのに支払額で計上しちゃったりするんだよね。
マイさん：そうですよね。私っておっちょこちょいだから，計算間違いしそう。
加藤さん：……それっぽいよね。
マイさん：ひっどーい。

例題　経費の計算

解答解説 P.1-201

次の各経費の当月消費額(1原価計算期間分)を計算しなさい。ただし，決算は年1回である。

(1)減価償却費（年額）　¥540,000

(2)特許権使用料
　当月分(加工費に比例した支払分)　¥36,000
　前年度支払額　¥546,000

(3)棚卸減耗損
　当月材料帳簿棚卸高　¥180,000
　当月材料実地棚卸高　¥175,000

(4)機械固定資産税
　当年度推定額　¥120,000

(5)電力料
　支　払　額　¥25,000
　当月測定額　¥24,000

(6)運賃
　当月支払額　¥65,000
　前月前払額　¥8,000
　当月未払額　¥4,000

解答欄

(1)	¥	(2)	¥
(3)	¥	(4)	¥
(5)	¥	(6)	¥

Chapter 3
工事間接費の計算

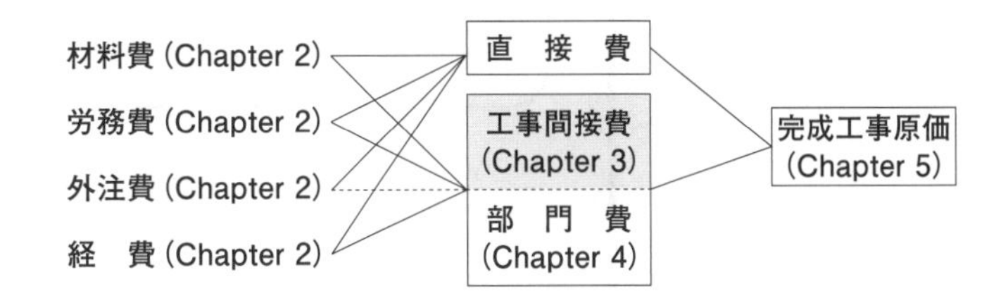

工事にかかわる費用の中には，その工事だけの費用もあれば，他の工事にもかかわる費用もあります。他の工事にもかかわる費用は，どのように処理すればいいのでしょうか。

Chapter 2 で，材料費や労務費，外注費，経費には工事に直接的にかかわる費用と間接的にかかわる費用とがあることを学びました。Chapter 3 では，何が工事間接費に当たるか，工事間接費の配賦方法，および予定配賦という３つの概念を押さえてください。

Section 1　間接費も原価のうち，何かを基準に割り振ろう。　重要度 ◈

工事間接費の基礎知識

はじめに 加藤さんとマイさんは，仮設事務所でひととおりの工事の流れの説明を受けました。

マイさん：私，やっぱり経理っぽくなってきているんですけど，たとえばラジオ体操をかけるCDとかって，４カ月かかる工事と８カ月かかる工事と１年かかる工事で合計２年間使ったとするじゃないですか。そうすると，どの工事の原価になるんですか？

加藤さん：ほんとに経理っぽい質問だね。そういうことを知るには，工事間接費について勉強すればいいよ。

工事間接費とは

工事間接費[01]とは，材料費，労務費，外注費，経費のうち**工事ごとに直接把握できない費用**で，**現場共通費**ともいいます。工事直接費は工事ごとに直接原価を**賦課**(ふか)[02]します。しかし，工事間接費は工事ごとに原価をとらえることが難しいので，一定の基準を設けて**配賦**(はいふ)[02]する必要があります。

01）工事間接費は，一般的な製造業における製造間接費と同じ性質を持っています。

02）用語に注意
工事直接費→賦課（直課）
工事間接費→配賦

工事間接費の配賦

工事間接費は工事ごとに個別に集計できない原価ですが，工事を完成させるために発生した原価なので，工事原価に含める必要があります。そこで，**一定の基準**(配賦基準)**を設定して工事ごとに負担させます**。これを**工事間接費の配賦**といいます。

配賦基準(はいふきじゅん)**の選択** 配賦基準は基準となる数値の増減に応じて工事間接費が増減し，また実務的に採用できるものを選択します。配賦基準には，以下のものがあります。

価額基準…直接材料費や直接労務費などの金額を基準とする方法。
時間基準…直接作業時間や機械運転時間などを基準とする方法。
数量基準…材料や製品の個数，重量，長さなどの数値を基準とする方法。
売価基準…工事請負額，完成工事高を基準とする方法。

工事間接費の実際配賦

実際配賦 各費目から集計された工事間接費の**実際発生額を，適切な配賦基準で工事ごとに配賦する方法**です。

計算手順 工事間接費の実際配賦は次の手順で行います。

① 工事間接費の実際発生額を集計します
↓
② 実際配賦率を算定します　実際配賦率＝$\frac{\text{工事間接費実際発生額}}{\text{選択した配賦基準の数値}}$
↓
③ 工事間接費を配賦します　実際配賦額＝実際配賦率×各現場の配賦基準の数値

計算例

Q **工事間接費の実際配賦率と各工事への実際配賦額を計算しなさい。**

工事間接費実際発生額　¥375,000
当月直接作業時間　A -601 工事　100 時間　A -801 工事　150 時間
工事間接費は直接作業時間を基準に配賦する。

A

実際配賦率：$\frac{¥375,000}{100\text{ 時間}+150\text{ 時間}}$＝@¥1,500/ 時間

実際配賦額：@¥1,500/ 時間×100 時間＝¥150,000　A-601 工事
@¥1,500/ 時間×150 時間＝¥225,000　A-801 工事

原価の流れを示すと次のようになります。

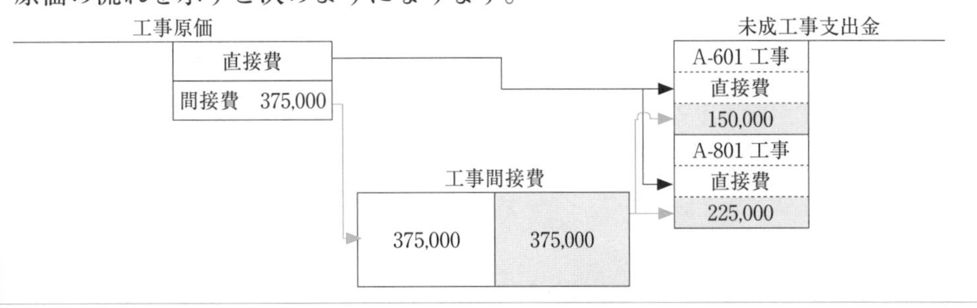

おわりに

マイさん：…ってことは，ラジオ体操の CD が 360 円だったとして，各工事の期間の長さごとに，４カ月なら¥60（360 ÷ 24 × 4），８カ月なら¥120（360 ÷ 24 × 8），１年なら¥180（360 ÷ 24 × 12），って感じに“ハイフ”でしたっけ？　すればいいんですね。

加藤さん：マイちゃん，すごい！　ただ，360 円くらいのものだったら，あまり重要じゃないから CD を使い始めた工事の原価にすることもあるけどね。

例題　工事間接費の配賦

解答解説 P.1-202

資料にもとづき，問いに答えなさい。

■資　料■

当社では工事間接費について実際配賦を行っており，配賦基準として作業員の直接作業時間を基準としている。

⑴当月の工事間接費実際発生額　¥220,500

⑵当月の作業員の実際直接作業時間　D-17号工事　35時間　その他の工事　175時間

問1　当月の工事間接費の実際配賦率を計算しなさい。

問2　当月のD-17号工事に対する工事間接費配賦額を計算しなさい。

解答欄

問1　配賦率	¥
問2　D-17号工事配賦額	¥

間接費の単価を予め決めておけば計算は早い！　重要度 ◈◈

工事間接費の予定配賦

はじめに マイさんは，仮設事務所から工事現場を眺めています。

マイさん：それにしても工事ってかなり長い間，人の力でこつこつとやっていくんですね。何もないところからきれいなビルができるなんて，なんかすごいですよね。

加藤さん：でも完成したものだけを見ている人には，そんなことはわからないよね。

マイさん：そうですよね。早く完成しないかな。
あっ。でも完成したら経理ってむちゃくちゃ忙しくなるんじゃないですか？　原価の実際発生額って，完成しなきゃ計算できないですよね。

加藤さん：君さぁ，完成するまでは経理の仕事って楽だと思っていない？　でもね，うちは予定配賦という方法でやっているから，それなりにたいへんだよ。

Ch3

予定配賦

予定配賦 予定配賦とは，あらかじめ設定した工事間接費予定額と予定した配賦基準の数値から**予定配賦率を算定**し，予定配賦率を用いて**工事ごとに原価を配賦する**ことをいいます。
予定配賦は，実際配賦の以下の欠点を補うために用いられます。

実際配賦の欠点１

工事原価計算の遅れ

実際配賦は，工事が終了してから行われます。複数の工事が同時に進行しているとき，最後の工事が完了するまで他の工事の原価は判明しません。

実際配賦の欠点２

工事原価の変動

実際配賦は，原価の実際発生額をもとに行われるので，その中には偶然発生した原価も含まれます。したがって，同一の工事を行っても，原価が異なることがあります。実際配賦は工事原価を管理するには不適切だといえます。

配賦差異（はいふさい） 工事間接費予定配賦額と実際発生額とは必ずしも一致しません。
両者の差額を**工事間接費配賦差異**として把握し，原因を分析します。

予定配賦の計算手続

工事間接費の予定配賦は次の手順で行います。

(1) 工事間接費予定額を算定し，適切な基準操業度を選択します

↓ 基準操業度とは工事間接費予算を設定したときの活動量をいいます。

(2) 予定配賦率を算定します

↓ 予定配賦率[01) ＝ $\frac{\text{工事間接費予定額}}{\text{基準操業度}}$

(3) 工事間接費を予定配賦します

↓ 予定配賦額＝予定配賦率×各現場の実際操業度数値

(4) 工事間接費実際発生額を集計します

↓

(5) 配賦差異を把握します

↓ 工事間接費配賦差異＝予定配賦額－実際発生額

(6) 配賦差異を分析し，原価管理に役立てます

↓

(7) 配賦差異の会計処理を行います

01）工事間接費の単価です。

計算例

Q 工事間接費の予定配賦率，予定配賦額および工事間接費配賦差異を計算しなさい。

工事間接費予定額　　¥360,000（300直接作業時間）
当月直接作業時間　　A -601 工事　100時間　A -801 工事　150時間
工事間接費は直接作業時間を基準に配賦する。
工事間接費実際発生額　¥375,000

A

予定配賦率：$\frac{¥360{,}000}{300\text{時間}}$ ＝ @¥1,200/ 時間

予定配賦額：@¥1,200/ 時間×100 時間＝¥120,000 → A -601 工事
@¥1,200/ 時間×150 時間＝¥180,000 → A -801 工事

工事間接費配賦差異：（¥120,000 ＋¥180,000）－¥375,000 ＝¥(－)75,000

原価の流れを示すと次のようになります。

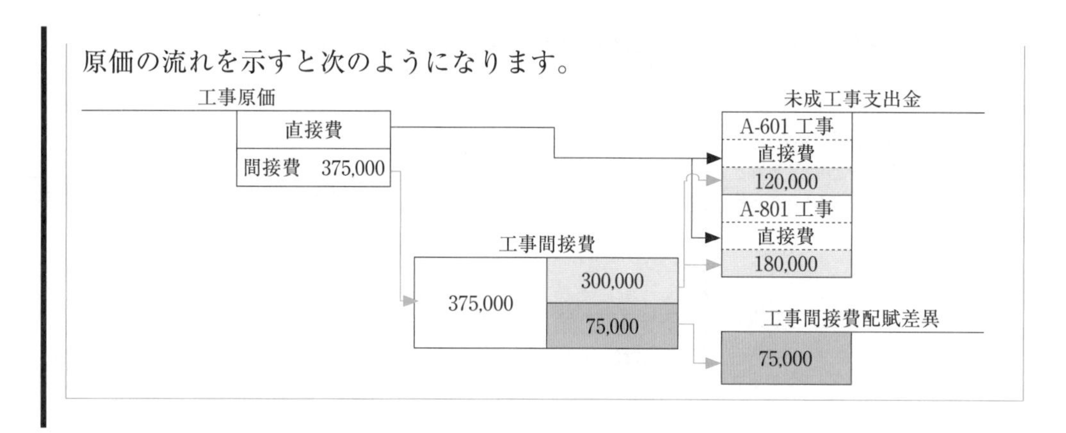

配賦差異の分析と基準操業度の選択　建設業・論点

工事間接費の配賦差異は，原価管理のために発生原因を分析します。これを差異分析といいます。工事間接費配賦差異は**予算差異**と**操業度差異**で分析されます。

予算差異：工事間接費の実際発生額と予算額[02]との不一致を原因とする差異です。つまり予算とのズレが生じたことを意味します。
予算差異＝工事間接費予算額－工事間接費実際発生額

操業度差異：基準操業度と実際操業度との不一致を原因とする差異です。
操業度差異＝(実際操業度－基準操業度)×固定費配賦率

02）予算額＝変動費率×実際操業度＋固定費予定額
工事間接費配賦率は変動費率と固定費率に分かれます。

操業度差異の意味は選択した基準操業度の種類によって変わります。

(1)実現可能最大操業度　設備などの能力を最大限に発揮したときの操業度。実現可能最大操業度と実際操業度との差で計算される操業度差異は設備等の未使用による無駄[03]を意味します。

03）アイドル・コストといいます。

(2)次期予定操業度　対象とする原価計算期間で現実に予想される操業度。正常的な配賦が主な目的で，操業度差異は正常な配賦ができなかった部分となります。

(3)長期正常操業度（平均操業度）　景気変動による生産量への長期にわたる影響を平均化した操業度。ここで発生する短期的な操業度差異は，長期的には原価に吸収され，0(ゼロ)に近づくことが期待されています。

計算例

Q　**所有するA建設機械について，機械稼働時間にもとづく予定配賦法を用いて原価計算を行っている。各操業度を基準とした場合の配賦率を計算しなさい。**

問1　実現可能最大操業度　問2　次期予定操業度　問3　長期正常操業度

1．A建設機械の年間予算　¥360,000
2．A建設機械の最大稼働時間　年間240日　1日10時間
3．次期以降のA建設機械の予定稼働時間
1年次（次期）2,250時間，2年次　1,900時間，3年次　1,850時間

A

問1　実現可能最大操業度：$\dfrac{¥360{,}000}{10\text{時間}\times 240\text{日}}$ ＝ **¥150/時間**

問2　次期予定操業度：$\dfrac{¥360{,}000}{2{,}250\text{時間}}$ ＝ **¥160/時間**

問3　長期正常操業度：$\dfrac{¥360{,}000}{(2{,}250\text{時間}+1{,}900\text{時間}+1{,}850\text{時間})\div 3}$ ＝ **¥180/時間**

原価差異 04)の意味

予定配賦額＜実際発生額の場合

予定よりも多く原価がかかったことを意味し，差額を不利差異（借方差異）05)といいます。

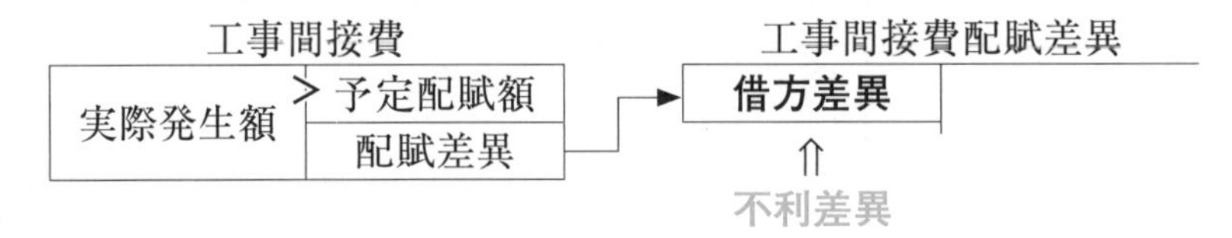

予定配賦額＞実際発生額の場合

予定ほど原価がかからなかったことを意味し，差額を有利差異（貸方差異）06)といいます。

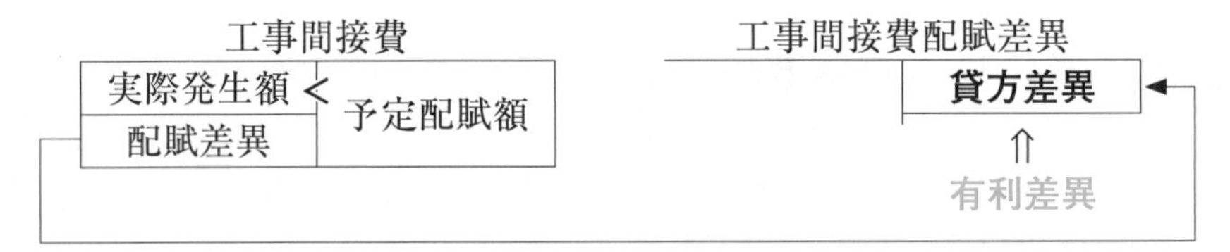

04）原価差異には，配賦差異の他に賃率差異なども含まれます。

05）不利差異は差異勘定の借方に記入されることから借方差異とも呼ばれます。**“借りているから不利”**と覚えましょう。

06）有利差異は差異勘定の貸方に記入されることから貸方差異とも呼ばれます。**“貸しているから有利”**と覚えましょう。

例題　工事間接費の予定配賦　解答解説 P.1-202

資料にもとづき，各問いに答えなさい。

■資　料■

当社では工事間接費について予定配賦を行っており，配賦基準として作業員の直接作業時間を基準としている。

(1)当月の工事間接費予算　¥220,500
(2)当月の作業員の予定直接作業時間　210時間
(3)当月の作業員の実際直接作業時間　D-17号工事 35時間　その他の工事　165時間
(4)当月の工事間接費実際発生額　総額　¥220,000

問1　当月の工事間接費の予定配賦率を計算しなさい。
問2　当月のD-17号工事に対する工事間接費予定配賦額を計算しなさい。
問3　当月の工事間接費配賦差異を計算しなさい。なお，不利な差異の場合には金額の前に△印を付けること。

解答欄

問1　予定配賦率	¥
問2　D-17号工事予定配賦額	¥
問3　配賦差異	¥

Chapter 4

部門費の計算

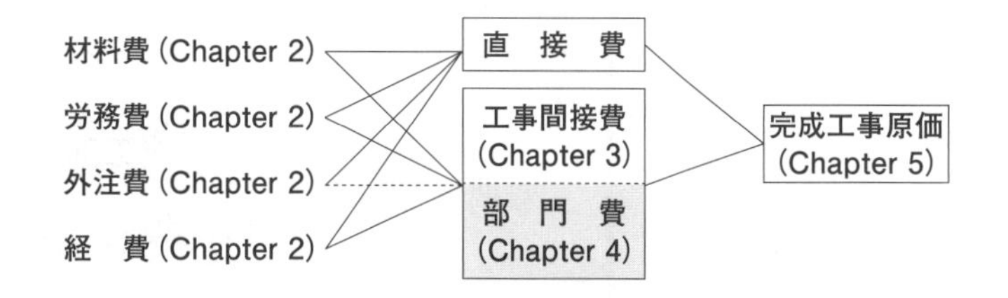

大きな工事を円滑に進行させるために，工事関係の部門がいくつかに分かれていることがあります。NS工務店も工事関係の部門として，実際に工事の施工を行う部門が２つと，工事施工を補助する部門が３つあります。このようなとき，どのように処理を進めていったら効率的に施工部門にかかった費用を算定できるのでしょうか？

部門費の計算は，工事間接費の計算方法に似ています。Chapter 4では，部門費の配賦の計算方法および予定配賦を，工事間接費と比較しながら学習してください。

Section 1　補助部門からでは，直に工事原価に入れられないから…。　重要度◈

部門費の配賦

はじめに NS 工務店は，第１施工部門と第２施工部門とに分かれて工事を行っています。また，施工部門を補助する部門として現場管理部門と機械部門と仮設部門があります。

マイさん：どうしてうちの会社って，こんなにたくさん部門があるんですか？なんか，ややこしいじゃないですか。

加藤さん：ややこしいからこそ，部門に分けて管理体系を簡単にしているんだよ。工事関係では施工部門が２つあって，それを補助する部門として現場管理部門と機械部門と仮設部門があるんだよ。

マイさん：でも３つの補助部門にかかる費用を２つの工事を行う部門にまとめるんですよね。どうするんですか？

加藤さん：それは，これから学ぼう。

部門別計算とは

部門別計算とは

規模の小さい工事では，工事直接費は工事ごとに賦課し，工事間接費は一定の基準で工事ごとに配賦して工事原価が計算されます。しかし，規模の大きい工事では，工事を行う部門やこれを補助する部門がいくつかに分かれていることがあります。このとき，**工事原価を正確に計算するため**，および**適正に管理するために**，各原価要素を発生部門ごとに算定します[01]。

各原価要素を発生部門ごとに分類，集計することを**部門別計算**といいます。

01）工事間接費を発生部門ごとに算定します。工事直接費は，そんなことしなくても工事原価として賦課できますから。

原価部門の設定

部門別計算を行うためには，会社の規模に応じ，部門を適切に設けることが必要になります。原価計算上の部門（原価の集計単位）を原価部門といい，次のように分けられます。

工事関係部門
- **施工部門**（せこうぶもん）…実際に工事の施工を行う部門
  例）仕上工事部門，設備工事部門
- **補助部門**（ほじょぶもん）…施工の補助を行う部門
  例）機械部門，仮設部門，現場管理部門

部門別計算の手続

部門別計算の手続は，まず(1)**部門費を計算**し，次に(2)**補助部門費を配賦**して，最後に(3)**施工部門費を各工事に配賦**して，行われます。

(1) 部門費の計算 → (2) 補助部門費の配賦 → (3) 施工部門費の配賦

(1)部門費の計算 現場で発生した工事間接費を①**部門個別費**(ぶもんこべつひ)と②**部門共通費**(ぶもんきょうつうひ)とに分類します。

①部門個別費 どの部門で発生したかが明らかな原価を指します。部門個別費はその部門に直接賦課(直課)します。

②部門共通費 複数の部門に共通に発生した原価を指します。部門共通費は**適当な配賦基準によって各部門に配賦**します。この配賦計算は部門費振替表を使って行います。

02) 文字どおり，１頭の馬が仕事をするときの力。具体的には75kgのものを１秒間に１ｍ動かす力で単位はkgw。
運転時間を掛けることにより提供した動力を示します。

配賦基準の例

費　目	配賦基準（例）
建物減価償却費	占有床面積
機械減価償却費	使用時間または使用日数
動力費	機械馬力数[02] ×運転時間
運搬費	重量×運搬回数
福利厚生費	従業員数

計算例

Q 以下の資料により，部門費振替表を完成させなさい。

部門個別費発生額　A施工部門 ¥3,000　B施工部門 ¥2,500　甲補助部門 ¥400
部門共通費発生額　建物減価償却費　¥500　　福利厚生費　¥200

配賦基準	A施工部門	B施工部門	甲補助部門	合　計
建物の占有床面積	450㎡	450㎡	100㎡	1,000㎡
従業員数	20人	25人	5人	50人

A

部門費振替表

費目	配賦基準	合計	A施工部門	B施工部門	甲補助部門
部門個別費		5,900	3,000	2,500	400
部門共通費					
建物減価償却費	占有床面積	500	225[03]	225[03]	50[04]
福利厚生費	従業員数	200	80	100	20
	合計	6,600	3,305	2,825	470

03) $¥500 \times \frac{450㎡}{1,000㎡} = ¥225$

04) $¥500 \times \frac{100㎡}{1,000㎡} = ¥50$

福利厚生費についても同様に計算します。

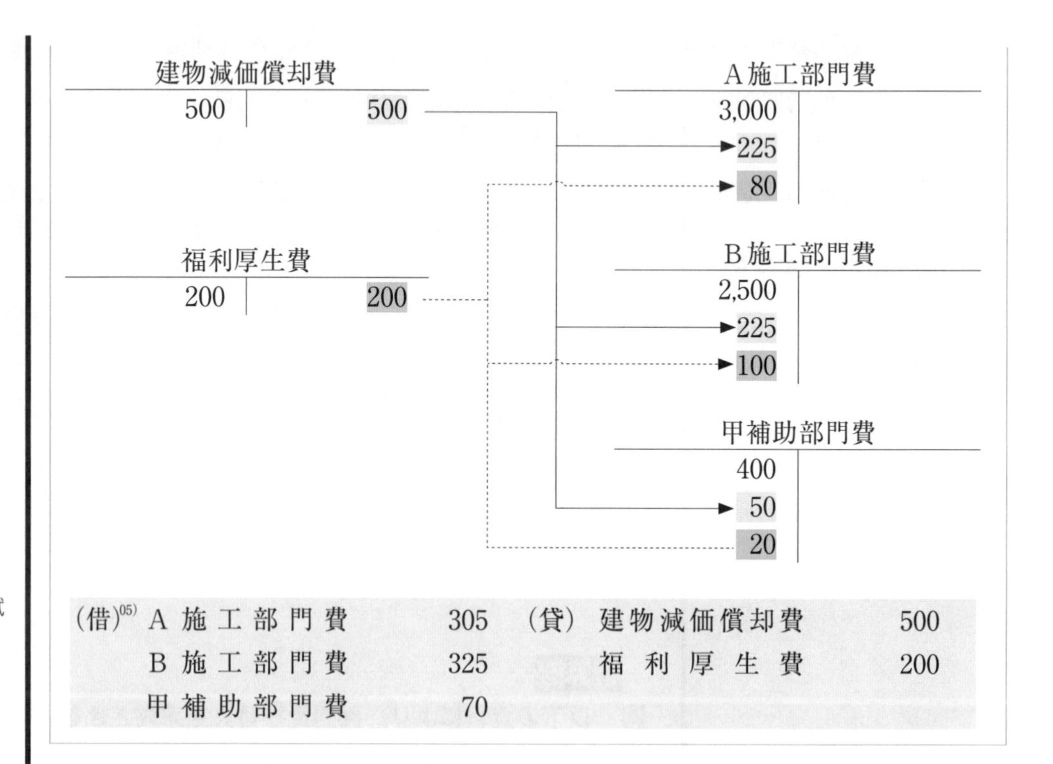

(借)[05] A 施 工 部 門 費	305	(貸) 建物減価償却費	500
B 施 工 部 門 費	325	福 利 厚 生 費	200
甲 補 助 部 門 費	70		

05) 部門共通費を各部門に配賦する仕訳です。

(2) 補助部門費の配賦 補助部門費の配賦とは，部門共通費を各部門に配賦した後，補助部門に集計された**補助部門費を施工部門へ配賦する手続**をいいます。

計算例

Q 以下の資料により，甲補助部門費をA施工部門，B施工部門に配賦しなさい。

部門費合計　A施工部門費 ¥3,305　B施工部門費 ¥2,825　甲補助部門費 ¥470
施工部門の動力消費量　　A施工部門 6,500kwh　　B施工部門 2,900kwh
甲補助部門費は，動力消費量を基準に施工部門に配賦する。

A

部 門 費 振 替 表

費　　目	合　　計	A施工部門	B施工部門	甲補助部門
部門費合計	6,600	3,305	2,825	470
甲補助部門費		325[06]	145[07]	
合　　計	6,600	3,630	2,970	

06) $¥470 \times \frac{6{,}500\text{kwh}}{6{,}500\text{kwh} + 2{,}900\text{kwh}}$ ＝¥325

07) $¥470 \times \frac{2{,}900\text{kwh}}{6{,}500\text{kwh} + 2{,}900\text{kwh}}$ ＝¥145

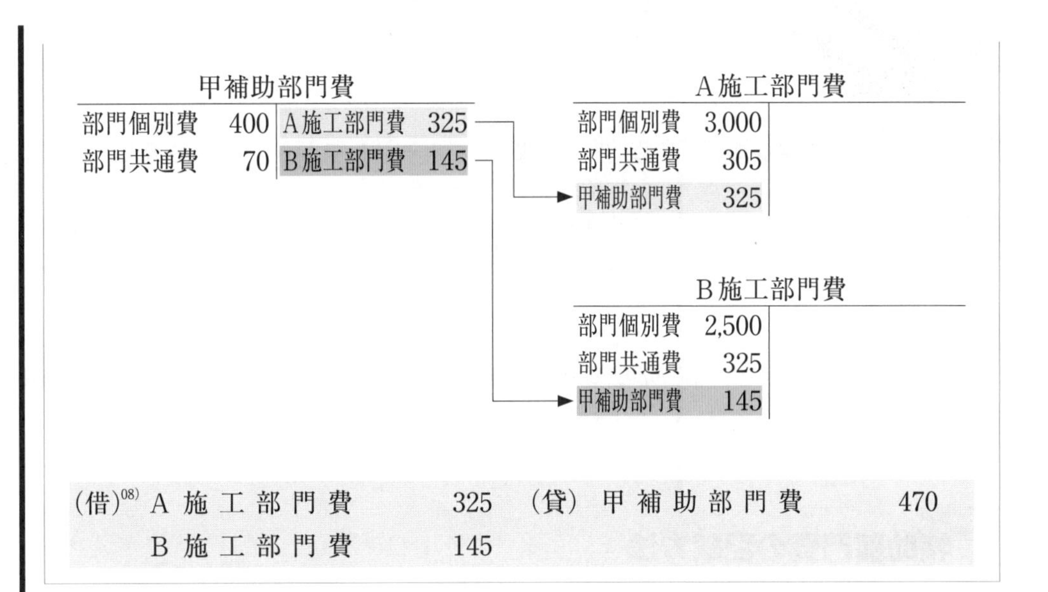

08）補助部門費を施工部門に配賦する仕訳です。

(3)施工部門費の配賦 施工部門に集計された部門費を**各工事に配賦**します。

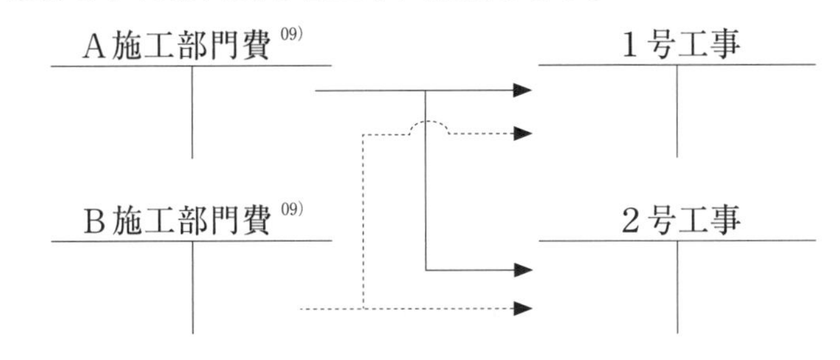

09）施工部門費の配賦についてはChapter 5で詳しく説明します。

おわりに

マイさん：工事間接費のうち，どこの部門で発生したのかわかるものはその部門の費用に，わからない共通費は配賦して，その後で補助部門費を施工部門に…。たいへんですね。

加藤さん：ここは，計算量が多いので計算ミスに注意してね。

マイさん：部門がいっぱいあるのは，部長さんをいっぱいつくるためかと思ってました。

加藤さん：シ～。言っちゃダメ！

自分で自分に配賦しちゃダメ　　重要度 ◈◈

部門費振替表の作成

はじめに 部門費の配賦のイメージをつかんだマイさんは，実際に計算しているのですが，どうしても金額が合いません。
マイさん：加藤さん，どうしても金額が合わないんですよ。どうしましょう。
加藤さん：どれどれ。あぁ，マイちゃん，こんな計算のやり方したらミスするよ。部門費振替表を使ってみなよ。
マイさん：えーっ，そんな表があったんですか。それを早く言ってくださいよ。
加藤さん：ごめんごめん，マイちゃん，計算力に自信ありそうだったから。
マイさん：ひどい。わざとだったんですね。

補助部門費の配賦方法

01)

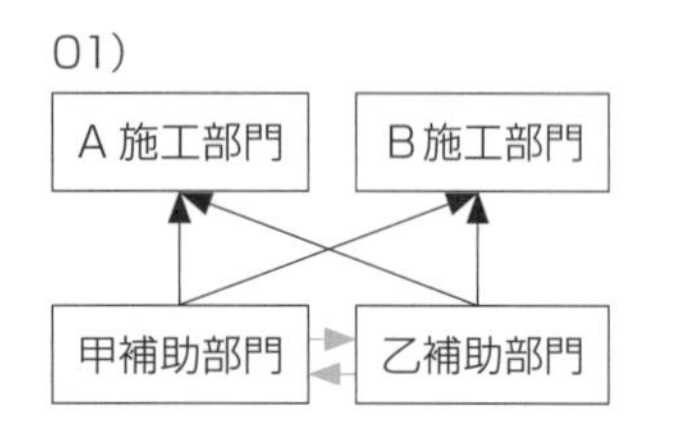

補助部門が複数ある場合，補助部門間にも用役の提供が生じます[01)]。

補助部門間の用役の提供をどう処理するかによって，(1)**直接配賦法**（ちょくせつはいふほう），(2)**相互配賦法**（そうごはいふほう），(3)**階梯式配賦法**（かいていしきはいふほう）の３種類の計算方法があります。

(1)　直接配賦法

直接配賦法による部門費振替表の作成

直接配賦法とは，補助部門間での用役の授受があってもそれは無視し，**施工部門にだけ用役の提供があったものとして補助部門費の配賦を行う方法**[02)]です。

02)

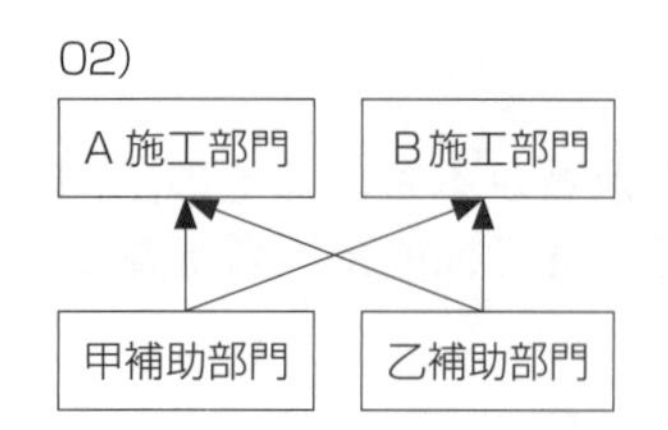

計算例

Q 以下の資料をもとに，直接配賦法による部門費振替表を作成しなさい。

〈補助部門用役提供割合〉	第１部門	第２部門	車両部門	機械部門	仮設部門
車両部門	45%	45%	－	10%	－
機械部門	50%	30%	20%	－	－
仮設部門	30%	30%	20%	20%	－

〈部門費合計額〉

費　目	第１部門	第２部門	車両部門	機械部門	仮設部門
部門個別費	¥180,000	¥230,000	¥ 91,000	¥ 88,000	¥ 42,000
部門共通費	140,000	211,000	89,000	112,000	66,000
計	¥320,000	¥441,000	¥180,000	¥200,000	¥108,000

03) ¥180,000 × $\frac{45\%}{45\%+45\%}$
=¥90,000

04) ¥200,000 × $\frac{50\%}{50\%+30\%}$
=¥125,000

05) ¥200,000 × $\frac{30\%}{50\%+30\%}$
=¥75,000

A

部門費振替表

費目	合計	施工部門		補助部門		
		第１部門	第２部門	車両部門	機械部門	仮設部門
部門個別費	631,000	180,000	230,000	91,000	88,000	42,000
部門共通費	618,000	140,000	211,000	89,000	112,000	66,000
部門費合計	1,249,000	320,000	441,000	180,000	200,000	108,000
車両部門費		90,000[03]	90,000[03]			
機械部門費		125,000[04]	75,000[05]			
仮設部門費		54,000	54,000			
合計	1,249,000	589,000	660,000			

(2) 相互配賦法

相互配賦法による部門費振替表の作成

06) 第１次配賦

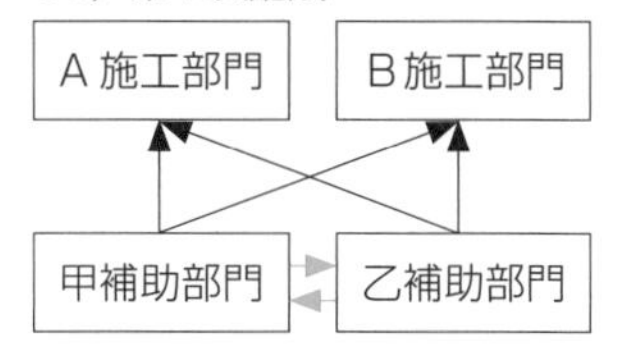

07) 第２次配賦

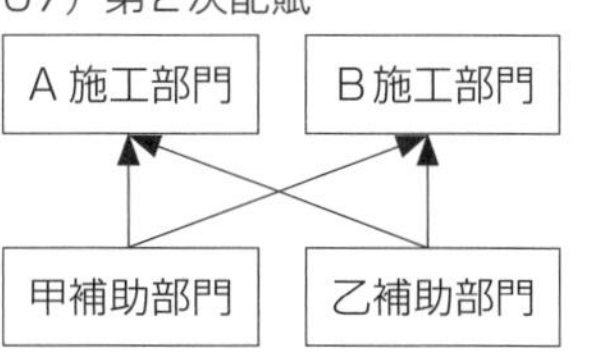

第２次配賦は直接配賦法と同じになります。

08) ¥108,000 × $\frac{30\%}{100\%}$
=¥32,400

09) ¥108,000 × $\frac{20\%}{100\%}$
=¥21,600

10) ¥61,600 × $\frac{45\%}{45\%+45\%}$
=¥30,800

相互配賦法とは，補助部門間での用役の授受があった場合には，それを**考慮して補助部門費の配賦を行う**方法です。

まず，**第１次配賦**[06]として補助部門費を自部門以外の用役を提供しているすべての部門に配賦します。次に**第２次配賦**[07]として第１次配賦後の補助部門費を施工部門のみへ配賦します。

計算例

Q 1-76 ページの資料をもとに相互配賦法による部門費振替表を作成しなさい。

A

部門費振替表

費目	合計	施工部門		補助部門		
		第１部門	第２部門	車両部門	機械部門	仮設部門
部門個別費	631,000	180,000	230,000	91,000	88,000	42,000
部門共通費	618,000	140,000	211,000	89,000	112,000	66,000
部門費合計	1,249,000	320,000	441,000	180,000	200,000	108,000
第１次配賦						
車両部門費		81,000	81,000	–	18,000	–
機械部門費		100,000	60,000	40,000	–	–
仮設部門費		32,400[08]	32,400[08]	21,600[09]	21,600[09]	–
第２次配賦				61,600	39,600	–
車両部門費		30,800[10]	30,800[10]			
機械部門費		24,750	14,850			
仮設部門費		–	–			
合計	1,249,000	588,950	660,050			

(3) 階梯式配賦法 建設業・論点

階梯式配賦法による部門費振替表の作成

階梯式配賦法とは補助部門間の用役の授受について，計算上一部を認め，一部を無視する計算方法をいいます。つまり，**用役の提供の多い部門から少ない部門へは配賦を行います**[11]**が，その逆は無視します。**

11)

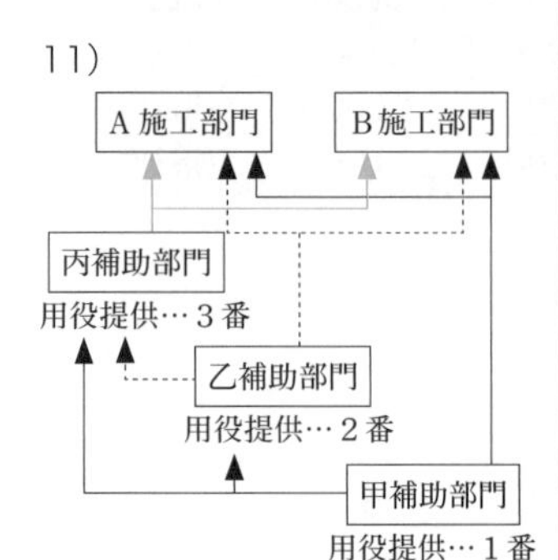

補助部門の順位づけ（右からどの順番で並べるか）は次のように決定します。

1. 他の補助部門の用役の提供先の多いもの

用役提供先数が同数の場合

2. 第1次集計額（部門個別費＋部門共通費）の多いもの

ただし，試験では順位づけは与えられています。

計算例

Q 1-76ページの資料をもとに階梯式配賦法による部門費振替表を作成しなさい。

A

部門費振替表

費　目	合　計	施工部門		補助部門		
		第1部門	第2部門	車両部門	機械部門	仮設部門
部門個別費	631,000	180,000	230,000	91,000	88,000	42,000
部門共通費	618,000	140,000	211,000	89,000	112,000	66,000
部門費合計	1,249,000	320,000	441,000	180,000	200,000	108,000
仮設部門費		32,400[12]	32,400[12]	21,600[13]	21,600[13]	108,000
機械部門費		110,800[14]	66,480	44,320	221,600	
車両部門費		122,960	122,960	245,920		
合　計	1,249,000	586,160	662,840			

12) $¥108,000 \times \frac{30\%}{100\%} = ¥32,400$

13) $¥108,000 \times \frac{20\%}{100\%} = ¥21,600$

14) $¥221,600 \times \frac{50\%}{100\%} = ¥110,800$

おわりに

マイさん：加藤さん，「自部門には配賦しない」というのがルールなのですか？
加藤さん：そうだよ。自部門に配賦しちゃうと永遠に終わらないだろうからね。
マイさん：そうか。なるほど，覚えておきます！

try it Q 例題 部門費振替表の作成 解答解説 P.1-203

次に示す資料にもとづいて，①直接配賦法，②相互配賦法，③階梯式配賦法により部門費振替表を作成しなさい。

■資　料■

〈補助部門用役提供割合〉

	第1部門	第2部門	A部門	B部門	C部門
A部門	50%	30%	−	20%	−
B部門	45%	45%	10%	−	−
C部門	30%	30%	20%	20%	−

〈部門費合計額〉

費目	第1部門	第2部門	A部門	B部門	C部門
部門個別費	¥252,000	¥322,000	¥123,200	¥127,400	¥58,800
部門共通費	196,000	295,400	156,800	124,600	92,400
計	¥448,000	¥617,400	¥280,000	¥252,000	¥151,200

解答欄

①直接配賦法

部門費振替表

費目	合計	施工部門		補助部門		
		第1部門	第2部門	A部門	B部門	C部門
部門個別費	883,400	252,000	322,000	123,200	127,400	58,800
部門共通費	865,200	196,000	295,400	156,800	124,600	92,400
部門費合計	1,748,600	448,000	617,400	280,000	252,000	151,200
A部門費						
B部門費						
C部門費						
合計						

前ページの資料を，もう一度示しておきます。

資　料

〈補助部門用役提供割合〉

	第１部門	第２部門	A　部　門	B　部　門	C　部　門
A　部　門	50%	30%	−	20%	−
B　部　門	45%	45%	10%	−	−
C　部　門	30%	30%	20%	20%	−

〈部門費合計額〉

費　目	第１部門	第２部門	A　部　門	B　部　門	C　部　門
部門個別費	¥252,000	¥322,000	¥123,200	¥127,400	¥58,800
部門共通費	196,000	295,400	156,800	124,600	92,400
計	¥448,000	¥617,400	¥280,000	¥252,000	¥151,200

解答欄

②相互配賦法

部門費振替表

費　目	合　計	施工部門		補助部門		
		第１部門	第２部門	A部門	B部門	C部門
部門個別費	883,400	252,000	322,000	123,200	127,400	58,800
部門共通費	865,200	196,000	295,400	156,800	124,600	92,400
部門費合計	1,748,600	448,000	617,400	280,000	252,000	151,200
第１次配賦						
A部門費						
B部門費						
C部門費						
第２次配賦						
A部門費						
B部門費						
C部門費						
合　計						

③階梯式配賦法

部門費振替表

費　　目	合　計	施工部門		補助部門		
		第1部門	第2部門	B部門	A部門	C部門
部門個別費	883,400	252,000	322,000	127,400	123,200	58,800
部門共通費	865,200	196,000	295,400	124,600	156,800	92,400
部門費合計	1,748,600	448,000	617,400	252,000	280,000	151,200
C部門費						
A部門費						
B部門費						
合　　計						

Section 3

部門費の予定配賦

はじめに マイさんは，一つひとつの工事について，部門費振替表で部門ごとにかかった費用を計算しています。

マイさん：加藤さん，これ部門費振替表を使ったとしても莫大な計算が必要ですね。工事が完成するときって嬉しいけど，経理はやっぱり大変ですね。

加藤さん：まあね。でも，工事間接費に予定配賦があったように，部門費にも予定配賦があるよ。

マイさん：…ってことは，予定配賦額と実際配賦額を計算して配賦差異を出すんですね。

加藤さん：そうそう。マイちゃんは頭の回転が速いなぁ。

部門費の予定配賦の必要性

工事間接費を部門別に計算することで，一括して計算するよりも正確に原価を知ることができます。しかし，部門別計算を実際額で行う場合，工事間接費の実際配賦と同様の問題を持ちます[01)]。

そこで問題解決のために工事間接費と同様，予定配賦を行います。

01）実際配賦の問題点
・計算の遅れ
・原価の変動

予定配賦の原価の流れ

① 施工部門の予定配賦率を算定し，各工事に配賦します

$$\text{予定配賦率} = \frac{\text{部門費予定額}}{\text{予定配賦基準数値}}$$

↓

② 工事間接費に実際発生額を集計します

↓

③ 工事間接費（実際発生額）を施工部門，補助部門に配賦します

↓

④ 補助部門費（実際発生額）を施工部門に配賦します

↓

⑤ 施工部門で配賦差異を把握します

計算例

Q 次の資料をもとに前ページの「予定配賦の原価の流れ」に従って仕訳を行いなさい。

1．各施工部門の予定配賦の資料

	機械運転時間	予定配賦率
第１施工部門	210時間	¥1,200
第２施工部門	250時間	¥1,100

＊各工事への配賦は機械運転時間を基準として行う。

2．各施工部門費の実際配賦額の資料

(1) 材料費 ¥150,000，労務費 ¥120,000，経費 ¥250,000 を工事間接費として次のとおり各部門に配賦した。
第１施工部門　¥140,000　第２施工部門　¥180,000　機械部門 ¥200,000

(2) 上記の補助部門費を次の配賦率により両施工部門へ配賦した。

	第１施工部門	第２施工部門
機械部門	40%	60%

3．部門費配賦差異は各施工部門費勘定で計算する。

A **①予定配賦額を各工事へ配賦します。**

第１施工部門　@¥1,200 × 210 時間 = ¥252,000
第２施工部門　@¥1,100 × 250 時間 = ¥275,000

02) この段階で工事原価の計算が行えます。

(借)			(貸)	
未成工事支出金[02]	527,000		第１施工部門費	252,000
			第２施工部門費	275,000

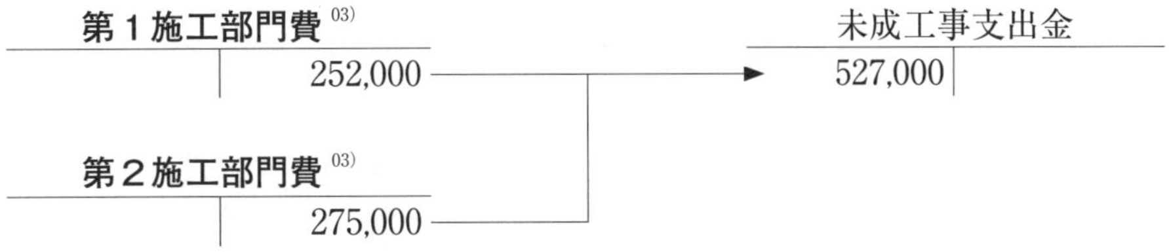

03) 貸方から記入が始まります。

第１施工部門費[03]
| 252,000 → 未成工事支出金 527,000

第２施工部門費[03]
| 275,000 → 未成工事支出金 527,000

未成工事支出金
527,000 |

②工事間接費勘定に実際発生額を集計します。

(借)			(貸)	
工事間接費	520,000		材料費	150,000
			労務費	120,000
			経費	250,000

③工事間接費の実際発生額を各部門に配賦します。

(借) 第１施工部門費	140,000	(貸) 工 事 間 接 費	520,000
第２施工部門費	180,000		
機 械 部 門 費	200,000		

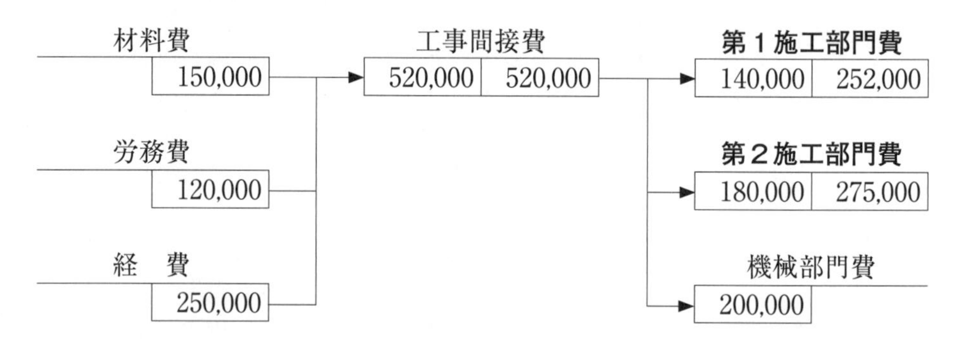

④補助部門費を施工部門に配賦します。

機械部門費の配賦　¥200,000×40％＝　¥80,000→第１施工部門
　　　　　　　　　¥200,000×60％＝¥120,000→第２施工部門

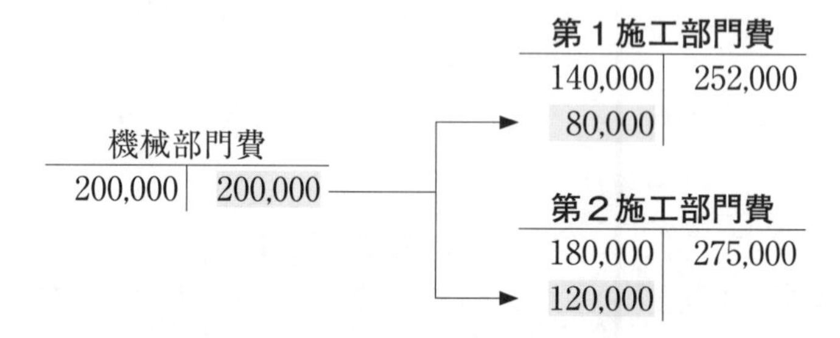

(借) 第１施工部門費	80,000	(貸) 機 械 部 門 費	200,000
第２施工部門費	120,000		

⑤施工部門勘定で施工部門費配賦差異を把握します。

第１施工部門費

140,000	252,000
80,000	
32,000	

第２施工部門費

180,000	275,000
120,000	
	25,000

施工部門費配賦差異

25,000[05]	32,000[04]

04）有利差異（貸方差異）
05）不利差異（借方差異）

（借）	第１施工部門費	32,000	（貸） 施工部門費配賦差異	32,000
（借）	施工部門費配賦差異	25,000	（貸） 第２施工部門費	25,000

以上をまとめると次のようになります。

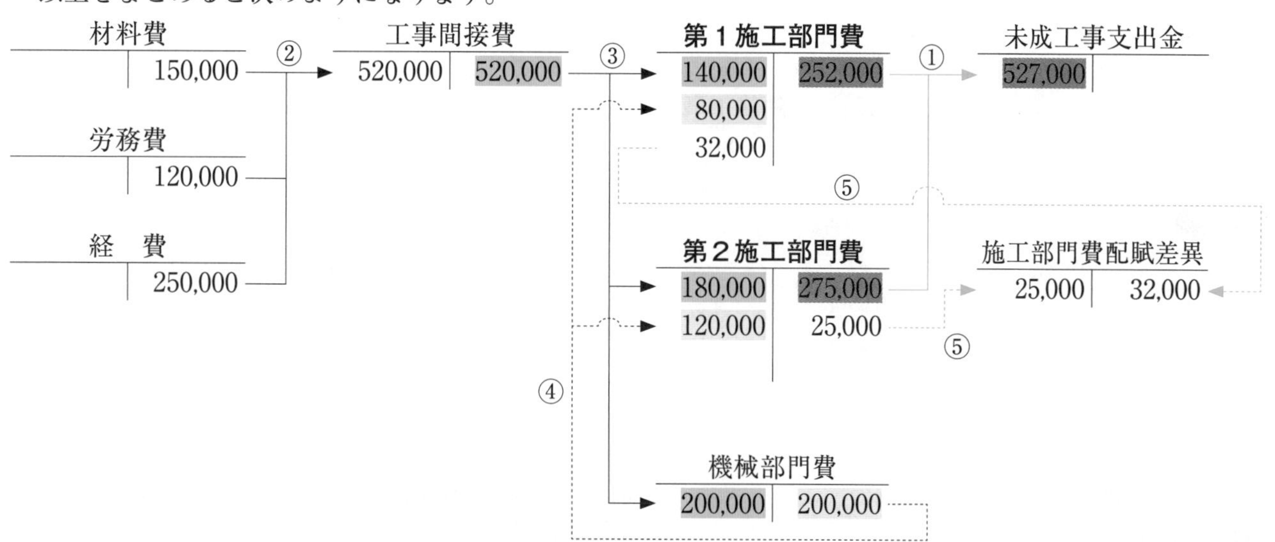

おわりに

マイさん：部門費って，ほんとに工事間接費の処理に似てますね。
加藤さん：そうだよ。
マイさん：私，経理部のエキスパートになっちゃうかも。
加藤さん：…ぜひそうなって欲しいね。

例題　部門費の予定配賦

解答解説 P.1-204

次の資料により，各勘定への記入を行いなさい。

■資　料■

当社は施工部門として配管工事部門と鉄筋工事部門を，補助部門として仮設部門を設けている。

1．各施工部門の予定配賦の資料

	直接労働時間	予定配賦率
配管工事部門	300 時間	¥1,100
鉄筋工事部門	350 時間	¥1,200

各工事への配賦は，直接労働時間を基準として行う。

2．各部門の実際発生額

(1)　工事間接費を次のとおり各部門に配賦した。

配管工事部門　¥300,000　鉄筋工事部門　¥400,000
仮　設　部　門　¥ 60,000

(2)　補助部門費を次の用役提供割合に従って，各施工部門へ直接配賦した。

	配管工事部門	鉄筋工事部門
仮設部門	20%	80%

解 答 欄

仮 設 部 門 費

諸　口	60,000	配管工事部門費	(　　)
		鉄筋工事部門費	(　　)
	(　　)		(　　)

施工部門費配賦差異

(　　)	(　　)	前 月 繰 越	20,000
(　　)	(　　)	(　　)	(　　)
	(　　)		(　　)

配管工事部門費

諸　口	300,000	未成工事支出金	(　　)
仮設部門費	(　　)		
施工部門費配賦差異	(　　)		
	(　　)		(　　)

未成工事支出金

前 月 繰 越	100,000		
配管工事部門費	(　　)		
鉄筋工事部門費	(　　)		

鉄筋工事部門費

諸　口	400,000	未成工事支出金	(　　)
仮設部門費	(　　)	施工部門費配賦差異	(　　)
	(　　)		(　　)

Chapter 5

完成工事原価と工事収益の計上

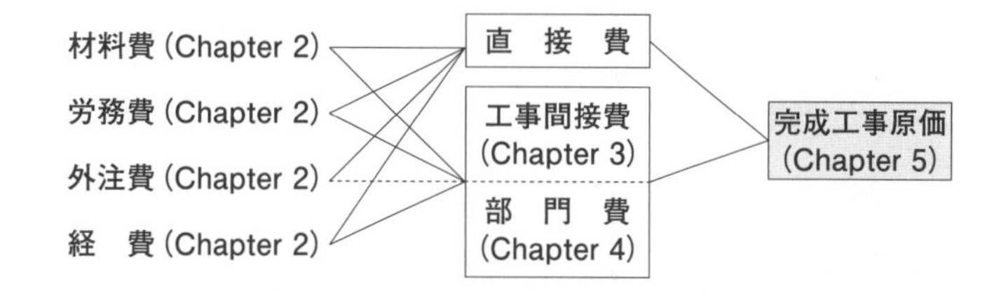

Chapter 2 から Chapter 4 まで学んできた工事原価の算定は，ここで報告書という形にまとめられます。完成工事原価報告書は，完成した工事の原価を材料費，労務費，外注費，経費に分けて表示した報告書です。

Chapter 5 では，完成工事原価（Section 1）とそれに対応する収益の計上方法（Section 2）を把握してください。この部分は，利益追求を目的とする会社にとって，とても大切です。

Section 1　原価計算表は内部資料，完成工事原価報告書は外部報告用。　重要度 ◇◇◇◇◇

完成工事原価の計算

はじめに　マイさんは，またお昼に1,200円のエビフライ定食を食べたようです。

マイさん：加藤さん，やっぱり1,200円のエビフライ定食って高いですよね。

加藤さん：食べなきゃいいんじゃ…。

マイさん：ところで，私ってChapter 2の原価の費目別計算からずっと原価の計算方法を勉強してきているみたいなんですけど，一体いつになったらこれって終わるんですか。

加藤さん：最後に原価計算表にまとめて，終わりだよ。

完成工事原価の計算方法

主に受注生産に用いる完成工事原価の計算方法は**個別原価計算**[01]です。個別原価計算では工事ごとに台帳を用意し，工事にかかった原価を記入して，工事原価を集計します。

01) 完成工事原価の計算方法には総合原価計算もありますが，受注生産の多い建設業ではほとんど用いられません。

原価計算表の作成

個別原価計算では工事ごとに台帳を作成し，工事にかかった原価は工事台帳に記入していきます。また，工事台帳を集計する表として原価計算表を作成します。

02) 未成工事支出金勘定との関係

未成工事支出金勘定		原価計算表
前月繰越	→	前月繰越合計
直接材料費 〜 工事間接費	→	直接材料費 〜 工事間接費（合計）
完成工事原価	→	完成した工事の合計
次月繰越	→	未完成の工事の合計

03) 前月までに発生した原価を記入します。

04) 各工事の当月発生額を費目別に記入します。

05) 工事の進行状況を記入します。ここの記入から，完成工事原価と次月繰越の違いが明確になります。

原価計算表　(単位：円)

費目	No.001	No.002	No.003	合計
前月繰越高[03]	5	7	−	12
直接材料費[04]	95	100	80	275
直接労務費[04]	115	130	40	285
外注費[04]	75	120	60	255
直接経費[04]	20	20	−	40
工事間接費[04]	300	323	120	743
合計	610	700	300	1,610
備考[05]	完成	完成	未完成	

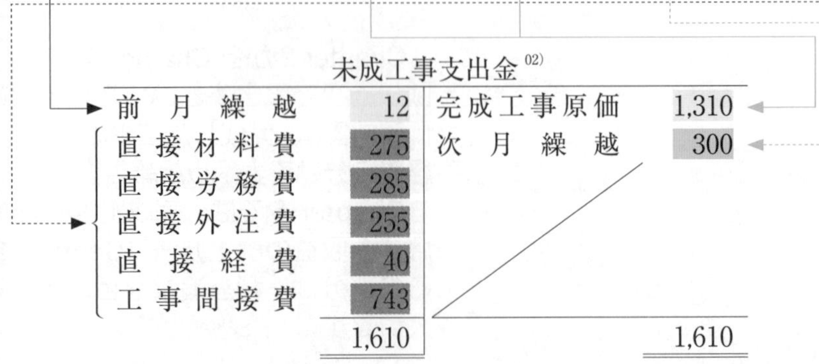

未成工事支出金[02]

借方		貸方	
前月繰越	12	完成工事原価	1,310
直接材料費	275	次月繰越	300
直接労務費	285		
直接外注費	255		
直接経費	40		
工事間接費	743		
	1,610		1,610

工事原価明細表

工事原価明細表は，**当月発生工事原価と当月完成工事原価とを対比させた明細表**です。

06）前ページの原価計算表のうち前月繰越高は全額外注費，労務外注費は当月労務費のうちNo.001から40円，No.002から60円，人件費は当月経費のうちNo.001から180円，No.002から120円発生しているとして作成しています。

工事原価明細表

（単位：円）

	当月発生工事原価	当月完成工事原価
Ⅰ．材　料　費	275	195
Ⅱ．労　務　費	285	245
（うち労務外注費）[06]	（100）	（100）
Ⅲ．外　注　費	255	207
Ⅳ．経　　　費	783	663
（うち人件費）[06]	（300）	（300）
合　計	1,598	1,310

完成工事原価報告書（かんせいこうじげんかほうこくしょ）　建設業・論点

完成工事原価報告書とは

完成工事原価報告書とは，**完成した工事の原価に関する明細**を示した報告書です。

工事別に集計された原価計算表は主として内部管理のために利用されます。完成工事原価報告書は，**外部の利害関係者への報告**のために作成されます。

07）工事原価明細表の当月完成工事原価の部分が記載されます。

完成工事原価報告書[07]

自　×年　×月　×日

至　×年　×月　×日　（単位：円）

（会社名）

Ⅰ．材　料　費	195
Ⅱ．労　務　費	245
（うち労務外注費　100）	
Ⅲ．外　注　費	207
Ⅳ．経　　　費	663
（うち人件費　300）	
完成工事原価	1,310

完成工事原価報告書の作成

完成工事原価報告書は次の２点に注意して作成します。
①完成した工事の原価について集計すること。
②原価を**前期発生と当期発生に分けることなく**，費目別に集計すること[08]。

08）完成工事原価の内容を外部に報告するためのものなので，前期発生・当期発生といった発生時期は報告対象とはなっていません。

〈前期〉　原価計算表　（単位：円）

費　目	No.101	No.102	合　計
直接材料費	52,000	73,000	125,000
直接労務費	18,000	31,000	49,000
外　注　費	63,000	86,000	149,000
直接経費	11,000	13,000	24,000
合　計	144,000	203,000	347,000

〈当期〉　原価計算表　（単位：円）

費　目	No.101	No.102	No.103	合　計
前期繰越高	144,000	203,000	−	347,000
直接材料費	55,000	48,000	61,000	164,000
直接労務費	21,000	17,000	31,000	69,000
外　注　費	72,000	92,000	87,000	251,000
直接経費	13,000	15,000	12,000	40,000
合　計	305,000	375,000	191,000	871,000
備　考	完　成	完　成	未完成	

なお，経費のうちNo.101およびNo.102にかかる人件費￥6,500がある。

完成工事原価報告書
自　×年　4月　1日
至　×年　3月　31日　（単位：円）
東京建設株式会社

Ⅰ．材　料　費	228,000[09]
Ⅱ．労　務　費	87,000
（うち労務外注費　0）	
Ⅲ．外　注　費	313,000
Ⅳ．経　　費	52,000
（うち人件費　6,500）	
完成工事原価	680,000

09）前期No.101，No.102：
￥52,000＋￥73,000＝￥125,000
当期No.101，No.102：
￥55,000＋￥48,000＝￥103,000
合計：￥125,000＋￥103,000
＝￥228,000
他についても同様に計算します。

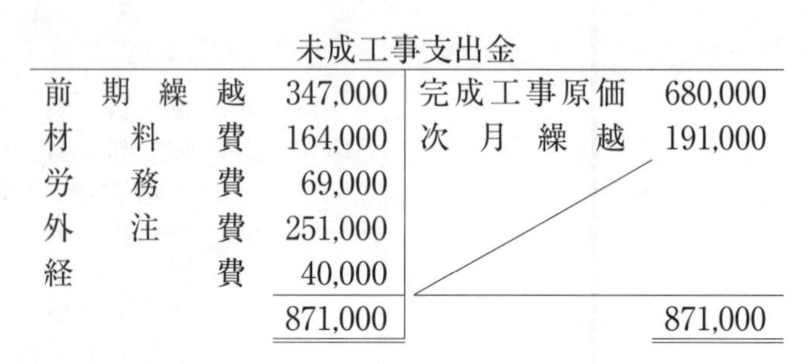

未成工事支出金

借方		貸方	
前期繰越	347,000	完成工事原価	680,000
材料費	164,000	次月繰越	191,000
労務費	69,000		
外注費	251,000		
経費	40,000		
	871,000		871,000

例題　完成工事原価の計算

解答解説 P.1-205

次の資料により，解答欄に示す未成工事支出金勘定および原価計算表の（　）内に金額を記入するとともに完成工事原価報告書を作成しなさい。

■資　料■

⑴　工事間接費は直接作業時間によって配賦されており，その工事台帳別の作業時間はNo.101が230時間，No.102が200時間，No.103が320時間であった。

⑵　工事台帳はNo.101からNo.103までで，No.101とNo.103は当月中に完成している。

⑶　未成工事支出金勘定の前月繰越高のうち￥150,000は材料費，￥50,000は労務費である。

解答欄

未成工事支出金

借方	金額	貸方	金額
前月繰越	200,000	完成工事原価	(　　　)
材料費	(　　　)	次月繰越	(　　　)
賃金	300,000		
外注費	580,000		
経費	250,000		
工事間接費	600,000		
	(　　　)		(　　　)

原価計算表

（単位：円）

費目＼工事台帳	No.101	No.102	No.103
月初未成工事原価	(　　　)	——	110,000
直接材料費	120,000	180,000	130,000
直接労務費	80,000	(　　　)	100,000
外注費	(　　　)	170,000	190,000
直接経費	(　　　)	(　　　)	——
工事間接費	(　　　)	(　　　)	(　　　)
合計	(　　　)	750,000	(　　　)

Ch5

完成工事原価報告書 （単位：円）

Ⅰ．材　料　費		(　　　　)
Ⅱ．労　務　費		(　　　　)
（うち労務外注費	0）	
Ⅲ．外　注　費		(　　　　)
Ⅳ．経　　　費		(　　　　)
（うち人件費	320,000）	
合　計		(　　　　)

売れ残ることがないから，工事が進んだ分だけ収益。　重要度 ◈◈◈

工事収益の計上

建設業・論点

はじめに このあいだ，現場研修に行った工事現場のビルが着工したという報告を受けました。

マイさん：加藤さん，この間行ったとこの工事が始まったんですって。なんか，うれしいですね。

加藤さん：そうか。あのビルが着工したか。これで収益を計上できるな。

マイさん：えっ。完成しないと収益にならないですよね。

加藤さん：そうでもないんだな。建設業では，収益を計上する時期もちょっと複雑だから気を付けてね。

工事収益（こうじしゅうえき）の計上基準

建設業では，工事施工者は工事の依頼を受注した後に工事を開始するため，その工事物件が完成し，依頼者に引渡しが終了する前でも販売できることがほぼ確実[01]です。そこで，原則として工事の進捗度に応じて収益を計上する**工事進行基準**が適用されます。

なお，成果の確実性が認められない場合には通常の商品売買と同様に，工事物件が完成し，その物件を依頼者に引渡した時点で収益を計上する**工事完成基準**が適用されます[02]。

01）これを「成果の確実性」といい，次の３つの要件を満たすことが必要です。
⑴工事収益総額
⑵工事原価総額
⑶決算日における工事進捗度を見積もることができる

02）工事２期目となって，工事進行基準が適用された場合，２期目には１期目も含めて工事収益を計上します。

工事進行基準

(1)工事進行基準とは **工事の進行に応じて工事収益を計上**する方法です。

工事契約に関して，工事収益総額[03]，工事原価総額および決算日における工事進捗度を合理的に見積もり，これに応じて当期の工事収益および工事原価を計上する方法です。

03）請負金額を指します。

(2)工事収益の計算 工事進行基準の場合，工事収益は工事の進捗度に応じて計上しますが，ここでは**原価比例法**にもとづいて計算します。

原価比例法とは，決算日までに実施した工事に関して発生した工事原価の，工事原価総額に占める割合をもって決算日における工事進捗度とする方法のことです[04]。

04）工事原価が30%発生していれば，工事収益も30%計上することになります。

Ch5

①工事収益の計算

$$工事収益 = 工事収益総額 \times \underbrace{\frac{当期末までの実際発生原価累計額}{見積工事原価総額}}_{工事進捗度} - 過年度工事収益累計額$$

②最終年度における工事収益の計算[05]
工事収益＝工事収益総額－過年度工事収益累計額

05）差額で計算します。

(3) 工事収益総額や見積工事原価を修正した場合

工事進行基準の場合，工事収益総額や工事原価総額の見積もりが変更されたときには，その影響額は見積もりが変更された期の損益として処理します[06]。
このため，**修正後の各金額を使用して工事収益を計算**します。

06）つまり，そうすることで当期末で帳尻を合わせるのです。

$$工事収益 = 修正後工事収益総額 \times \underbrace{\frac{当期末までの実際発生原価累計額}{修正後見積工事原価総額}}_{工事進捗度} - 過年度工事収益累計額$$

取引例

Q **次の取引について仕訳しなさい。なお，成果の確実性があることを前提に解答すること（工事進行基準）。**

① 発注先である代官山物産㈱と事務所建築の請負契約を締結した。同工事の請負代金は¥500,000であり，総工事原価は ¥300,000と見積もられた。
② 工事受注後，最初の決算を迎えた。実際工事原価は ¥90,000であった。
③ 事務所建築工事は順調に進んでいたが，着工後２年目において，工事材料の高騰による工事原価の見直しを行い，総工事原価を¥325,000と見積もりし直した。なお，実際工事原価発生額は¥157,000であった。
④ 着工３年目に事務所の建築工事が完成し，代官山物産㈱に完成物件を引き渡した。また工事代金を約束手形で受け取った。なお，この年の実際工事原価は¥78,000であった。

A

①	仕訳なし					
②	（借）	完成工事未収入金	150,000	（貸）	完成工事高	150,000[07]
	（借）	完成工事原価	90,000	（貸）	未成工事支出金[08]	90,000
③	（借）	完成工事未収入金	230,000	（貸）	完成工事高	230,000[09]
	（借）	完成工事原価	157,000	（貸）	未成工事支出金	157,000
④	（借）	受取手形	500,000	（貸）	完成工事高	120,000[10]
					完成工事未収入金	380,000
	（借）	完成工事原価	78,000	（貸）	未成工事支出金	78,000

07）$¥500,000 \times \frac{¥90,000}{¥300,000} = ¥150,000$
収益も30%分，計上します。

08）未成工事支出金勘定は，毎期，完成工事原価勘定に振り替えられるので次期に繰り越されません。

09）$¥500,000 \times \frac{¥90,000+¥157,000}{¥325,000} - ¥150,000 = ¥230,000$
見積額が変わった場合，新しい見積額を分母として計算します。前年分の修正は行いません。

10）¥500,000－（¥150,000＋¥230,000）＝¥120,000

工事完成基準

工事完成基準とは 工事が完成し，**発注者に引き渡したときに，工事収益を計上**する方法です。
この場合，工事が2期間以上にわたって行われていても，完成し，引き渡した期にすべての収益が計上されます。

取引例

Q 以下の取引を仕訳しなさい。

① 東京建設㈱では，丸の内物産㈱より大阪支社ビルの新築工事を受注し，請負価額は￥250,000で，工事契約を締結した。
② 丸の内物産㈱の大阪支社ビルが完成し，引き渡しが完了した。なお，総工事原価は￥200,000であった。
③ 丸の内物産㈱より，請負契約価額にもとづく工事代金を約束手形で受け取った。

A

① 仕訳なし

	借方科目	金額		貸方科目	金額
②（借）	完成工事未収入金	250,000	（貸）	完成工事高	250,000
（借）	完成工事原価	200,000	（貸）	未成工事支出金	200,000 [11]
③（借）	受取手形	250,000	（貸）	完成工事未収入金	250,000

11）未成工事支出金は，完成まで次期に繰り越され続け，工事が完成した時点で工事原価を完成工事原価勘定へ振り替えます。

例題　工事収益の計上　解答解説 P.1-206

次の資料にもとづいて⑴成果の確実性があると認められる場合（工事進行基準）と⑵成果の確実性があると認められない場合（工事完成基準）により各期の完成工事高，完成工事原価および工事利益の額を計算しなさい。

請負金額　18,000 万円　　見積総工事原価　12,000 万円
実際発生原価　第１期　2,000 万円　第２期　6,000 万円　第３期　4,000 万円
工事の完成，引渡しは第３期末に行われた。

解答欄

(1)

（単位：万円）

	第１期	第２期	第３期
完成工事高	（　　　）	（　　　）	（　　　）
完成工事原価	（　　　）	（　　　）	（　　　）
工事利益	（　　　）	（　　　）	（　　　）

(2)

（単位：万円）

	第１期	第２期	第３期
完成工事高	（　　　）	（　　　）	（　　　）
完成工事原価	（　　　）	（　　　）	（　　　）
工事利益	（　　　）	（　　　）	（　　　）

Chapter 6

現金・預金・その他

Chapter 2 から Chapter 5 までで，原価の算定方法を学びました。Chapter 6 から Chapter 11 まででは，財務諸表上の項目ごとに，その内容と取引の処理を学びます。取引例では具体的な処理をイメージしながら学習してください。

会社にとって現金や預金はすぐに使えるお金として重要です。ところが，帳簿残高と銀行残高が合いません。どうしたらよいでしょうか？

Chapter 6 では，銀行勘定調整表と値引・返品・割引の処理を学んでください。

Section 1 当座預金が最終的に不一致…事件です！ 重要度 ◈◈◈

現金・当座預金②

はじめに マイさんは加藤さんに，ＪＲＡ銀行の当座預金の残高と当座預金勘定の照合をするように言われました。

マイさん：預金の金額が勝手になくなったりしないですから，合わないわけないですよね。

加藤さん：見てごらん。

マイさん：合ってない！どうして？

加藤さん：だから“銀行勘定調整表”を作るんだよ。

小口現金とは

交通費・切手代・事務用消耗品費などの少額の経費を支払うために現金を用意し，これで支払いを行うと便利です。このために用意された現金を小口現金（こぐちげんきん）といいます。

小口現金は現金勘定とは別に**小口現金勘定（資産の勘定）**を設けて処理します。

小口現金の処理

小口現金制度には，**小口現金の額を特定しない随時補給制度**と，**一定期間**[01]**における小口現金の額を特定する定額資金前渡制度（インプレスト・システム）**の2つがあります。一般には定額資金前渡制度がとられており（試験でもこちらがよく出題されます），その処理の要点は次のとおりです。

01）通常，１週間または１カ月間です。

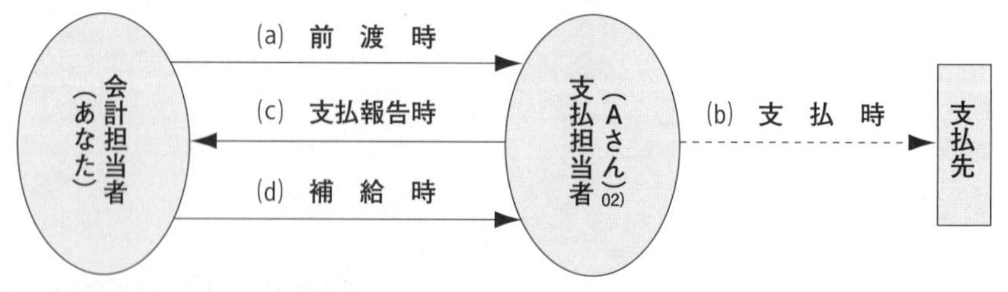

02）通常，用渡係，小払係といわれる人が支払を担当します。

小口現金の前渡し 定額資金前渡制度（インプレスト・システム）による小口現金制度を開始するにあたり，支払係のＡさんに小切手￥10,000を振り出し，手渡した場合，次のように仕訳します。

(借)	小口現金	10,000	(貸)	当座預金	10,000

報告を受けた時 Ａさんから，通信費￥3,000，交通費￥4,000の小口経費の支払報告を受けたときは，次のように仕訳します。

(借)	通信費	3,000	(貸)	小口現金	7,000
	交通費	4,000			

小口現金の補給 例えば，Aさんに小切手¥7,000を振り出し，小口現金を補給したときは次のように仕訳します[03]。

(借) 小　口　現　金	7,000	(貸) 当　座　預　金	7,000

03）支払担当者から，報告を受けると同時に小口現金の補給をする場合には，小口現金勘定を使用せず，当座預金勘定から直接に通信費などを支払って仕訳を行います。
（借）通信費　3,000
　　　交通費　4,000
　　　　（貸）当座預金　7,000

小口現金出納帳

小口現金をいつ，どのような経費に，いくら使ったかについて記録するための帳簿[04]を小口現金出納帳（すいとうちょう）といい，支払担当者が記録を行います。

04）補助簿といわれるものの1つです。補助簿は企業の任意で設けられます。

小口現金出納帳の記入方法 支払報告を週末または月末に行い，資金の補給を翌週または翌月になって行う場合には，小口現金出納帳には次の❶～❼のとおりに記入を行います。

(1)翌週補給

小口現金出納帳

受入	○年		摘要	支払	内訳 交通費	通信費	光熱費	雑費
50,000	10	15	小切手受入					
		〃	郵便切手	7,000		7,000		
		16	接待用たばこ	2,000				2,000
		17	バス回数券	3,000	3,000			
		18	電気代	10,000			10,000	
		〃	ハガキ代	5,000		5,000		
		19	お茶	3,000				3,000
		〃	タクシー代	7,000	7,000			
		20	ガス代	3,000			3,000	
			合計	40,000	10,000	12,000	13,000	5,000
		〃	次週繰越	10,000				
50,000				50,000				
10,000			前週繰越					
40,000	10	22	本日補給					

(2)即日補給

受入	○年		摘要	支払	内訳			
					交通費	通信費	光熱費	雑費
50,000	10	15	小切手受入					
		〃	郵便切手	7,000		7,000		
		16	接待用たばこ	2,000				2,000
		17	バス回数券	3,000	3,000			
		18	電気代	10,000			10,000	
		〃	ハガキ代	5,000		5,000		
		19	お茶	3,000				3,000
		〃	タクシー代	7,000	7,000			
		20	ガス代	3,000			3,000	
			合計	40,000	10,000	12,000	13,000	5,000
40,000		〃	本日補給					
		〃	次週繰越	50,000				
90,000				90,000				
50,000			前週繰越					

❶小切手による補給額を記入

❷受入欄の合計金額から支払欄の合計額を差し引いた金額を記入

❸受入欄に記入された金額の合計を記入

❹次週繰越と同額を記入

現金過不足(げんきんかぶそく)

現金の実際残高と帳簿残高が一致しない場合，次の処理を行います。

(1)現金の実際残高と帳簿残高の不一致が生じたときに差額を現金過不足勘定に振り替えます[05]。

現金不足：帳簿残高＞実際残高　現金過不足勘定，借方に記入

現金超過：帳簿残高＜実際残高　現金過不足勘定，貸方に記入

(2)不一致の原因が判明したとき適当な科目に振り替えます。

(3)決算までに原因の判明しないものは，雑損失勘定または雑収入勘定で処理します。

現金過不足，借方残高→**雑損失(ざっそんしつ)勘定**

現金過不足，貸方残高→**雑収入(ざっしゅうにゅう)勘定**

05) 帳簿残高を実際残高に合わせて調整します。

取引例

Q 次の取引について仕訳しなさい。

①現金の実際残高を調べたところ，帳簿残高より ¥1,000 不足していた。

②通信費¥700 の記帳漏れが判明した。

③その他については決算時においても原因が不明なため適切な処理を行った。

A

	借方	金額	貸方	金額
①	(借) 現金過不足	1,000	(貸) 現金	1,000
②	(借) 通信費	700	(貸) 現金過不足	700
③	(借) 雑損失	300	(貸) 現金過不足	300

当座借越（とうざかりこし） 建設業・論点

当座借越とは 取引銀行と当座借越契約を結ぶと，当座預金残高を超える小切手を振り出した場合，超過額を一定額まで一時的に銀行が立て替えます。この立替額を当座借越といいます。

当座借越勘定に残高があるときに入金が行われると，**当座借越の返済が優先**され，当座借越勘定の残高がなくなってから，当座預金が増加します。

取引例

Q 次の取引を仕訳しなさい。

①A社に対する外注費 ¥100,000 を小切手で支払った。なお，当座預金残高は ¥70,000 である。当社は取引銀行と当座借越契約を結んでいる。

②受取手形 ¥150,000 が決済され，当座預金に入金された。

A

①	（借）外注費	100,000	（貸）当座預金	70,000
			当座借越	30,000
②	（借）当座借越	30,000	（貸）受取手形	150,000
	当座預金	120,000		

貸借対照表の表示 決算時に当座借越勘定に残高がある場合，貸借対照表には（短期）**借入金勘定で表示**します。

取引例

Q 次の事項において決算整理仕訳をしなさい。

決算日における当座預金勘定残高 ¥50,000 はA銀行の当座預金残高 ¥80,000 とB銀行の当座借越残高 ¥30,000 を相殺したものである。

A

（借）当座預金	30,000	（貸）当座借越	30,000

貸借対照表

当座預金	80,000	⋮	
⋮		短期借入金	30,000

銀行勘定調整表

ぎんこうかんじょうちょうせいひょう

銀行勘定調整表とは

決算日における企業の当座預金勘定残高と，銀行残高証明書の残高との不一致の原因を明らかにする表を銀行勘定調整表といいます。

当座預金勘定の残高と銀行残高証明書の残高とが一致しない原因は，(1)**会社・銀行間の連絡未達によるもの**と(2)**会社の内部事情によるもの**との２つがあります。

(1)会社・銀行間の連絡未達

会社と銀行との間での未達による不一致の原因には，①**時間外預入**と②**未取付小切手**と③**未取立小切手**と④**連絡未通知**があります。
この時，連絡が未達だった側の残高を調整します。

- ①**時間外預入**… 銀行の営業時間終了後に入金すること。
  会社→当日付で入金処理
  銀行→翌日付で入金処理
- ②**未取付小切手**… 取引先に渡した小切手のうち決済が完了していないもの。
  会社→小切手振出時には出金処理
  銀行→決済完了時に出金処理
- ③**未取立小切手**… 銀行に取立を依頼した小切手のうち取立が完了していないもの。
  会社→小切手取立依頼時には入金処理
  銀行→取立完了時に入金処理
- ④**連絡未通知**… 当座振込・自動引落などの当座取引が行われたにもかかわらず，会社への連絡が未通知のもの。
  会社→取引先からの通知により入出金処理
  銀行→取引時に入出金処理

(2)会社の内部事情によるもの

会社の内部事情による不一致の原因には，⑤**未渡小切手**と⑥**誤記入**とがあります。このとき，会社側の残高を調整します。

- ⑤**未渡小切手**… 会社が振り出した小切手のうち，取引先に渡していないもの。
- ⑥**誤記入**… 帳簿に誤った記入のあるもの。

銀行勘定調整表の作成

銀行勘定調整表の作成方法を見ていきます。

取引例

Q　次の資料により銀行勘定調整表を作成しなさい。

当社の当座預金勘定残高は ¥568,000，銀行の残高証明書残高は ¥675,000 であった。

① 工事未払金支払いのために振り出した小切手 ¥90,000 が未渡しであった。
② 家賃 ¥19,000 が当座預金より引き落とされていたが，その連絡が当社に未達であった。
③ 完成工事未収入金の回収額 ¥1,000 を ¥10,000 と誤記入していた。
④ 夜間金庫への入金が ¥35,000 あった。
⑤ 仕入先Ｄ商店へ振り出した小切手 ¥80,000 の引落しが未済であった。

A

銀行勘定調整表[06]

○○銀行○○支店		×年×月×日	(単位：円)
当座預金勘定残高	568,000	残高証明書残高	675,000
(加算)		(加算)	
①未渡小切手[07]	90,000	④時間外預入	35,000
(減算)		(減算)	
②家賃支払未通知	19,000	⑤未取付小切手	80,000
③誤　記　入	9,000		
	630,000[08]		630,000[08]

06) 貸借対照表の作成のさいに修正後残高のみが必要になることがあります。
このときにも簡単な銀行勘定調整表を作成して計算します。

07) 摘要については「未渡小切手」などではなく，具体的な内容を示す方法によることもあります。

08) 銀行勘定調整表の修正後残高は必ず一致します。決算日における修正残高が，貸借対照表の当座預金の金額となります。

修正仕訳

当座預金勘定残高と銀行残高証明書残高が一致することを確認したあと，当社残高を調整した項目について，修正仕訳を行います[09]。

09) 銀行残高を調整した項目については修正する必要がありません。

①未渡小切手

小切手を作成したときに，次の処理が行われています。

(借) 工事未払金	90,000	(貸) 当座預金	90,000

しかし実際には小切手を相手に渡していないので，次の修正を行います。

(借) 当座預金	90,000	(貸) 工事未払金	90,000

基本的には小切手を作成したときの貸借逆の仕訳を行えばよいのですが，広告費などの**経費支払目的の未渡小切手**については，貸方を**未払金勘定**とすることに注意してください。

②連絡未通知

(借) 支払家賃	19,000	(貸) 当座預金	19,000

③誤記入

(借) 完成工事未収入金	9,000	(貸) 当座預金	9,000

この仕訳は誤った仕訳の取消仕訳と本来の正しい仕訳を同時に行った仕訳です。

取消仕訳:	(借) 完成工事未収入金	10,000	(貸) 当座預金	10,000
正しい仕訳:	(借) 当座預金	1,000	(貸) 完成工事未収入金	1,000

おわりに

マイさん：連絡未達のものは未達側，社内の問題は会社側が調整すればいいということですね。
加藤さん：そうだよ。ただし，仕訳が要るのは会社側の調整だけだからね。
マイさん：了解です！

例題　銀行勘定調整表　解答解説 P.1-207

次の資料により銀行勘定調整表を作成し，貸借対照表に計上される当座預金の金額を計算し，必要な修正仕訳を示しなさい。なお，仕訳が不要な場合は「仕訳なし」と記入すること。

資　料

当社の当座預金の帳簿残高は￥1,543,000で，銀行残高証明書の残高は￥1,450,000であったので，不一致の原因を調査したところ，次のことが判明した。

① 得意先長野商店より完成工事代金の未回収分￥100,000が当座預金に振り込まれていた。
② 家賃￥3,000が当座預金から引き落とされていた。
③ 仕入先小松建設に対する資材代金の未払分￥40,000の支払いのため，小切手を振り出したが，その小切手は金庫に保管されていた。
④ かねて完成した請負工事の工事代金の回収として小切手￥230,000を受け取り，直ちに当座預金に預け入れたが，銀行では翌日入金としていた。

解 答 欄

銀行勘定調整表　（単位：円）

当座預金勘定残高	1,543,000	残高証明書残高	1,450,000
（加算）		（加算）	
（減算）		（減算）	

貸借対照表に計上される当座預金　￥

修正仕訳

①	（借）		（貸）	
②	（借）		（貸）	
③	（借）		（貸）	
④	（借）		（貸）	

Section 2 割引は営業外の項目です。 重要度 ◈◈◈◈◈

その他の処理

はじめに マイさんは，建設業経理士の受験要綱を見ています。

マイさん：先輩，この試験の１級って，２科目以上申し込むと「割引」になるんですよね。
加藤さん：たくさん買うと安くなるんだから，正確には「割戻」って言うんだよ。
マイさん：えっ。じゃあ，割引って何ですか？
加藤さん：返品や値引と一緒に学んでおいだ方がいいよ。

返品（へんぴん）の処理

返品とは，仕入材料の品違いなどによる戻しをいい，**仕入取引などの記録を取り消す**ことによって処理されます。

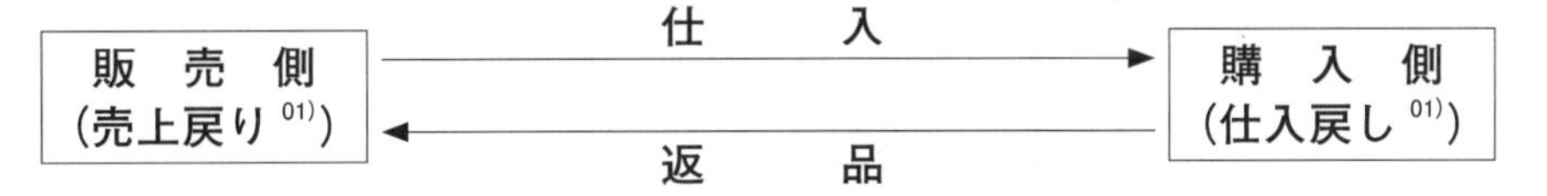

01) 売上…戻り／仕入…戻し
間違えないように注意しましょう。

仕入戻しは仕入取引の取消なので，材料の購入のときの貸借逆の仕訳をします[02]。

02) 返品分の取引がなかったことになります。

取引例

Q 次の取引について仕訳しなさい。
小室建材㈱から掛けで購入した材料のうち￥50,000が品違いだったので，これを返品した。

A

(借)	工事未払金	50,000	(貸)	材料	50,000

値引（ねびき）の処理

値引とは，仕入材料の品質不良，破損等による**取引金額の修正**をいい，通常は購入代金から値引分が減額されます[03]。

03) 値引によく似た項目で割戻（わりもどし）があります。割戻とは，一定期間内に多額または多量の取引を行うことにより，代金の一部を免除することです。割戻は，「当初から契約のある値引」なので値引と同様に処理します。

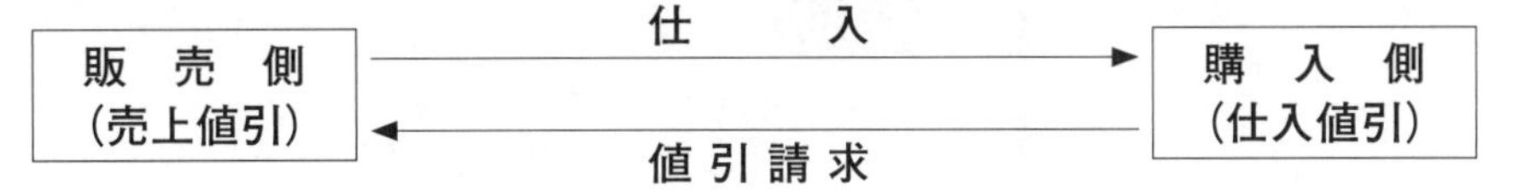

なお，値引を受けた場合，材料の取得原価は修正されますが，返品とは異なり，材料の移動はありません。

取引例

Q 次の取引について仕訳しなさい。

小室建材㈱から掛けで仕入れた材料につき，¥6,000の値引を受けたので，これを掛代金から差し引いた。

A

(借)	工事未払金	6,000	(貸)	材料	6,000

割引(わりびき)の処理

割引とは，代金の決済をあらかじめ定められた期間内（早収期限内）に行い，代金の一部(利息相当分)を免除される(仕入割引[04])ことをいいます。

04) 日常で割引というと多量の取引を行っている場合，金額が安くなることを指しますが，会計上はこれを割戻といいます。

仕入割引は原価の控除項目としてではなく，**財務収益（営業外収益）**として扱います。

取引例

Q 次の取引について仕訳しなさい。

小室建材㈱の工事未払金 ¥70,000 の支払いにつき，¥5,000 の仕入割引を受け，残りは現金で支払った。

A

(借)	工事未払金	70,000	(貸)	現金	65,000
				仕入割引	5,000

前渡金(まえわたしきん)と未成工事受入金(みせいこうじうけいれきん)

材料の仕入先などに対して，仕入前に代金の一部を支払うことがあります。これを前渡金といいます。前渡金は，材料仕入時に購入代金と相殺します。

工事の請負先より工事代金の一部を受け取るとき，**未成工事受入金として処理**します。未成工事受入金は工事の完成時に売上債権などと相殺します。

取引例

Q 次の取引を仕訳しなさい。

①A社は仕入先B社に対して手付金 ¥100,000 を現金で支払った。

②A社はB社より材料 ¥200,000 を購入した。代金は手付金と相殺し，残額は手形を振り出して支払った。

③A社はC社より工事の請負代金（¥400,000）の一部として ¥100,000 を小切手で受け取った。

④工事が完成し，工事代金の残金 ¥300,000 を手形で受け取った。

A

①（借）	前渡金	100,000	（貸）	現金	100,000
②（借）	材料	200,000	（貸）	前渡金	100,000
				支払手形	100,000
③（借）	現金	100,000	（貸）	未成工事受入金	100,000
④（借）	未成工事受入金	100,000	（貸）	完成工事高	400,000
	受取手形	300,000			

仮払金（かりばらいきん）と仮受金（かりうけきん）

会計処理が決まっていない状況で現金を支払ったときは，いったん仮払金勘定で処理しておき，処理が決まってから適当な科目に振り替えます[05]。

会計処理が決まっていない状況で現金を受け取ったときは，いったん仮受金勘定で処理しておき，処理が決まってから適当な科目に振り替えます。

05）現金は，最も重要な管理項目ですから，記憶やメモに頼ることなく記帳して管理します。

取引例

Q　次の取引について仕訳しなさい。

① 従業員の出張にあたり旅費概算額 ¥50,000 を現金で渡した。
② 出張中の従業員から ¥200,000 の当座振込があったが内容は不明である。
③ 出張から従業員が帰り，旅費を精算して現金 ¥8,000 の返金があった。なお，当座振込は，得意先からの工事代金の内金であることが判明した。

A

①（借）	仮払金	50,000	（貸）	現金	50,000
②（借）	当座預金	200,000	（貸）	仮受金	200,000
③（借）	旅費交通費	42,000	（貸）	仮払金	50,000
	現金	8,000			
（借）	仮受金	200,000	（貸）	未成工事受入金	200,000

おわりに

マイさん：割引って営業外の項目なんですね。値引と返品もそうですか。
加藤さん：マイちゃん，意味から考えようね。割引は，早く支払うことで利息分を負けてもらうことだから，営業外の項目になるんだよ。
マイさん：じゃあ，財務部の人が考えることは営業外項目で，営業部の人が頑張ったことは営業内の項目なんですね。
加藤さん：そのとおりっ。

例題　返品・値引・割引の処理

解答解説 P.1-207

次の取引について費目別仕訳法によって仕訳を示しなさい。

(1)　岩手建築㈱は青森建材㈱から掛けで仕入れた資材のうち ¥36,000 が不良品であったので，これを返品した。
(2)　盛岡建設㈱は水戸建材㈱から掛けで仕入れた資材につき ¥15,000 の値引を受けた。
(3)　大阪建設㈱は仕入先佐賀コンクリート㈱からの過去半年の仕入高¥3,600,000 について割戻を受けた。割戻額は仕入高に対して 2.5％で，現金で受け取った。
(4)①　東西建設㈱は仕入先西日本総業㈱より建設資材 ¥50,000 を「30 日後払い，ただし 10 日以内に支払うときは２％引き」の条件により掛けで仕入れた。
②　東西建設㈱は上記の代金を，割引有効期間内に支払ったので２％の割引を受け，残額は小切手を振り出して支払った。

解 答 欄

(1)		(借)		(貸)	
(2)		(借)		(貸)	
(3)		(借)		(貸)	
(4)	①	(借)		(貸)	
	②	(借)		(貸)	

Chapter 7

有価証券

有価証券とは株式やゴルフ会員権など幅広い意味で使われていますが，簿記上では主に株式と公社債を指します。会社は余ったお金を有効に活用するために，他の会社の株式や公社債等の有価証券を購入することがあります。

Chapter 7 では，有価証券の処理と評価を押さえてください。

Section 1 同じ株でも目的次第で科目も変わる 重要度 ◈◈

有価証券の取引

はじめに マイさんにとって，８回目の給料日がやってきました。

マイさん：加藤さん，聞いてくださいよ。私，８回のお給料で30万円も貯めたんです。どこの銀行の定期預金にすれば利息がたくさんもらえるか，知ってます？

加藤さん：マイちゃん，堅いこといわずに僕に任せてよ。もうすぐ，金需賞っていう大きい馬のレースがあるから，２倍，いや３倍にしてあげよう。

マイさん：加藤さんの勝率って８％くらいでしたよね。加藤さんに預けるくらいだったら，株でも買いますよ。

加藤さん：そうかなぁ。

マイさん：私，有価証券の勉強をします。

有価証券の購入・売却

有価証券（ゆうかしょうけん）とは 会計上の有価証券とは，株式会社が発行する**株式**や**社債**，国や地方公共団体が発行する国債・地方債(公債)をいいます。

有価証券の購入 有価証券の取得原価は次の式で計算します[01]。

取得原価＝購入代金(時価)＋支払手数料等(付随費用)

01）取得原価が帳簿に記入されるので帳簿価額となります。

取引例

Q 次の取引について仕訳しなさい。

売買目的で，東北産業㈱の株式10,000株を１株￥80で購入し，代金￥800,000は小切手を振出し，購入手数料￥16,000は現金で支払った。

A

(借)			(貸)		
	有価証券	816,000[02]		当座預金	800,000
				現金	16,000

02）取得原価：@￥80×10,000株＋￥16,000＝￥816,000(@￥81.6)

有価証券の売却 有価証券を売却したときは，次のように売却損益の計算を行います。

売却額※－帳簿価額＝ {（＋）…有価証券売却益 /（－）…有価証券売却損}

※　売却額：売却価額－支払手数料等

取引例

Q 次の取引について仕訳しなさい。

①取得した有価証券を売却するとき

上記株式（@￥81.6）のうち5,000株を@￥90で売却し，売却にかかる手数料￥8,000を差し引かれ，小切手を受け取った。

②数回に分けて取得した有価証券を売却するとき[03]

03）数回に分けて取得した有価証券を売却するときは，(移動)平均法などによって売却する有価証券の取得原価の単価を算定します。

04) 有価証券売却損益：
(@¥90 × 5,000 株 − ¥8,000)
− @¥81.6 × 5,000 株
= ¥34,000（売却益）

05) 帳簿単価：
$\frac{@¥800 \times 3,000株 + @¥750 \times 2,000株}{3,000株 + 2,000株}$
= @¥780
有価証券売却損益：
(@¥790 円 − @¥780) × 2,000 株
= ¥20,000(売却益)

売買目的のために，当期中に２回にわたって購入した大阪商工㈱株式 5,000 株のうち 2,000 株を@￥790 で売却し，代金は月末に受け取ることとした。なお，同社株式は，第１回目に 3,000 株を@￥800，第２回目に 2,000 株を@￥750 でそれぞれ購入したもので，株式の単価計算は平均法によっている。

A

	借方科目	金額		貸方科目	金額
①（借）	現　　　金	442,000	（貸）	有 価 証 券	408,000
				有価証券売却益	34,000 [04]
②（借）	未 収 入 金	1,580,000	（貸）	有 価 証 券	1,560,000
				有価証券売却益	20,000 [05]

配当・利息の処理

株式を所有すると配当が得られます。また社債などを所有すると利息が得られます。これらの処理は次のとおりです。

配当・利息の受取 所有有価証券の配当・利息を受け取ったときは次の科目で処理します。

所有株式の配当→受取配当金勘定
所有社債の利息→有価証券利息勘定

取引例

Q 次の取引を仕訳しなさい。
① かねてより所有する品川物産㈱の株式 1,000 株につき１株あたり￥10 の配当があり，株式配当金領収証を受け取った。
② かねてより所有する国債額面 ￥1,000,000 につき利払日が到来し，利息 ￥30,000 を受け取った。

A

	借方科目	金額		貸方科目	金額
①（借）	現　　　金 [06]	10,000	（貸）	受 取 配 当 金	10,000
②（借）	現　　　金 [06]	30,000	（貸）	有 価 証 券 利 息	30,000

06) 配当金領収証および支払期日の到来した公社債利札は簿記上，現金として処理します。

端数利息（はすうりそく）の処理 社債，国債などの利付債券の売買では，購入側は裸相場[07]に経過利息を加えた金額を支払い，売却側は期日未到来の利札を付けた債券を渡す慣習があります。

このときの経過利息を端数利息といい，有価証券利息勘定で処理します。

07) 裸相場とは有価証券に付随する利息を含まない価額をいいます。裸相場に経過利息を加えた価額を利付相場といいます。

$$端数利息 = 公社債の額面金額 \times 利率 \times \frac{前利払日の翌日から売買日当日までの日数}{365日}$$

取引例

Q 次の取引を仕訳しなさい。
×９年 12 月 15 日に日本商工㈱社債（利息：年 7.3%，利払日：９月 30 日，償還期間：７年）額面総額 ￥1,000,000 を ￥100 につき ￥98 で購入し，代金は購入手数料 ￥6,000 および前の利払日の翌日から購入日までの端数利息を含めて小切手を振り出して支払った。なお，同社債は償還期限まで所有する予定である。

Ch7

08) 投資有価証券：
¥1,000,000×@¥98/@¥100
＋¥6,000＝¥986,000
なお，投資有価証券勘定については
Section 2 を参照。
09) 10/1～12/15…76日
端数利息：¥1,000,000×7.3%
$\times\frac{76日}{365日}$＝¥15,200

A

（借）投資有価証券	986,000[08]	（貸）当座預金	1,001,200
有価証券利息	15,200[09]		

例題　有価証券の取引

解答解説 P.1-208

次の取引について仕訳を示しなさい。ただし，取得した有価証券はすべて有価証券勘定で処理しなさい。

(1) ①関東商事㈱の株式200株を@¥80,000で購入し，買入手数料 ¥50,000とともに現金で支払った。
②上記株式のうち100株を@¥85,000で売却し，代金は売却手数料 ¥25,000を差し引かれ残額を現金で受け取った。

(2) かねて3回にわたって購入した東海商事㈱の株式15,000株（1回目は5,000株　@¥800，2回目は6,000株　@¥900，3回目は4,000株　@¥860）のうち8,000株を@¥780で売却し，代金は現金で受け取った。なお当社は，株式の記帳について平均法を用いている。

(3) ①鹿児島建設㈱は所有している社債の利札 ¥8,000につき，支払期日が到来した。
②沖縄建設㈱は所有する株式について ¥50,000の配当金領収証を受け取った。

(4) かねてより所有していた社債額面 ¥500,000（帳簿価額 ¥498,000）を ¥520,000で売却し，端数利息 ¥12,500とともに現金で受け取った。

(5) 社債（額面 ¥1,000,000）を額面 ¥100につき ¥98で購入し，代金は端数利息¥20,000とともに現金で支払った。

解答欄

(1)	①	（借）		（貸）	
	②	（借）		（貸）	
(2)		（借）		（貸）	
(3)	①	（借）		（貸）	
	②	（借）		（貸）	
(4)		（借）		（貸）	
(5)		（借）		（貸）	

Section 2 上がれば益，下がれば損の時価評価 重要度 ◈◈◈

有価証券の分類と評価

はじめに 秋の大きな競馬レース・金需賞の翌日，加藤さんがムリに明るくしています。

マイさん：加藤さん，どうしたんですか。様子が変ですよ。
加藤さん：いや〜，やられたよ。絶対来ると思って３万円も賭けたのに。
マイさん：よかった，預けないで。それより，株とかで失敗したら大損しますよね。
　　　　　そういうときって，ちゃんと損益計算書でも表すんですか。
加藤さん：そりゃそうだよ。本当のことを示さないとだからね…。
マイさん：先輩，本当はもっと損したでしょ。

有価証券の分類

有価証券は，保有目的により次のように分類されます。

有価証券[01]

- **売買目的有価証券**[02]
  ⇒売買目的有価証券とは，時価の変動により利益を得ることを目的として保有する有価証券をいいます。
- **満期保有目的の債券**[02]
  ⇒満期保有目的の債券とは，満期まで所有する意図をもって保有する社債その他の債券をいいます。
- **子会社株式及び関連会社株式**
  ⇒子会社株式及び関連会社株式とは，それぞれ子会社[03]，関連会社[04]が発行した株式をいいます。
- **その他有価証券**[05]
  ⇒その他有価証券とは，上記以外の有価証券をいいます。たとえば，長期保有を目的とする株式などが該当します。

有価証券の分類と表示場所をまとめると次のようになります。

<table>
<tr><td rowspan="3">目的・種類
市場価格</td><td rowspan="3">売買目的
有価証券</td><td colspan="4">非売買目的有価証券</td></tr>
<tr><td colspan="2">満期保有目的の債券</td><td rowspan="2">子会社株式
関連会社株式</td><td rowspan="2">その他
有価証券</td></tr>
<tr><td>１年以内[06]</td><td>１年超</td></tr>
<tr><td>有</td><td colspan="2">有価証券（流動資産）</td><td rowspan="2">投資有価証券
（固定資産）</td><td rowspan="2">関係会社株式
（固定資産）</td><td rowspan="2">投資有価証券
（固定資産）</td></tr>
<tr><td>無</td><td></td><td></td></tr>
</table>

※上記のほかに親会社が発行した株式として親会社株式があります。親会社株式を保有する場合，決算日の翌日から１年以内に処分する予定のものは流動資産に「親会社株式」，１年を超えて処分する予定のものは固定資産に「関係会社有価証券」として表示します。

01）Section1 で述べたとおり，会計上の有価証券とは，株式会社が発行する株式や公社債などを指します。

02）余剰資金の運用を目的として取得されます。

03）子会社とは，その株式を所有している会社が実質的に支配している会社のことです。

04）関連会社とは，その株式を所有している会社が，出資，人事，資金，技術，取引等の関係を通じて，重要な影響を与えることができる会社のことです。

05）取引関係を維持する目的で取得されるものなどがあります。

06）１年以内に満期の到来する債券のことです。

有価証券の評価

有価証券は，期末に貸借対照表上の価額を算定するために評価されます。ここでは，売買目的有価証券と子会社株式をとりあげます。

売買目的有価証券（ばいばいもくてきゆうかしょうけん）
売買目的有価証券は**時価**で**評価**します。

取引例

Q 以下の有価証券を評価し，また，決算整理仕訳をしなさい。

銘　柄	帳簿価額	市場価格	時　価	保有目的等
A社株式	@¥450　2,000株	有	@¥405	売買目的

A 　A社株式　時価で評価：@¥405 × 2,000株 = ¥810,000
有価証券評価損（@¥450 − @¥405）× 2,000株 = ¥90,000

(借)	有価証券評価損	90,000	(貸)	有価証券	90,000

子会社株式（こがいしゃかぶしき）
子会社株式は原則として**取得原価**で**評価**します。

取引例

Q 以下の有価証券を評価しなさい。

銘　柄	帳簿価額	市場価格	時　価	保有目的等
B社株式	@¥450　2,000株	有	@¥405	子会社支配

A 取得原価　@¥450 × 2,000株 = ¥900,000

減損処理（強制）（げんそんしょり）
(1)**強制評価減**および(2)**実価法**にあたる場合は，有価証券の帳簿価額を切り下げなければなりません。

(1)強制評価減（きょうせいひょうかげん）
市場価格のある有価証券について，時価が著しく下落したときは，回復する見込みがあると認められる場合を除き[07]，**時価を貸借対照表価額としなければなりません。**

07)「回復する見込みがあると認められる場合を除き」とは，回復する見込みがないまたは不明を意味します。

取引例

Q 次の有価証券の評価に関する仕訳を行いなさい。
子会社株式1,000株（市場価格あり，帳簿価額@¥700）について時価が著しく下落し，@¥300となった。時価の回復する見込みは不明である[08]。

A 子会社株式評価損：(@¥700 − @¥300) × 1,000株 = ¥400,000

(借)	子会社株式評価損	400,000	(貸)	子会社株式	400,000

08）子会社株式の貸借対照表上の金額：
@¥300×1,000株=¥300,000

(2)実価法（実質価額法）

市場価格のない有価証券のうち株式について，当該会社の財政状態を反映する株式の実質価額が著しく低下したときは，相当の減額（実質価額により評価）をしなければなりません。

株式の実質価額とは発行会社の**1株当たりの純資産額**で，次の式で求めます。

1株当たりの純資産額＝（総資産－総負債）÷発行済株式総数

取引例

Q 次の有価証券の評価に関する仕訳を行いなさい。

関連会社株式1,000株（市場価格なし，帳簿価額@￥800）について，発行会社の財政状態が下記のように悪化したため，実質価額に評価替えした。なお，同社の発行済株式総数は5,000株であり，財政状態は次のとおりである[09]。

諸　資　産　￥6,000,000　　諸　負　債　￥4,250,000

A 関連会社株式：$\frac{￥6,000,000 - ￥4,250,000}{5,000株} = @￥350$

関連会社株式評価損：（@￥800 －@￥350）× 1,000株＝￥450,000

（借）	関連会社株式評価損	450,000	（貸）	関連会社株式	450,000

09）関連会社株式の貸借対照表上の金額：@￥350×1,000株＝￥350,000

おわりに

マイさん：有価証券って，結構やっかいですね。
加藤さん：そうそう，保有目的で科目そのものが変わるからね。

例題　有価証券の分類と評価

解答解説 P.1-209

決算期末に下記の有価証券を保有している場合の表示科目とその金額および評価損益の科目とその金額を示しなさい。なお，評価損益の金額がないものについては金額欄に「 — 」を入れること。

銘　柄	帳簿価額	市場価格	時　　価	保有目的等
A株式	4,800 千円	有	4,760 千円	売買目的
B株式	784 千円	有	786 千円	売買目的
C株式	1,800 千円	有	800 千円	子会社株式
D株式	5,000 千円	有	4,850 千円	子会社株式
E株式	1,800 千円	無	−	関連会社株式

(注) 1　C株式の時価については，著しい下落であり回復の見込みは不明である。当社がC社発行株式の80%を所有している。

2　D株式については当社がD社発行株式のうち60%を所有している。

3　E株式については，次の財政状態にもとづく実質価額で評価する。E社の発行株式数は10,000株，当社はそのうち3,000株を所有している。

E社貸借対照表　　(単位：千円)

諸　資　産	7,000	諸　負　債	4,500
欠　損　金	1,500	資　本　金	4,000
	8,500		8,500

解答欄

	B/S表示科目および金額		評価損益の科目および金額	
A株式	〔　　〕	(　　千円)	〔　　〕	(　　千円)
B株式	〔　　〕	(　　千円)	〔　　〕	(　　千円)
C株式	〔　　〕	(　　千円)	〔　　〕	(　　千円)
D株式	〔　　〕	(　　千円)	〔　　〕	(　　千円)
E株式	〔　　〕	(　　千円)	〔　　〕	(　　千円)

Chapter 8

手形取引

　ある金額を，ある期日に，ある場所で支払う（受け取る）約束をしたとします。それを証券に表したものが手形です。しかし，場合によってはその約束が果たされないことがあります。このような場合，どうしたらよいのでしょうか。

　Chapter 8では，割引手形，裏書手形と不渡手形の会計処理を中心に学習してください。

Section 1 “支払”，“受取”と付いて，費用・収益でない唯一のもの　重要度 ◈◈◈◈

約束手形

はじめに ■ マイさんは，受け取った手形をじっと見ています。

マイさん：手形には，受取手形とは書いてないんですね。
加藤さん：受取手形や支払手形は，あくまでも勘定科目だからね。
マイさん：同じ手形でも，後でもらえる立場なら受取手形，支払う立場なら支払手形でしたよね。
加藤さん：手形は，小切手と違って個人間のものだから，現金扱いにならないんだ。
マイさん：なるほど。

約束手形とは

01）振出人…約束手形の発行人。手形代金の支払い義務を負う。
02）名宛人…約束手形の受取人。手形代金を受け取る権利をもつ。

あなたが[01]，A建材㈱[02]に対して「2カ月後に代金を支払います」と約束して発行する証券を約束手形といいます。

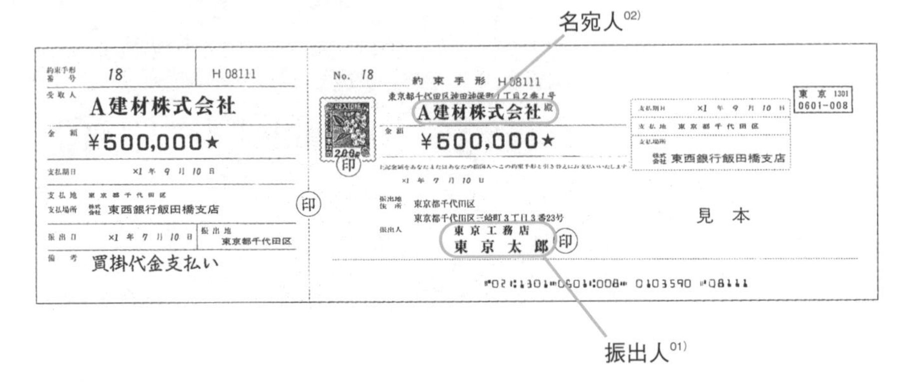

約束手形番号 18　H 08111
受取人 A建材株式会社
金額 ¥500,000★
支払期日 ×1年9月10日
支払地 東京都千代田区
支払場所 株式会社 東西銀行飯田橋支店
振出日 ×1年7月10日　振出地 東京都千代田区
備考 買掛代金支払い
印

No. 18　約束手形 H 08111
東京都千代田区神田神保町1丁目2番1号
A建材株式会社殿
金額 ¥500,000★
上記金額をあなたまたはあなたの指図人へこの約束手形と引き替えにお支払いいたします
×1年7月10日
振出地 住所 東京都千代田区
東京都千代田区三崎町3丁目3番23号
振出人 東京工務店 東京太郎 印
支払期日 ×1年9月10日
支払地 東京都千代田区
支払場所 株式会社 東西銀行飯田橋支店
東京 1301 0601-008
見本
⑈02⑆1301⑈0601⑆008⑈ 0103590 ⑈08111

約束手形の処理

振出人（＝支払人）の処理

03）この期日を手形の満期日といい，通常，この日に決済（金銭の授受）が行われます。
04）手形の決済は通常取引銀行の当座預金口座を通じて行われます。

あなたが，A建材㈱宛に**約束手形を振り出したときには，支払手形勘定（負債の勘定）の増加**として処理します。これは2カ月後[03]に手形代金¥500,000を支払うという新たな債務が生じているためです。

また，2カ月後に手形代金を支払ったとき[04]には，支払手形勘定を減少させます。これは手形代金の支払いが済み，もう支払う義務がなくなったことを意味するためです。

振出時	(借) 工事未払金	500,000	(貸) 支払手形	500,000
決済時	(借) 支払手形	500,000	(貸) 当座預金[04]	500,000

名宛人(なあてにん)(＝受取人)の処理

A建材㈱が，あなたから**約束手形を受け取ったときには，受取手形勘定（資産の勘定）の増加**として処理します。これは２カ月後に手形代金￥500,000を受け取ることができる権利が生ずるからです。

また，２カ月後に手形代金を受け取ったときには，受取手形勘定を減少させます。これは手形代金の受取りが済み，これ以降はもう受け取る権利がなくなったことを意味するためです。

05）A建材㈱は建設資材の販売会社（商品売買業）と考えてください。

受取時	（借）受取手形	500,000	（貸）売掛金[05]	500,000
決済時	（借）当座預金	500,000	（貸）受取手形	500,000

例題　約束手形　解答解説 P.1-209

次の取引について⑴浜松工務店と⑵静岡建設の仕訳を示しなさい。

6.15　浜松工務店は静岡建設より外注工事を請け負い，完成した。その代金￥1,600,000のうち￥650,000は静岡建設振出の約束手形で受け取り，残額は翌々月末日に受取りの約束である。

7.31　浜松工務店は，先の静岡建設振出しの約束手形が決済され，当座預金に入金された旨，取引銀行より連絡を受けた。

解答欄

⑴	6.15				
	7.31				
⑵	6.15				
	7.31				

Section 2

債務（負債）も時価で評価して…。　重要度 ◈◈

偶発債務の会計処理

はじめに

マイさんは，加藤さんから手形の仕組みに関する説明を受けています。
マイさん：ところで，“偶発債務”って何ですか？　偶然，発生した債務ですか？
加藤さん：まぁ，偶然，発生するかもしれない債務ってとこかな。
マイさん：債務が偶然発生するなんて…。
加藤さん：割引や裏書をして手許からなくなっても保証したのと同じなんだ。
マイさん：じゃあ，後で払わなきゃなんてこともあるんですね。

偶発債務(ぐうはつさいむ)とは

偶発債務とは，将来，会社の負担となる可能性のあるものをいい，債務の保証，手形の割引・裏書などに対する各種の保証です。偶発債務のうち会計上重要なのは**手形の割引・裏書**です。

手形の割引(わりびき)の会計処理

手形の割引とは

手形の割引とは，支払期日（満期日）より前に金融機関で換金することをいいます。このとき，割引料を差し引いた金額が手取額となります。割り引いた手形が決済日に決済されなかったとき（不渡りになるといいます）は，振出人に代わって手形代金を支払わなければなりません。そのため，割引時において偶発債務が生じます。

振出人 —手形振出→ 当　社 —現金化→ 銀　行
当　社 ←偶発債務— 銀　行

(1)偶発債務の会計処理

偶発債務は時価評価し，その金額を**保証債務勘定**（負債）と，**保証債務費用勘定**（費用）に計上します[01]。

01）不渡りの危険がなく，保証債務の時価がゼロの場合は，保証債務の仕訳は行いません。

①手形割引時

割引いた手形の額面金額を受取手形勘定から減額し，額面額と受取額の**差額は手形売却損**となります。

取引例

Q　以下の取引を仕訳しなさい。
手持ちの手形￥300,000のうち，￥70,000を割り引き，割引料￥2,000を差し引かれた残りは現金で受け取った。なお，保証債務の時価は￥1,400とする。

A

(借)	現　　　　金	68,000	(貸)	受　取　手　形	70,000
	手 形 売 却 損	2,000			
(借)	保 証 債 務 費 用	1,400	(貸)	保　証　債　務	1,400

受取手形	
300,000	諸　　口　70,000

保証債務費用	
保証債務　1,400	

保証債務	
	保証債務費用　1,400

②手形決済時

手形が決済されると偶発債務が発生する可能性はなくなるので，割引時に計上した保証債務を取り崩します。

取引例

Q　以下の取引を仕訳しなさい。

かねて割り引いていた手形 ¥70,000 が決済された。この手形について保証債務 ¥1,400 を計上している。

A

(借)	保　証　債　務	1,400	(貸) 保証債務取崩益[02]	1,400

保証債務費用	
保証債務　1,400	

保証債務	
保証債務取崩益　1,400	保証債務費用　1,400

相殺

保証債務取崩益	
	保証債務　1,400

02）保証債務消滅の際の相手勘定は，保証債務取崩益（収益）であり，これは割引時に費用計上した保証債務費用との相殺を意味します。

(2)評価勘定法による会計処理

次に評価勘定法による会計処理方法を説明します。

①手形割引時

手形を割り引いたときは受取手形勘定を減額せず，**割引手形勘定で処理**します。この割引手形勘定を評価勘定といい，偶発債務を意味します。

取引例

Q　次の取引を評価勘定法により，仕訳しなさい。

手持ちの手形¥300,000のうち¥70,000を割り引き，割引料¥2,000を差し引かれた残りは当座預金とした。なお，保証債務の時価は¥1,400とする。

A

(借)	当　座　預　金	68,000	(貸) 割　引　手　形	70,000
	手　形　売　却　損	2,000		
(借)	保　証　債　務　費　用	1,400	(貸) 保　証　債　務	1,400

受取手形	
300,000	

割引手形	
	諸　　口　70,000

保証債務費用	
保証債務　1,400	

保証債務	
	保証債務費用　1,400

②手形決済時

手形が決済されると，偶発債務の発生する可能性はなくなるので，割引時に計上した保証債務を取り崩すとともに，偶発債務を表す割引手形を消却し，受取手形も減少させます。

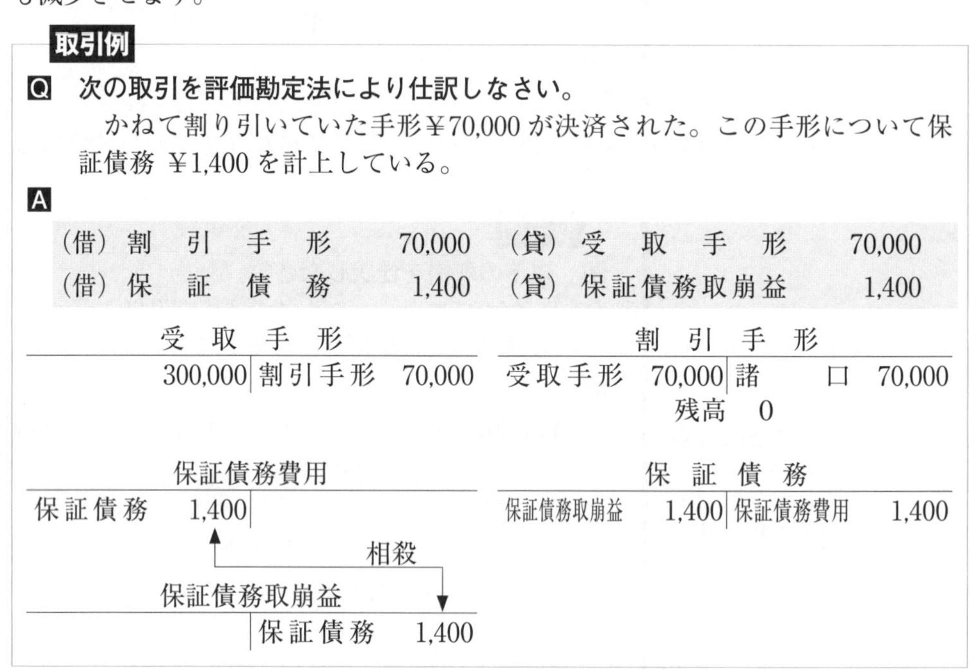

取引例

Q　次の取引を評価勘定法により仕訳しなさい。

かねて割り引いていた手形￥70,000が決済された。この手形について保証債務 ￥1,400を計上している。

A

（借）	割引手形	70,000	（貸）受取手形	70,000
（借）	保証債務	1,400	（貸）保証債務取崩益	1,400

受取手形

	300,000	割引手形	70,000

割引手形

受取手形	70,000	諸口	70,000
		残高	0

保証債務費用

保証債務	1,400		

保証債務

保証債務取崩益	1,400	保証債務費用	1,400

保証債務取崩益

		保証債務	1,400

相殺

手形の裏書（うらがき）の会計処理

手形の裏書とは

手形の裏書とは，支払期日（満期日）より前に他の**第三者に手形を譲渡すること**をいいます。裏書した手形が決済日に決済されなかったとき（不渡り）には振出人に代わって手形代金を支払わなければなりません。そのため，裏書時において偶発債務が生じます。

手形の裏書の会計処理[03)]

手形の裏書および偶発債務の会計処理は手形の割引と同じです。下の取引で確認してください。

03）評価勘定法による処理も，手形の割引と同じで，評価勘定は裏書手形勘定を用います。

取引例

Q　次の取引を仕訳しなさい。

①手持ちの手形 ￥300,000のうち，￥60,000を裏書して，工事未払金の支払いにあてた。なお，保証債務の時価は￥1,200とする。

②かねて裏書していた手形 ￥60,000が決済された。

A

①	（借）工事未払金	60,000	（貸）受取手形	60,000
	（借）保証債務費用	1,200	（貸）保証債務	1,200
②	（借）保証債務	1,200	（貸）保証債務取崩益	1,200

おわりに

マイさん：割引手形も裏書手形も，不渡りになったら会社がお金を払う可能性があるって意味で，偶然発生するかもしれない債務なんですね。
加藤さん：そのとおり。正確に理解しているね。
マイさん：もちろんです。

例題 偶発債務の処理 解答解説 P.1-210

次の取引の仕訳を示しなさい。

① さきに，得意先山口商事㈱より受け取った同社振出の約束手形 ￥800,000 を東西銀行で割り引き，割引料￥12,000 を差し引かれ，手取金は当座預金とした。なお，保証債務の時価は￥16,000 であった。
② ①の手形が満期日に無事決済された旨の連絡があった。
③ さきに大宮商事㈱より受け取った同社振出，埼玉商事㈱引受，当社受取の為替手形￥300,000 を工事未払金支払のため赤坂土木㈱へ裏書譲渡した。なお，保証債務の時価は￥6,000 であった。
④ ③の手形が満期日に決済されたとの連絡があった。

解答欄

①	(借)		(貸)	
	(借)		(貸)	
②	(借)		(貸)	
③	(借)		(貸)	
	(借)		(貸)	
④	(借)		(貸)	

コラム 対照勘定法～帳簿上のメモは終わったら消す～

帳簿に記録する取引は、最終的に損益計算書や貸借対照表に影響するものですが、例外的なものがあります。それが対照勘定、つまり帳簿上のメモ書きです。

例えば、前ページ（1-122）下段の取引例の場合であれば、次のように処理します。

① （借）工 事 未 払 金　60,000　（貸）受 取 手 形　60,000 ←ここは同じ
　（借）手形裏書義務見返　60,000　（貸）手形裏書義務※　60,000

この仕訳で、「手形を裏書きしましたよ（ひょっとすると手形代金 60,000 円を支払うことになるかも知れませんよ）」ということを、帳簿上に記録して覚えておくのです（これを備忘記録といいます）。「手形裏書義務」の「義務」は「負債」なので、貸方に来ます（メモ書きなので、勘定科目は微妙に変わることがあります）。

そして、無事に決済されたら、そのメモ書きを取り消します。

② （借）手 形 裏 書 義 務　60,000　（貸）手形裏書義務見返　60,000

なお、手形を割り引いたときにも、対照勘定を用いて処理することがあります。

「為替手形の振出は債権・債務の相殺」×10回　言っておこう。　重要度 ◈◈◈

その他の手形取引

はじめに

マイさんが何やら怒っています。

マイさん：加藤さん，聞いてくださいよ。短大のときの友達が黙って引っ越しちゃったんですよ。

加藤さん：別にいいんじゃない。その人の都合もあるだろうし。

マイさん：でもね，わたし彼女に短大のとき，5,000円貸してたんですよ。引っ越しちゃったら絶対返ってこないじゃないですか。

加藤さん：不渡りだね。最近は，よくあることだよ。

不渡手形（ふわたりてがた）の処理

不渡手形とは

手形の不渡りとは，所持している手形債権の支払いを拒絶されることをいいます。手形が不渡りとなった場合，その振出人や裏書人に対して手形代金の支払いを請求（償還請求）することができます。

　不渡りとなった手形債権は**不渡手形勘定**で処理しますが，まだ回収される可能性が残っているので**資産**として扱います[01]。

01）手形の不渡に伴う未収金です

不渡手形の会計処理

不渡手形の会計処理は次のとおりとします。

（1）手形を所持している場合

手持ちの手形が不渡りになったときは，他の手形と区別するために**不渡手形勘定に振り替え**ます。手形代金を請求するための支払拒絶証書を作成する費用や，満期日から支払日までの遅延利息（ちえんりそく）その他の諸費用が発生したときは，その額も**不渡手形の金額に加算**します。

取引例

Q 次の取引を仕訳しなさい。
所持している受取手形 ¥65,000 が不渡りとなり，振出人に償還請求を行った。なお，償還請求費用 ¥1,000 を現金で支払った。

A

（借）		（貸）	
不渡手形[02]	66,000	受取手形	65,000
		現金	1,000

02）「不渡手形」という手形があるわけではなく，あくまでも勘定科目です。

　また，債権（完成工事未収入金，貸付金等）の回収が長期化する場合や回収不能の危険性が高まった場合は，「破産債権，更生債権等」（固定資産）に振り替えます。

取引例

Q 振出人が経営破綻状態にあるため，前記の不渡手形を「破産債権，更生債権等」に振り替えることにした。

A

(借) 破産債権，更生債権等[03]	66,000	(貸) 不　渡　手　形	66,000

03) この後に貸し倒れることもあります。

(2)手形を所持していない場合

割引または裏書を行った手形が不渡りとなったときは，**手形を買い戻す必要があります**。買い戻した手形は，他の手形と区別するために**不渡手形勘定**で処理します。

手形の買戻（償還）に関する費用が発生した場合，(1)の場合と同様に不渡手形の金額に加算します。

保証債務を計上している場合，不渡りが発生したときに**取崩し**の処理を行います。

取引例

Q 次の取引について仕訳を行いなさい。

割引した手形￥50,000について，満期日に不渡りになった旨の連絡を受けたので経過利息￥500を含めて小切手を振り出して支払った。なお，この手形には保証債務を時価で評価し，保証債務￥10,000を計上していた。

A

(借) 不　渡　手　形	50,500	(貸) 当　座　預　金	50,500
(借) 保　証　債　務[04]	10,000	(貸) 保証債務取崩益[05]	10,000

04) 実際に支払ったので，もう偶発債務はありません。

05) 無事に決済されたときと同様に取り崩され，貸倒損失のインパクトを弱めます。

取引例

Q 上記手形が貸倒れとなった。なお，貸倒引当金は設定していない。

A

(借) 貸　倒　損　失	50,500	(貸) 不　渡　手　形	50,500

営業外取引に関する手形（えいぎょうがいとりひき）

営業外受取手形(支払手形)とは

固定資産や有価証券などの売買によって生じた**手形債権・債務**は，主たる営業取引にもとづいて生じた受取手形・支払手形とは区別して，**営業外受取手形勘定・営業外支払手形勘定**で処理します。

取引例

Q 次の取引を仕訳しなさい。

資材置場として利用していた土地（帳簿価額 ￥10,000,000）を￥40,000,000で売却し，代金は約束手形で受け取った。

A

(借) 営業外受取手形	40,000,000	(貸) 土　　　　地	10,000,000
		固定資産売却益	30,000,000

自己振出手形の回収

(じこふりだしてがた)

06) 発生していた債務（支払手形）の取消となります。

自己振出手形の回収とは，債権の回収等でかつて当社が振り出した手形が戻ってくることをいいます。この場合，支払手形勘定を減少[06]させます。

取引例

Q 次の取引を仕訳しなさい。

①外注費 ¥100,000 を手形を振り出して支払った。

②工事代金 ¥500,000 を手形で回収したところ ¥100,000 について自社振出しの手形が含まれていた。

A

		借方科目	金額		貸方科目	金額
①	(借)	外注費	100,000	(貸)	支払手形	100,000
②	(借)	支払手形	100,000	(貸)	完成工事未収入金	500,000
		受取手形	400,000			

為替手形

(かわせてがた)

07) 実務的には，ほとんど使われていません。

為替手形とは，仕入先等に対する債務の支払いを得意先等（当社が債権者）に代わってもらうことを表した証券です。

為替手形を振り出した場合，**仕入先に対する支払いは得意先等からの支払いと相殺されます**[07]。また，受け取る立場の人が受取手形，支払う立場の人が支払手形を計上するのは，約束手形と同じです。

取引例

Q 次の取引について，当社，甲社，乙社のそれぞれの仕訳を示しなさい。

当社は材料の仕入先である甲社に対する掛代金支払いのために，得意先乙社を名宛人とする為替手形（¥150,000）を振り出し，乙社の引受を得て甲社に手渡した。

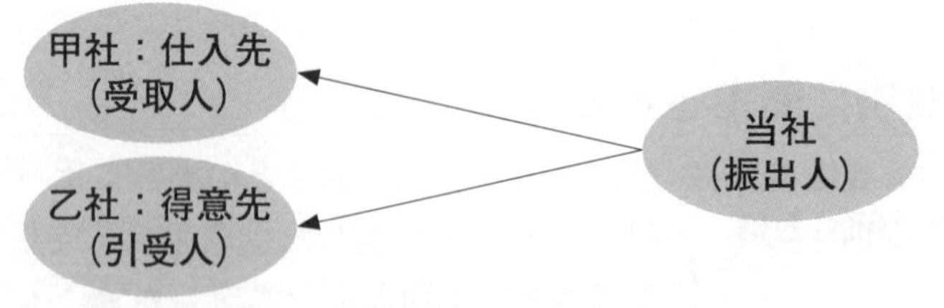

A

		借方科目	金額		貸方科目	金額
当社	(借)	工事未払金	150,000	(貸)	完成工事未収入金	150,000
甲社	(借)	受取手形	150,000	(貸)	完成工事未収入金[08]	150,000
乙社	(借)	工事未払金	150,000	(貸)	支払手形	150,000

08) 甲社が建設業ではない場合，「売掛金」とすることもあります。

手形貸付金・手形借入金

09) 借用証書の場合は「貸付金」「借入金」で処理します。

金銭の貸付・借入を行い，**借用証書**[09]の代わりに手形を授受した場合には，営業取引にもとづいて生じた受取手形・支払手形とは区別して，**手形貸付金勘定・手形借入金勘定**で処理します。

取引例

Q **銀行から￥100,000を借り入れ，同額の約束手形を振り出した（支払期日 90日後）。利息（年利率7.3%）を差し引かれ，手取額が当座預金口座に振り込まれた。**

支払利息：$¥100,000 \times 7.3\% \times \frac{90日}{365日} = ¥1,800$

A

（借）	当座預金	98,200	（貸）手形借入金	100,000
	支払利息	1,800		

債権の評価

10) 債権金額と取得原価との差額が金利の調整であると考えられるためです。

受取手形や貸付金等の債権を，額面金額と異なる金額（取得価額）で取得した場合は，決算においてその差額を**償却原価法**（２級の場合は定額法）により，債権の取得価額に加減し，弁済期には債権金額となるように処理します。

このときの相手勘定は**受取利息**[10]となります。

取引例

Q **山口建設株式会社は，X1年 1月 1日に資材調達先の島根商会に対して現金￥50,000を貸し付け，その見返りに同社振出しの約束手形 ￥59,000（支払期日：振出日から３年後）を受け取った。**

A

（借）	手形貸付金	50,000	（貸）現金	50,000

取引例

Q **X1年の決算（X1年12月31日）にあたり，上記の約束手形を償却原価法により評価する。なお，利息計算は年割りによる。**

償却額：$(¥59,000 - ¥50,000) \times \frac{1年}{3年} = ¥3,000$

A

（借）	手形貸付金	3,000	（貸）受取利息	3,000

X2年の決算においても，同様の処理を行います。

取引例

Q **X3年の決算にあたり，上記手形の弁済期を迎え，当座預金口座に振り込まれた。**

手形金額 ￥50,000 ＋￥3,000 × ２年＝￥56,000

A

（借）	当座預金	59,000	（貸）手形貸付金	56,000
			受取利息	3,000

例題　その他の手形取引

解答解説 P.1-210

次の取引の仕訳を示しなさい。

① かねて青森商事㈱から受け取っていた北海道商事㈱振出しの為替手形 ¥200,000 につき本日，不渡りとなった旨の連絡を受けた。

② かねて割引した為替手形 ¥300,000 について，満期日に不渡りになった旨の連絡を受けたので遅延利息 ¥15,000 とともに小切手を振り出して支払った。なお，当社では偶発債務について特に記帳していない。

③ 店舗を拡張するため建物 ¥3,000,000 を購入し，代金のうち ¥400,000 は小切手を振り出して支払い，残高は約束手形を振り出して支払った。

④ 資材置場として利用していた土地（帳簿価額 ¥1,800,000）を ¥2,250,000 で売却し，代金は約束手形で受け取った。

⑤ 秋田工務店に小切手 ¥200,000 を振り出して貸付け，借用証書の代わりに同工務店振出しの約束手形を受け取った。

⑥ 徳島建設株式会社は，X 1年1月1日に資材調達先の高知商会に対して現金 ¥100,000 を貸し付け，その見返りに同社振出しの約束手形 ¥125,000（支払期日：振出日から5年後）を受け取った。X 1年の決算にあたり，償却原価法により評価する。なお，利息計算は年割による。

解答欄

①	(借)		(貸)	
②	(借)		(貸)	
③	(借)		(貸)	
④	(借)		(貸)	
⑤	(借)		(貸)	
⑥	(借)		(貸)	

Chapter 9

固定資産と繰延資産

会社は，建物の中で営業活動や財務活動を行い，収益を獲得しています。長期にわたって企業の収益獲得に役立つ資産に固定資産と繰延資産とがあります。固定資産には建物のように形のある有形固定資産と特許権のように形のない無形固定資産があります。

Chapter 9では，有形固定資産の取得原価と減価償却(Section 1)および無形固定資産と繰延資産の内容(Section 2)を中心に学んでください。

有形固定資産

はじめに マイさんと加藤さんは，現場研修で見たプレハブの仮設事務所について話しています。

マイさん：そういえば，工事現場の仮設事務所って１回１回組み立てるんですよね。なんか，プレハブの材料ってもったいない。

加藤さん：え？　でもプレハブの鉄骨って何度でも使うよ。

マイさん：え？　そうなんですか。

加藤さん：あれもうちの会社の資産だよ。

有形固定資産(ゆうけいこていしさん)とは

固定資産とは 長期にわたって企業の営業活動に役立つ資産で，次のように分類されます。

固定資産
- 有形固定資産
- 無形固定資産
- 投資その他の資産

有形固定資産とは 長期にわたって営業活動に使用する目的で保有される資産で，具体的な形を有するものをいいます。

例）建物，機械装置，車両運搬具，工具器具備品，土地，建設仮勘定など

建設業固有の固定資産 建設業では，生産現場が一定ではないので，固定資産であっても移動的であることがあります。建設業固有の固定資産には⑴移動性仮設建物，⑵工事用機械装置などがあります。

⑴**移動性仮設建物**…工事現場の移動にともなって移動するプレハブ製の現場事務所。

⑵**工事用機械装置**…ブルドーザーやトロッコなど工事現場で使用する機械や車両運搬具。

有形固定資産の取得原価の算定

有形固定資産の取得は，⑴**購入**，⑵**自家建設**，⑶**交換**の各処理について説明します。

		取得原価
⑴	購　　入	（購入代金－値引）＋付随費用
⑵	自家建設	適正な原価計算基準に従って計算された製造原価
⑶	交　　換	
	①固定資産と固定資産	提供した自己資産の帳簿価額
	②有価証券と固定資産	提供した有価証券の時価

(1)購入の場合

購入により取得した固定資産の取得原価は，次の算式により計算されます。

取得原価＝（購入代金－値引）＋付随費用[01]

購入にさいして値引を受けたときは，これを購入代金から控除します。

01）付随費用とは固定資産を使用可能な状態にするまでに要した費用で，買入手数料，運送費，試運転費などがあります。

取引例

Q 次の取引について仕訳しなさい。

大阪建設は，ブルドーザー ￥500,000 を買い入れ，代金は約束手形を振り出して支払った。なお，付随費用 ￥20,000 は小切手を振り出して支払った。

A

(借)		(貸)	
機械装置	520,000	営業外支払手形	500,000
		当座預金	20,000

(2)自家建設（じかけんせつ）の場合

固定資産を自家建設[02]した場合には，適正な原価計算基準に従って計算された製造原価を取得原価とします。

02）自家建設とは自社内で固定資産を製造，建設することをいいます。たとえば，建設会社が自社ビルを自ら建設する場合がこれにあたります。

取引例

Q 次の取引について仕訳しなさい。

自社ビルを自家建設した。これに要した製造原価は，材料費 ￥300,000，労務費 ￥500,000，経費 ￥200,000 である。

A

(借)		(貸)	
建物	1,000,000	材料費	300,000
		労務費	500,000
		経費	200,000

(3)交換の場合

交換による固定資産の取得には，①**固定資産と固定資産の交換**と②**有価証券と固定資産の交換**の２つの場合があります。

①固定資産と固定資産の交換

自己所有の固定資産と交換に固定資産を取得した場合には，提供した自己資産の帳簿価額を取得原価とします。なお，交換差金[03]がある場合には，自己所有の資産の帳簿価額に交換差金を加減した金額を取得原価とします。

03）交換差金とは，譲渡した資産の対価を調整するために受渡しされる現金などの資産をいいます。

取得原価 ＝ 自己所有資産の帳簿価額 ± 交換差金

取引例

Q 次の取引について仕訳しなさい。

当社所有のブルドーザー（帳簿価額 ￥800,000，時価 ￥600,000）とＢ社所有のブルドーザー（帳簿価額 ￥850,000）を交換し，交換差金 ￥200,000 を小切手を振り出して支払った。

A

(借)		(貸)	
機械装置 （新機械装置）	1,000,000	機械装置 （旧機械装置）	800,000
		当座預金	200,000

②有価証券と固定資産の交換

自己所有の有価証券と交換に固定資産を取得した場合には，**提供した有価証券の時価**[04]を取得原価とします。

04）時価が判明しないときは，適正な帳簿価額を取得原価とします。

取引例

Q 次の取引について仕訳しなさい。

当社所有の株式（帳簿価額 ¥3,250,000，時価 ¥3,500,000）とD社所有の土地を交換した。

A

（借）		（貸）	
土地	3,500,000[05]	有価証券	3,250,000
		有価証券売却益	250,000

05）有価証券を時価で売却し，その資金で土地を買ったと考えます。

減価償却（げんかしょうきゃく）

減価償却とは

減価償却とは，有形固定資産の取得原価をその利用期間にわたって，一部ずつ費用として計上する手続をいい[06]，主な計算方法として次の4つがあります。

06）このような手続は，機械や建物など，時間とともに価値が下落する固定資産に必要です。永久に使用できる土地については，この手続は必要ありません。

(1)**定　額　法**…固定資産の使用期間中は毎期同額の減価償却費を計上する方法。
(2)**定　率　法**…減価償却費を取得時には多く，耐用年数到来時には少なく計上するための方法。
(3)**生産高比例法**…有形固定資産の利用高に応じて減価償却費を計算する方法。
(4)**総合償却法**…複数の固定資産を一定の基準でグループ化し，グループごとに一括して減価償却費を計算する方法。

(1)定額法（ていがくほう）による計算

$$年間減価償却費＝(取得原価－残存価額)\times\frac{1年}{耐用年数}$$

取引例

Q 当期の減価償却費を計算しなさい。

取得原価：¥1,000,000　耐用年数：30年　残存価額：取得原価の10%

A 当期減価償却費 $= ¥1,000,000 \times (100\% - 10\%) \times \frac{1年}{30年} = ¥30,000$

(2)定率法（ていりつほう）による計算

年間減価償却費＝（取得原価－期首減価償却累計額）×定率法償却率
（取得原価－期首減価償却累計額）＝**未償却残高**

計算例

Q 次の資料により1年目と2年目の減価償却費を計算しなさい。

取得原価：¥1,000,000　償却率：20%

A 1年目の減価償却費　¥1,000,000 × 20% = ¥200,000
2年目の減価償却費　（¥1,000,000 － ¥200,000）× 20% = ¥160,000

(3)生産高比例法による計算

● 年間減価償却費＝(取得原価－残存価額)×$\frac{当期利用高}{予定総利用高}$

計算例

Q 当期の減価償却費を計算しなさい。
取得原価　¥1,000,000　残存価額　取得原価の10%
予定総利用高　100,000km　当期利用高　20,000km

A 当期の減価償却費　¥1,000,000 ×(100% － 10%)× $\frac{20,000km}{100,000km}$ ＝¥180,000

(4)総合償却法による計算

● 年間減価償却費＝要償却額合計÷平均耐用年数

平均耐用年数の計算には，単純平均法と加重平均法があります。

単純平均法＝固定資産の耐用年数合計÷固定資産の数

加重平均法＝$\frac{要償却額合計}{定額法による年償却額合計}$

計算例

Q 次の３つの機械を１つのグループとし，総合償却法（定額法）により，①単純平均法，②加重平均法のそれぞれについて減価償却費を計算しなさい。

	取得原価	残存価額	耐用年数
甲機械	¥100,000	取得原価の10%	3年
乙機械	¥300,000	取得原価の10%	3年
丙機械	¥400,000	取得原価の10%	6年

A

	要償却額		年償却額	
甲機械	¥100,000 －¥10,000 ＝	¥90,000	¥90,000 ÷ 3年＝	¥30,000
乙機械	¥300,000 －¥30,000 ＝	¥270,000	¥270,000 ÷ 3年＝	¥90,000
丙機械	¥400,000 －¥40,000 ＝	¥360,000	¥360,000 ÷ 6年＝	¥60,000
		¥720,000		¥180,000

①単純平均法
平均耐用年数＝(3年＋3年＋6年)÷3台
＝4年
当期減価償却費＝¥720,000 ÷ 4年＝¥180,000

②加重平均法
平均耐用年数＝¥720,000 ÷¥180,000 ＝ 4年
当期減価償却費＝¥720,000 ÷ 4年＝¥180,000

Ch9

参考　税法改正による有形固定資産の減価償却の取扱いについて

有形固定資産の減価償却費の計算に用いる残存価額は，取得原価の10%として計算するのが一般的でしたが，**平成19年4月1日以降に取得する有形固定資産**については，**残存価額をゼロ**として計算できるようになりました。
しかし，これはあくまで税法上の話であり，**会計上は従来どおり，残存価額を取得原価の10%として計算することができます。本書では，残存価額がある場合の計算方法を知っておくと応用が利くため，残存価額は取得原価の10%としています。**
試験では，問題文の指示に従って計算するようにしてください。

取引例

Q　次の取引について仕訳しなさい。
決算につき，期首に取得した建物 ¥1,000 について，減価償却（定額法，残存価額はゼロ，耐用年数20年）を行う。なお，記帳方法は間接法によること。

A

(借)		(貸)	
減価償却費	50[07]	建物減価償却累計額	50

07）¥1,000 ÷ 20年＝¥50

有形固定資産の売却と廃棄

有形固定資産は，耐用年数の終了や機能的減価などにより，(1)**売却**されたり(2)**廃棄**されたりして，処分されます。

(1)売却の処理

有形固定資産の売却損益は次の式で計算されます。

売却価額－帳簿価額（取得原価－減価償却累計額）＝ {（＋）…売却益 / （－）…売却損}

取引例

Q　次の取引の仕訳をしなさい。
×1年期首に購入した機械を本日（×9年期首）売却し，手取金 ¥300,000 は先方振出の小切手で受け取り，ただちに当座預金とした。なお，この機械の取得原価は ¥900,000，耐用年数は10年，残存価額は取得原価の10%，償却方法は定額法で行ってきた。

A

(借)		(貸)	
当座預金	300,000	機械装置	900,000
機械装置減価償却累計額	648,000[08]	固定資産売却益	48,000[09]

08）減価償却累計額：$\frac{¥900,000 \times 0.9}{10年} \times 8年 = ¥648,000$

有形固定資産を会計期間中に売却した場合，その期の減価償却費を月割で計上します。このとき，1日でも使用したら1カ月とします。

09）固定資産売却益：¥300,000－(¥900,000－¥648,000)＝¥48,000

(2)廃棄の処理

固定資産に売却価値がないときは廃棄（捨てる）されます。
このとき廃棄される固定資産の帳簿価額は固定資産廃棄損勘定に振り替えます。
廃棄にあたって別途，費用を要するときは，その費用も固定資産廃棄損勘定に含めて処理します。

取引例

Q 次の取引について仕訳しなさい。
取得原価 ¥700,000 の機械装置（減価償却累計額 ¥563,000）を廃棄し，廃棄のための諸費用 ¥2,000 は小切手を振り出して支払った。

A

	借方科目	金額		貸方科目	金額
（借）	機械装置減価償却累計額	563,000	（貸）	機械装置	700,000
	固定資産廃棄損	139,000		当座預金	2,000

有形固定資産の除却

営業のために使用できなくなった固定資産を帳簿から取り除くことを除却といいます。除却された固定資産に評価額がある場合には，これを**貯蔵品勘定**（資産）で処理します。
評価額と帳簿価額の差は固定資産除却損益で処理します。

取引例

Q **期首に取得原価 ¥100,000 の機械装置（減価償却累計額 ¥72,000）を除却した。スクラップ評価額は ¥20,000 であった。**

A

	借方科目	金額		貸方科目	金額
（借）	機械装置減価償却累計額	72,000	（貸）	機械装置	100,000
	貯蔵品	20,000			
	固定資産除却損	8,000			

有形固定資産の滅失（めっしつ）

固定資産が，地震・火災などによって滅失した（使用できなくなった）とき，これを帳簿から取り除きます。
ここでは，火災の発生による有形固定資産の会計処理を説明します。

火災による会計処理

火災が発生したとき，焼失した資産の帳簿価額は，保険金が確定するまで**火災未決算勘定**（かさいみけっさん）[10]で処理します。
また，保険金額が確定したときに，火災未決算の金額と保険金確定額との差額を次のように処理します。

火災未決算＜保険金→差額は**保険差益勘定**（ほけんさえき）
火災未決算＞保険金→差額は**火災損失勘定**

10）未決算勘定とは，金額の確定していない費用および債権の性質をもつ勘定です。ここでは火災等により，資産が減少したにもかかわらず，これに対応する補償請求金額が確定しないときに一時的に処理する勘定として使われています。

取引例

Q **次の取引について仕訳しなさい。**

①建物（取得原価 ￥2,000,000 減価償却累計額 ￥1,200,000）を焼失した。この建物には火災保険が付してあり，査定中である。

②火災未決算勘定（借方残高 ￥800,000）として処理しておいた火災事故につき，保険会社より保険金 ￥500,000 を支払う旨の通知を受けた。

A

①	（借）	建物減価償却累計額	1,200,000	（貸）	建　　　物	2,000,000
		火災未決算	800,000			
②	（借）	未収入金	500,000	（貸）	火災未決算	800,000
		火災損失	300,000			

資本的支出と収益的支出

11）資本的支出＝改良，耐用年数の延長など
収益的支出＝補修（現状の維持）

所有している建物について改良や修繕が行われた場合，その固定資産の価値を高めたり，**耐用年数を延長させたりする支出**を**資本的支出**[11]といいます。資本的支出は，固定資産の取得原価に加算します。

これに対して，**現状を維持するための支出を収益的支出**[11]といい，修繕維持費として費用処理します。

取引例

Q **次の取引について仕訳しなさい。**

建物内の改造工事を行い，この費用 ￥3,000,000 は小切手を振り出して支払った。なお，このうち ￥500,000 は修繕費用と見積もられる。

A

（借）	建　　　物	2,500,000	（貸）	当座預金	3,000,000
	修繕維持費	500,000			

建設仮勘定

建設仮勘定とは

建物などを建設するには，一定の期間が必要で，工事の進行にともなって順次工事代金が支払われるという慣習があります。建設仮勘定は，このような建物などの建設にともなう工事代金の支出額を処理するための勘定です。

建設仮勘定の会計処理

建物などの契約代金の一部を支払ったときは，建設仮勘定[12]として記帳します。そして，完成し，引渡しを受けたとき，建設仮勘定の残高すべてを，本来の固定資産勘定(建物勘定，機械装置勘定など)に振り替えます。

12）建設仮勘定は，未使用で収益に貢献していないため，減価償却費は計上しません。

取引例

Q 次の取引について仕訳しなさい。

①山梨建設㈱は本社社屋の外注契約をし，建設にあたって手付金 ¥40,000 を現金で支払った。

②山梨建設㈱は本社社屋が完成し引渡しを受けた。契約金額 ¥100,000，引渡しを受けたときの建設仮勘定の残高は ¥80,000 で，残額は約束手形を振り出して支払った。

A

①	(借) 建設仮勘定	40,000	(貸) 現金	40,000
②	(借) 建物	100,000	(貸) 建設仮勘定	80,000
			営業外支払手形	20,000

おわりに

マイさん：有形固定資産のポイントは取得原価と減価償却ですね。
加藤さん：マイちゃん，だんだん頭がよくなっていくね。
マイさん：何言ってるんですか。私って，もともと頭いいんです。

例題 有形固定資産

解答解説 P.1-211

1　次の取引について仕訳を示しなさい。

① 長岡土木㈱はブルドーザー ¥5,000,000 を 1 台買入れ，代金は約束手形を振り出して支払った。なお，引取運賃等の付随費用 ¥80,000 は小切手を振り出して支払った。
② 自社ビルを自家建設し，そのために材料 ¥2,500,000，賃金 ¥4,300,000，諸経費 ¥1,900,000 を消費した。この他に登記料 ¥250,000 を小切手を振り出して支払った。
③ 自己所有の建物（帳簿価額 ¥1,800,000，時価 ¥3,200,000）と甲社所有の建物（帳簿価額 ¥1,500,000，時価 ¥3,200,000）を交換した。
④ 短期所有の株式（帳簿価額 @ ¥860，時価 @ ¥1,200）5,000 株とD社所有の土地（時価 ¥6,000,000）を交換した。

解答欄

①	(借)		(貸)	
②	(借)		(貸)	
③	(借)		(貸)	
④	(借)		(貸)	

2　当社は送電線の敷設用に自家用航空機を所有しているが，次の資料にもとづき，(1)定額法，(2)定率法，(3)生産高比例法により，当期末（当期は第９期）の減価償却費を計算しなさい（円未満切捨）。

■資　料■

取得価額	¥600,000	当期飛行時間	1,850時間
耐用年数	5年	定率法償却率	0.25
残存価額	10%	事業供用日	第7期　期首
総飛行可能時間	10,000時間		

解答欄

	減価償却費の金額
(1) 定　額　法	¥
(2) 定　率　法	¥
(3) 生産高比例法	¥

3　次の取引について仕訳を示しなさい。

建物の定期修繕および改良を行い，代金 ¥2,500,000 を小切手を振り出して支払った。このうち，¥2,000,000 は新たにエレベーターを設置するのにかかった金額であり，残りの ¥500,000 は修繕にかかった費用である。

解答欄

(借)		(貸)	

Section 2

形はないが，収益に貢献。　重要度 ◇

無形固定資産と繰延資産

はじめに マイさんは，新株を発行したときの費用を計上しようとしています。

マイさん：加藤さん，この間，新株を発行するために必要な謄本と印鑑証明を法務局に取りに行ったんですよ。そのときの電車代と収入印紙代って，勘定科目として“交通費”と“租税公課”でしたよね。

加藤さん：いや，それは“株式交付費”っていう科目にしておいてよ。

マイさん：えっ，どうしてですか？

加藤さん：資産にできる費用があるんだよ。

マイさん：…何だかよくわからないけど，とりあえず勉強してきます。

無形固定資産とは

無形固定資産とは **法律上の権利**として，ある一定の期間にわたって企業に収益をもたらすもの，および**経済的に事実上の価値が認められるもの**で形のないものを**無形固定資産**といいます。

収益を獲得できる要因となるので，具体的な形はありませんが，資産として扱われます。無形固定資産には次のものがあります。

法律上の権利として認められたもの

特許権：特許を受けた発明を営業上独占的に使用する権利。

電話加入権：加入電話の施設負担金。

借地権：土地の利用権。

経済上の価値として認められたもの

のれん：合併や買収の際に投資した額と，受け入れた純資産の差額。

取引例

Q 次の取引について仕訳しなさい。

三井工務店㈱を買収し，買収代金 ￥500,000 は現金で支払った。なお，三井工務店㈱の諸資産は ￥1,200,000，諸負債は ￥750,000 であった。

A

(借)		金額	(貸)		金額
	諸資産	1,200,000		諸負債	750,000
	のれん	50,000[01]		現金	500,000

01) ￥500,000（買収代金）－（￥1,200,000（諸資産）－￥750,000（諸負債））＝￥50,000（のれん）

Ch9

無形固定資産の償却

02）借地権と電話加入権は通常償却しません。

03）法定耐用年数とは，税法で定められている耐用年数を指します。

04）のれんの償却期間は，「企業結合に関する会計基準」によって定められており，月割により償却します。

無形固定資産の償却は次のルールで行います[02)]。

種　　類	償却方法	耐用年数	残存価額
法律上の権利	定額法等	法定耐用年数[03)]	ゼロ
の　れ　ん	定額法等	20年以内[04)]	ゼロ

償却の処理は，直接控除法で行います。

取引例

Q **無形固定資産の当期の償却の仕訳をしなさい。なお，当期は４月１日から３月31日までの１年間である。**

決算整理前残高試算表

特　許　権	3,600,000
借　地　権	4,200,000
の　れ　ん	1,200,000

決算整理事項

① 特許権は当期の４月１日に取得したもので８年間で償却する。
② 借地権は当期に土地賃借のために支払った権利金である。
③ のれんは当期の４月１日にＢ工務店を買収したさいに計上したもので，企業結合に関する会計基準の最長期間で毎期均等償却する。

A
① （借）特許権償却　450,000　（貸）特　許　権　450,000[05)]
② 仕訳なし[06)]
③ （借）のれん償却　60,000　（貸）の　れ　ん　60,000[07)]

05）¥3,600,000÷8年
＝¥450,000

06）借地権は償却しません。

07）¥1,200,000÷20年
＝¥60,000

投資その他の資産

資産を分類した場合，(1)**長期の利殖を目的とするもの**，(2)**正常な営業サイクルから外れたもの**，などは投資その他の資産として分類されます。

(1)長期の利殖を目的とするもの

長期貸付金：決算日において，返済期限が1年超先の貸付金
長期定期預金：決算日において，満期日が1年超先の預金
子会社株式：他の会社を支配する目的で保有する株式
投資有価証券：投資目的で保有する株式

(2)正常な営業サイクル[08]**から外れたもの**

不渡手形：支払期日を迎えたにもかかわらず，決済されない手形
長期前払費用：決算日において，1年を超える費用の前払額

08）営業サイクルについては Chapter 12，Section 3 を参照してください。

繰延資産（くりのべしさん）

繰延資産とは

すでに代価の支払いが完了し，または支払義務が確定し，これに対応する役務の提供を受けたにもかかわらず，その効果が将来にわたって発現するものと期待される費用をいい，計上することが認められています。

２級では次の２項目に限定して出題されます。

株式交付費…会社設立後，新株等を交付するために支出した費用
社債発行費…社債を発行するために支出した費用

繰延資産の償却

繰延資産は毎決算期に償却されます。

株式交付費――３年にわたり月割均等額で償却
社債発行費――社債の償還期限までに月割均等額で償却

なお，繰延資産は残存価額０の直接控除法[09]で処理します[10]。

09）株式交付費・社債発行費勘定の貸方に仕訳して直接減額する方法です（社債発行費の償却については Chapter10 Section 1 を参照）。

10）無形固定資産と同じですね。

取引例

Q **次の取引について仕訳しなさい。**
株式交付費 ¥120,000 について当期分 ¥40,000 を償却した。

A

(借)	金額	(貸)	金額
株式交付費償却	40,000	株式交付費	40,000

おわりに

マイさん：**無形固定資産と繰延資産とかって，形がないから残存価額０（ゼロ）なんですね。**
加藤さん：**そうだね。残存価額を０（ゼロ）にするためには，定額法を使うことになるしね。**

例題 無形固定資産 解答解説 P.1-212

当期は4月1日から3月31日までの1年間であり，下記の(1)および(2)の資料により決算で行う償却の仕訳を示しなさい。なお，仕訳が不要な場合は「仕訳なし」と記入すること。

(1)

決算整理前残高試算表

特　許　権	2,160,000	
借　地　権	5,700,000	
の　れ　ん	200,000	

(2) 決算整理事項

① 特許権は当期首に取得したもので8年間で償却する。
② 借地権は当期に土地賃借のために支払った権利金である。
③ のれんは当期の4月1日に呉工務店㈱を買収したさいに計上したもので，20年間で毎期均等償却する。

解 答 欄

①	特許権	(借)		(貸)	
②	借地権	(借)		(貸)	
③	のれん	(借)		(貸)	

Chapter 10

社債・引当金・税金

会社が資金を調達する手段に，銀行など特定の相手からお金を借りるという方法があります。しかし社債は，不特定多数の人からお金を借りるときに発行します。Section 1では，社債に関する会計処理を学んでください。

引当金は，将来の出費や損失に備えて設定されます。会社では，貸したお金が戻ってこないかもしれないというリスクや，退職金など将来かかるであろう費用には，引当金で対処します。Section 2では，引当金の設定方法と税金の種類について学習してください。

Section 1 額面額と発行価額の差額も社債利息のうち。 重要度◇◇

社　債

はじめに 社債を発行したＮＳ工務店。マイさんは，この会社の方針に疑問を持っています。

マイさん：先輩，どうしてうちは社債なんか発行したのですか。証券会社にも手数料とられるし，手間もかかるし，絶対に損ですよ！

加藤さん：銀行借入れは「元利均等払い」といって，毎月，少しずつ借入金の元本をを返済していかなきゃならないんだ。

マイさん：社債はそうじゃないんですか？

加藤さん：社債は，そのまま満期日まで借り続けて，満期日に一括して返せばいいんだ。

マイさん：なるほど。ということは，それまで返す心配もしなくていいということなんですね。

加藤さん：そう。だから社債なんだよ。

社債（しゃさい）の会計処理

社債とは 社債[01]とは，社債券という有価証券を発行し，不特定多数の人達から資金を借入れることによって生じる債務をいいます。

01）社債は長期の資金調達手段となります。

社債の発行には，主に次の２つがあります。

- **平価発行**（へいかはっこう）：額面金額で発行することで，「額面発行」ともいいます。
- **割引発行**（わりびきはっこう）：額面金額よりも低い価額で発行することをいいます。
- **打歩発行**（うちぶはっこう）：額面金額よりも高い価額で発行することをいいます。

(1)社債発行時 社債を発行したときは，払込金額（発行した金額）を社債として処理し，社債発行のための諸費用は社債発行費勘定で処理します。

取引例

Q 次の取引について仕訳しなさい。

額面総額￥5,000,000の社債を，額面￥100につき￥95の条件で発行し，払込金は当座預金とした。なお，社債発行のための諸費用￥30,000は，小切手を振り出して支払った。

A

(借)	当座預金	4,750,000[02]	(貸)	社債	4,750,000
(借)	社債発行費	30,000	(貸)	当座預金	30,000

02）社債発行価額：$¥5,000,000 \times \frac{@¥95}{@¥100} = ¥4,750,000$

(2)社債利息支払時 社債利息とは，社債に付された利息をいい，通常年２回一定の期日に支払います。

$$社債利息＝額面金額×利率×\frac{月数}{12カ月}$$

取引例

Q　次の取引について仕訳しなさい。

9月30日社債（額面金額¥1,000,000）の利払日となったので，利息を現金で支払った（利率7.3%，利払日年2回，3月・9月各末日）。

$$社債利息 = ¥1,000,000 \times 7.3\% \times \frac{6カ月^{03)}}{12カ月} = ¥36,500$$

03）前回の利払日3月末日の翌日から9月30日まで6カ月分の利息を計上します。

A

(借)		(貸)	
社債利息	36,500	現金	36,500

(3)決算時　決算時には，**①社債発行費の償却**および**②社債利息の見越計上**，**③償却額の計上**をする必要があります。

①社債発行費の償却　社債発行費は，原則として支出時に費用計上されますが，**繰延資産**に計上することもできます。社債発行費は，**社債の償還期限内**に月割均等償却を行います。

②社債利息の見越計上　利払日と決算日が異なる場合，前回の利払日の翌日から決算日までの利息を**未払社債利息（未払費用）勘定**で見越計上します。

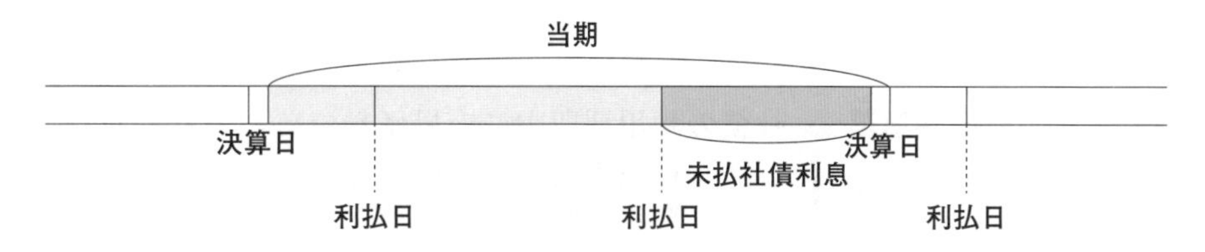

③償却額の計上　社債の払込金額（帳簿価額）が額面金額と異なるときは，決算においてその差額を**償却原価法**（2級の場合は定額法）により，社債の帳簿価額に加減し，満期時には額面金額となるように処理します。このときの相手勘定は，社債利息となり，社債の発行時から償還期間にわたって**月割均等償却**を行います。

取引例

Q　次の取引について決算時の仕訳を行いなさい。

①決算にあたり，社債（当期の4月1日に発行）の払込金額 ¥4,750,000 と額面金額 ¥5,000,000 の差額 ¥250,000 を償却原価法（定額法）により帳簿価額に加減する。社債発行費 ¥30,000 については社債の償還期間において定額法で償却する（社債償還期限5年）。

②決算にあたり，未払社債利息 ¥3,000 を計上する。

決算日：12月31日，利払日：3月末日と9月末日

A

	(借)		(貸)	
①	社債利息	37,500 04)	社債	37,500
	社債発行費償却	4,500 05)	社債発行費	4,500
②	社債利息	3,000	未払社債利息	3,000 06)

04）償却額の計算：$¥250,000 \times \frac{9カ月}{60カ月} = ¥37,500$

なお，償却額の計上額は，社債利息勘定で処理します。

05）社債発行費償却：$¥30,000 \times \frac{9カ月}{60カ月} = ¥4,500$

06）翌期首に再振替仕訳をします。
（借）未払社債利息　3,000
（貸）社債利息　3,000

社債の償還

償還とは　償還とは，社債により調達した資金を社債権者に返済することをいいます。償還の時期により，次のように区分されます。

(1)**満期償還**　：満期日に一括して額面金額により償還することをいいます。
(2)**定時償還**[07]　：一定期日ごとに一定額ずつ抽選により償還することをいいます。
(3)**臨時償還**[08]　：会社の資金に余裕ができたときなどに会社が任意（償還期限内）の時期に証券市場から随時買い入れて償還することをいいます。

07）定時償還→抽選償還ともいいます。
08）臨時償還→買入償還（消却）ともいいます。

(1)満期償還　社債の満期日に額面金額で償還します。

取引例

Q　次の取引について仕訳しなさい。
満期となり，社債￥100,000（額面金額）の償還を行うため小切手を振り出した。

A

(借) 社　債	100,000	(貸) 当座預金	100,000

(2)定時償還　定時償還も満期償還と同様に額面金額で償還されるため，その記帳方法は満期償還と同じ処理をします。

(3)臨時償還　社債の利用期間中に市場価額で買い入れるため，次の処理を行います。
・社債の買入れに関する仕訳
買入価額と帳簿価額とは通常異なるので**社債償還損益が生じます。**

取引例

Q　次の取引について仕訳を行いなさい。
当社は第4期の期首に償還期限5年，額面総額￥1,000,000の社債を￥950,000で発行し，払込金額は当座預金とした。この社債の全額を当期首（第6期期首）に￥980,000で買入消却し，代金は現金で支払った。なお，社債の額面金額と払込金額との差額は，償却原価法（定額法）により帳簿価額に加減している。

A

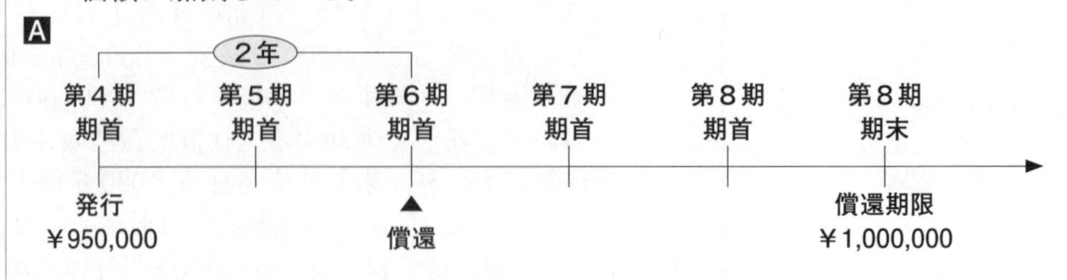

09) 発行差額：
¥1,000,000－¥950,000
＝¥50,000
1年あたりの償却額計上額：
¥50,000÷5年＝¥10,000

10) 社債の実質価額（額面ー社債発行差額残高）¥970,000を¥980,000で買い入れたので¥10,000の損失と考えます。

A 買入消却時の社債の簿価

：¥50,000[09] × $\frac{2年}{5年}$ ＝ ¥20,000

：¥950,000 ＋ ¥20,000 ＝ ¥970,000

（借）社　　債	970,000	（貸）現　　金	980,000
社債償還損	10,000[10]		

おわりに

マイさん：償却原価法って要するに，95円で発行した5年満期の社債なら，5年目に一挙に5円を費用にするのはおかしいから毎年1円ずつ，という発想なんですね。
加藤さん：そう。よく理解したね。
マイさん：任してください！

例題　社債　解答解説 P.1-212

1　次の取引の仕訳を示しなさい。

×1年6月1日，大阪工務店㈱は次の条件で社債を発行し，払込金は当座預金とした。なお，社債の額面金額と払込金額との差額は償却原価法（定額法）により帳簿価額に加減している。
　社債額面総額　¥10,000,000　　発行価額　額面¥100につき¥94
　利率　年6％　　利払日　年2回（5月末，11月末）　期間5年

① ×1年11月30日　社債利息を小切手を振り出して支払った。
② ×2年3月31日　本日決算のため償却額の計上と未払社債利息の計上を行った。
③ ×2年4月1日　社債利息の再振替仕訳を行った。
④ ×2年5月31日　社債利息を小切手を振り出して支払った。

解答欄

①	（借）		（貸）	
②	（借）		（貸）	
	（借）		（貸）	
③	（借）		（貸）	
④	（借）		（貸）	

Ch10

2　次の取引の仕訳を示しなさい。

発行済みの額面総額 ¥30,000,000 の社債のうち額面 ¥5,000,000 を約款により抽選償還し，小切手を振り出して支払った。

解答欄

(借)		(貸)	

3　次の取引の仕訳を示しなさい。

① ×1年4月1日，額面 ¥5,000,000 の社債を ¥4,800,000 で発行（期間5年）していたが，この社債を×3年4月1日（期首）に全額を ¥4,900,000 で買入消却（現金払い）した。なお，払込金額と額面金額との差額は償却原価法（定額法）により，帳簿価額に加減していた。

② ×1年4月1日，額面 ¥8,000,000 の社債を ¥7,720,000 で発行（期間7年）していたが，この社債を×5年4月1日（期首），額面 ¥4,000,000 を ¥3,912,000 で買い入れ，償還代金は小切手を振り出して支払った。なお，払込金額と額面金額との差額は償却原価法（定額法）により，帳簿価額に加減していた。

解答欄

①	(借)		(貸)	
②	(借)		(貸)	

Section 2

いざというときのために，使ったつもりで残しておく。　重要度 ◇◇◇◇◇

引当金・税金

はじめに マイさんは，引っ越していった短大のときの友達から，手紙を受け取りました。

マイさん：加藤さん，聞いてください。5,000 円貸したまま引っ越した友達から手紙が来て，「今度会いましょう。5,000 円も返したいし」って書いてあったんですよ。

加藤さん：それはよかったね。

マイさん：もう，どうしようかと思っていたんです。

加藤さん：会社では，お金を貸して，返してもらえるかどうか不安なときに“貸倒引当金”を設定しておくんだよ。

マイさん：私も今度からそうしようっと。

引当金（ひきあてきん）

引当金とは 引当金とは，**将来の費用・損失を当期の費用・損失として**あらかじめ見越計上したとき[01]に生じる貸方項目をいいます。

01）引当金は期間損益計算を適正に行うために設定されます。

貸倒引当金（かしだおれひきあてきん）

貸倒引当金とは 貸倒引当金とは，受取手形・売掛金などの売上債権や貸付金などの金銭債権期末残高に対して，次期以降に回収不能になる額を貸倒実績率に基づいて見積もり，設定する引当金をいいます。

貸倒引当金の処理方法には，⑴**差額補充法**と⑵**洗替法**の２つの方法があります。

(1)差額補充法（さがくほじゅうほう） 差額補充法とは，貸倒引当金の期末残高と貸倒見積額との差額を補充または戻し入れる方法です。

貸倒見積額＞貸倒引当金残高：差額を**貸倒引当金繰入額勘定**[02]で処理

貸倒見積額＜貸倒引当金残高：超過額を**貸倒引当金戻入勘定**で処理

02）貸倒引当金繰入額勘定は，販売費及び一般管理費勘定で処理することもあります。

取引例

Q **貸倒引当金の設定について次の場合における仕訳を差額補充法により示しなさい。**

完成工事未収入金勘定の期末残高 ￥100,000 に対して３％の貸倒れを見積もる。

①　貸倒引当金期末残高が ￥1,800 の場合

②　貸倒引当金期末残高が ￥3,400 の場合

貸倒見積額：￥100,000 × 3 ％ = ￥3,000[03]

A

	借方科目	金額	貸方科目	金額
①	（借）貸倒引当金繰入額	1,200	（貸）貸倒引当金	1,200
②	（借）貸倒引当金	400	（貸）貸倒引当金戻入	400

03）いずれにしても，貸倒見積額の貸倒引当金が設定されます。

Ch10

(2) 洗替法（あらいがえほう） 洗替法とは，貸倒引当金の期末残高のすべてを**貸倒引当金戻入勘定**へ振り替え，当期末時点での貸倒見積額を**貸倒引当金繰入額勘定**で処理する方法です。

取引例

Q 貸倒引当金の設定について，次の場合における仕訳を洗替法により示しなさい。
貸倒引当金期末残高 ¥2,000，当期末貸倒れの見積額は ¥3,000 であった。

A

（借）	貸倒引当金	2,000	（貸）	貸倒引当金戻入	2,000
（借）	貸倒引当金繰入額	3,000	（貸）	貸倒引当金	3,000

債権回収時 過年度に貸倒れとして処理した債権を回収した場合，**償却債権取立益勘定**で処理します。

取引例

Q 次の取引について仕訳を示しなさい。
前期に貸倒れ処理した完成工事未収入金¥20,000を当期に現金で回収した。

A

（借）	現金	20,000	（貸）	償却債権取立益	20,000

その他の引当金 建設業・論点

(1) 完成工事補償引当金（かんせいこうじほしょうひきあてきん） 完成し引き渡した請負工事の修繕補修について，引渡時より一定期間無償でサービスする契約をしている場合に設定される引当金をいいます。

取引例

Q 次の引当金の設定に関する仕訳を示しなさい。

① 完成工事高に対し，¥200,000 の完成工事補償引当金を差額補充法により計上する。なお，同勘定の期末残高は ¥60,000 である。

② 前期に引き渡した建物に欠陥があったため，補修工事を行った。この補修工事にかかわる支出は，手持ちの材料の出庫 ¥30,000 と外注工事代 ¥50,000（代金は未払い）であった。なお，完成工事補償引当金の残高は，¥200,000 である。

A

① 設定時（借）	未成工事支出金[04]	140,000	（貸）	完成工事補償引当金	140,000
② 取崩時（借）	完成工事補償引当金	80,000	（貸）	材料	30,000
（支払時）				未払金[05]	50,000

04）ここでは，代表科目仕訳法で仕訳を行っています。

05）補修にかかわる代金の未払額は工事未払金勘定を用いることもあります。引当金が不足するときは，その不足分は工事補償費勘定で処理します。

(2)退職給付引当金

従業員に支払う退職給付金について，一定の退職給付規程がある場合，その退職給付金を毎期平均して負担させるために設定される引当金をいいます。

① 設定時	(借) 退職給付引当金繰入額[06]	×××	(貸) 退職給付引当金	×××
② 取崩時	(借) 退職給付引当金	×××	(貸) 現金等	×××

なお，引当金が不足するときは，その不足分は退職金勘定で処理します。

06) 直接作業員分は工事原価（経費→未成工事支出金）を構成し，事務員分は販売費及び一般管理費を構成します。

(3)修繕引当金

保有資産の修繕につき，当期の負担で行う修繕が次期に行われることになった場合，その修繕費の金額を見積計上することにより設定される引当金をいいます。

① 設定時	(借) 修繕引当金繰入額[07]	×××	(貸) 修繕引当金	×××
② 支払時	(借) 修繕引当金	×××	(貸) 現金等	×××

なお引当金が不足するときは，その不足分は修繕維持費勘定で処理します。

07) 修繕引当金繰入額勘定は，販売費及び一般管理費勘定で処理することもあります。

(4)賞与引当金

賞与の計算期間の途中で決算となった場合，決算にさいし，賞与を見積計上することがあります。この賞与の当期負担額を見積計上することにより設定される引当金をいいます。

① 設定時	(借) 賞与引当金繰入額	××	(貸) 賞与引当金	××
② 支払時	(借) 賞与引当金	××	(貸) 現金等	×××
	賞与	×		

税金1－租税公課

費用となる税金

会社は営業活動を行ううえでいろいろな税金を納めますが，下記のような税金は費用として扱われ，通常，**租税公課勘定**で処理します。

例）自動車税，印紙税，固定資産税

取引例

Q 次の取引について仕訳を示しなさい。

固定資産税¥120,000について納税通知書を受け取るとともに第1期分¥30,000を現金で支払った。

A

(借) 租税公課[08]	120,000	(貸) 現金	30,000
		未払税金	90,000

08) 法人税，住民税及び事業税以外の税金を表す勘定科目です。

税金２－法人税等(ほうじんぜいとう)

法人税等とは

会社のあげた利益に対して支払う税金に法人税(ほうじんぜい)や住民税(じゅうみんぜい)・事業税(じぎょうぜい)があります。これらは通常**法人税，住民税及び事業税**[09]として扱われます。

法人税：会社のあげた利益に対して国が課税する税金。

住民税：地方自治体が会社に対して課税する税金。

09）損益計算書において法人税，住民税及び事業税は次のように表示されます。

税引前当期純利益	3,000,000
法人税，住民税及び事業税	1,200,000
当期純利益	1,800,000

法人税等の納付の流れは以下のように示すことができます。

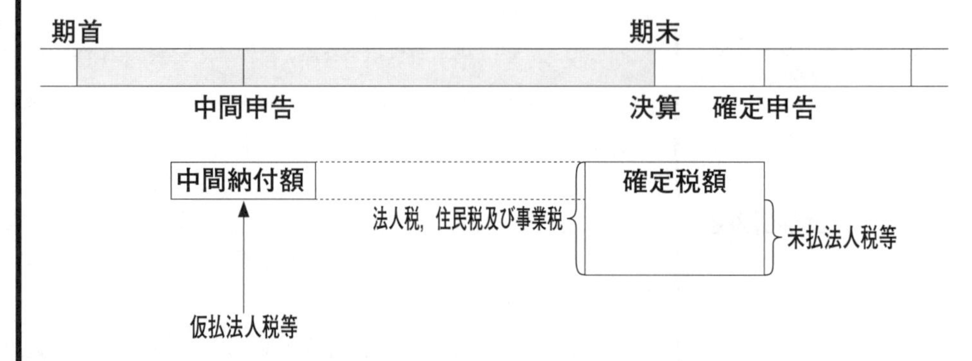

中間申告(ちゅうかんしんこく)

一年決算を行う会社では，期中に中間報告を行い，本年度分の税金の一部として前納します。これを中間申告といいます。

確定申告

損益計算書で算定した利益を基礎として作成した申告書（確定申告書）を提出し，税金を納付します。

決算のときに１年分の確定した税額を計算しますが，そのうち一部は中間申告で前納しているので，その残額が支払わなければならない税金となり，その分を未払法人税等勘定で処理します。

取引例

Q　次の税金の納付に関する仕訳を示しなさい。

①中間申告にあたり，半年分の法人税 ￥50,000 を現金で前納した（仮払法人税等勘定で処理した）。

②決算となり，法人税，住民税及び事業税 ￥90,000 を計上した。

A

①	（借）仮払法人税等[10]	50,000	（貸）	現金	50,000
②	（借）法人税，住民税及び事業税	90,000	（貸）	仮払法人税等	50,000
				未払法人税等	40,000

10）当期の納税額がまだ決まっていない状況で納付するので，「仮払」法人税等とします。

税金３－消費税(しょうひぜい)

消費税とは

国内で行われるモノやサービスの消費に対して，課税される税金を消費税といいます。消費税の記帳方法には，**税抜方式**と**税込方式**[11]の２つの方法がありますが，ここでは税抜方式を学習します。

11）税抜方式とは，消費税額部分を分けて処理する方法です。また，税込方式は消費税額を含めて処理する方法です。

(1)モノ・サービスの購入時

購入価格に上乗せして消費税を支払ったときは，**仮払消費税勘定**の借方に記入します。

取引例

Q 次の消費税に関する仕訳を示しなさい。[12]

工事用資材を￥20,000の価格で仕入れ，￥2,000の消費税とともに現金で支払った。

A

(借)	未成工事支出金	20,000	(貸) 現　　金	22,000[13]
	仮払消費税[14]	2,000		

12) 消費税率10%を前提としています。

13) 税込方式の場合
(借) 未成工事支出金　22,000
(貸) 現　　金　22,000

14) 消費税にも中間納付があり，中間納付を行った場合も仮払消費税で処理します。

(2)モノ・サービスの販売時

販売価格に上乗せして消費税を受け取ったときは，**仮受消費税勘定**の貸方に記入します。

取引例

Q 次の消費税に関する仕訳を示しなさい。[12]

請負工事￥30,000の工事が完成し，￥3,000の消費税とともに掛けとした。

A

(借)	完成工事未収入金	33,000	(貸) 完成工事高	30,000[15]
			仮受消費税	3,000

15) 税込方式の場合
(借) 完成工事未収入金　33,000
(貸) 完成工事高　33,000

(3)決算時および納付時

決算時に仮払消費税勘定の金額と仮受消費税勘定の金額を相殺し，**差額を未払消費税勘定**(または未収消費税勘定[16])に振り替えておき，後に納付します。

取引例

Q 次の消費税に関する仕訳を示しなさい。[12]

①決算を行い，(1)および(2)の取引にかかわる消費税の納付額を計算し，これを確定した。

A

(借)	仮受消費税	3,000	(貸) 仮払消費税	2,000[17]
			未払消費税	1,000

②確定申告を行い，上記の消費税の納付額を現金で納付した。

(借)	未払消費税	1,000	(貸) 現　　金	1,000

16) 仮受額と仮払額の差額は当社が国庫に納付する額となります。なお，仮受額<仮払額の場合には，当社は消費税の還付を受けることになり，その差額を未収消費税勘定に振り替えます。

17) 税込方式の場合
(借) 租税公課　1,000
(貸) 未払消費税　1,000

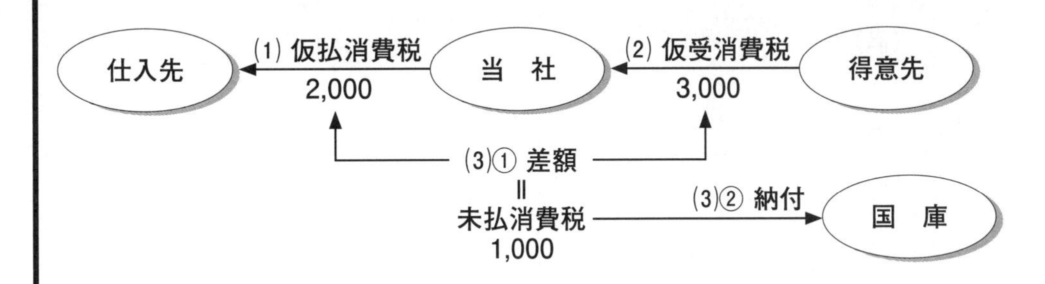

例題 引当金・税金 解答解説 P.1-213

1　次の資料により受取手形，完成工事未収入金の残高合計額に対し２％の貸倒引当金を見積もった場合の仕訳を，差額補充法により示しなさい。

決算整理前残高試算表

受　取　手　形	3,200,000	貸 倒 引 当 金	106,500
完成工事未収入金	5,150,000		

解 答 欄

(借)		(貸)	

2　次の取引の仕訳を示しなさい。

① 完成工事高に対し, ¥170,000 の完成工事補償引当金を差額補充法により計上する。なお, 同勘定の期末残高は ¥110,000 である。

② 前期に引き渡した建物に欠陥があったため, 補修工事を行った。この補修工事にかかる支出は, 手持ちの材料の出庫 ¥80,000 である。
なお, 完成工事補償引当金の残高は ¥150,000 である。

③ 固定資産税 ¥180,000 について納税通知書を受け取るとともに第１期分 ¥45,000 を現金で支払った。

④ 上記の固定資産税につき第２期分 ¥45,000 を現金で支払った。

⑤ 法人税, 住民税及び事業税 ¥418,000 の中間申告を行い, 仮払法人税等勘定に計上するとともに, 小切手を振り出して支払った。

⑥ 決算の結果, 当期の法人税, 住民税及び事業税が ¥963,000 と計算された。確定した税額を法人税, 住民税及び事業税勘定に計上するとともに, この税額から中間納付額 ¥418,000 を差し引いた残額を未払法人税等勘定に計上した。

解 答 欄

①	(借)		(貸)	
②	(借)		(貸)	
③	(借)		(貸)	
④	(借)		(貸)	
⑤	(借)		(貸)	
⑥	(借)		(貸)	

3　次の取引の仕訳を示しなさい。

① 請負価額 ¥440,000（うち消費税額 ¥40,000）の工事が完成し，顧客に引き渡した。なお，当社は税抜方式を採用しており，税率は10%である。
② 仕入先より資材 ¥165,000（うち消費税額 ¥15,000）を掛けで仕入れた。
③ 当期の仮受消費税額は¥2,578,000，仮払消費税額は¥1,826,000である。決算により，未払消費税額を計上する。
④ ③の未払消費税額を小切手を振り出して納付した。

解答欄

①	（借）		（貸）	
②	（借）		（貸）	
③	（借）		（貸）	
④	（借）		（貸）	

コラム 試験会場に持っていくとよいもの「セロテープ」

建設業経理士の問題用紙は、なんと大判のB4サイズ（広げるとB3）。
これを必死に解き進める中で、ページをめくる。

ページをめくれば、大判の問題用紙は風を巻き起こし、それが机のスミに置いた受験票に当たり、ハラハラと舞い落ちる。

事実はそれだけ。

落ちたのはあくまでも受験票。

しかし、不思議なことに試験中に受験票が落ちると、自分自身が試験に落ちたような気になる（笑）。

そこで、セロテープ。

セロテープで受験票の上辺を机に留め、受験票の下に身分証明書を置けば、戦闘準備完了！

受験票のチェックなど、まったく気にしないで解答作成に没頭できます。

みなさんぜひ、セロテープを。

そして、試験会場でセロテープを見たら、みなさんと同じ、私の教え子です（笑）。

Chapter 11

資本（純資産）会計

株式会社は，株主からの出資で活動し，獲得した利益を株主に配当しています。だから株主にとって貸借対照表上の“純資産の部”は重要な項目となります。

Chapter 11では，まずSection 1で貸借対照表上の“純資産の部”の内容を把握してください。そして，Section 2ではNS工務店の新株発行にともなって，株式発行の手続と処理を押さえてください。

Section 1 同じ純資産でも，資本と利益は峻別します。 重要度 ◈

資本（純資産）会計の基礎知識

はじめに ＮＳ工務店の社内では，新株を発行するという噂が流れています。

マイさん：加藤さん，うちって株を発行するんですか。
加藤さん：そうみたいだね。
マイさん：そうすると，どうなるんですか。
加藤さん：資本が増えるんだよ。
マイさん：私，以前からよくわからなかったんですけど，資本って結局，何ですか。
加藤さん：「資産から負債を引いたもの」としか言いようがないんだよな…。

株式会社の資本構成

資本(純資産)とは，株主などの出資者の**出資額(元手)**と**その増加額(儲け)**をいいます。

株式会社ではその会社形態の性質から資本（純資産）の内容を以下のように分類し，処理していきます[01]。

01）純資産の部は，「株主資本」，「評価・換算差額等」，「新株予約権」の3つに区分されます。
右の図は「株主資本」の区分の詳細を表したものです。他の区分については2級の範囲ではないので，以降の記述および貸借対照表上では省略しています。

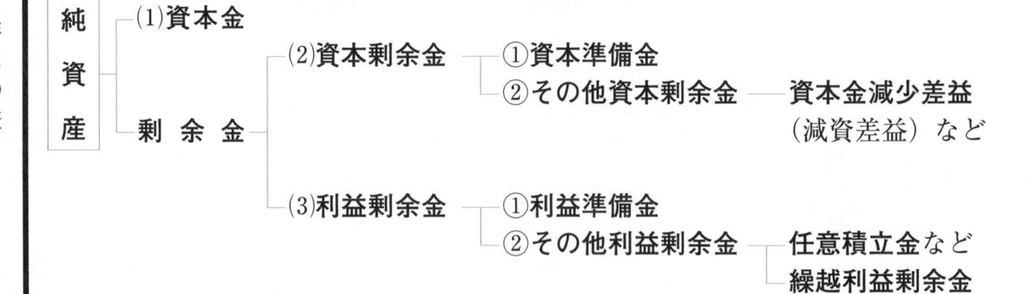

(1)資本金（しほんきん）
法定資本ともいわれ，株式会社が最低限維持しなければならない会社財産の金額をいいます。

(2)資本剰余金（しほんじょうよきん）
株主などから払い込まれた金額のうち資本金としなかったもので，資本準備金とその他資本剰余金からなります。

①資本準備金[02]
株式の発行等，直接，資本金の増減をもたらす取引から生じたもので資本金としなかった部分をいいます。

02）資本準備金と利益準備金を合わせて準備金といい，会社財産の保全を目的として会社法では積立てが強制されています。

②その他資本剰余金
株主からの払込資本のうち資本金と資本準備金以外のものをいいます。具体的には，資本金減少差益(減資差益)などがあります。

(3)利益剰余金（りえきじょうよきん） 会社が獲得した利益から生じたもので，利益準備金とその他利益剰余金からなります。

①利益準備金

利益剰余金を原資として配当した場合，その額の10分の1等を積み立てることを会社法によって強制された準備金をいいます。

②その他利益剰余金

獲得した利益のうち，準備金以外のものをいいます[03]。これには特定の目的のために積み立てたもの（新築積立金等）と特定の目的を持たないで積み立てたもの（別途積立金）があります。残額は繰越利益剰余金として処理します。

03) つまり，会社法によって積み立てを強制された資本ではないということです。

(4)剰余金の配当

①配当の処理

剰余金の配当[04]は，原則として株主総会決議により行います。この決議によって配当額は確定しますが，実際に支払うのは後日になるため，株主総会決議のさいには**未払配当金**として処理します。なお，剰余金の配当財源となるのは，**その他資本剰余金**および**その他利益剰余金**です。

04) 株主に対して剰余金を分配することです。

②準備金の積立ての処理

剰余金の配当を行う場合には，会社財産の保全の観点から**資本準備金と利益準備金の合計が資本金の4分の1に達するまで，配当額の10分の1の金額**[05]を配当財源別に資本準備金または利益準備金として積み立てます[06]。

05)「シー⑷ホンキンの1/4に達するまで，ハイトー⑽キンの1/10を積み立てる」と覚えておきましょう。

06) 資本の配当からは資本準備金，利益の配当からは利益準備金が積み立てられます。

配当額の合計×$\frac{1}{10}$
資本金×$\frac{1}{4}$－(資本準備金＋利益準備金)
} **いずれか小さい方**

配当財源が
- **その他資本剰余金→資本準備金を積立て**
- **その他利益剰余金→利益準備金を積立て**

取引例

Q **次の取引の仕訳を示しなさい。**

株主総会決議により，剰余金の配当に関して以下の決議がなされ，その効力が生じた。なお，株主総会時における資本金は￥500,000，資本準備金は￥70,000，その他資本剰余金は￥67,000，利益準備金は￥35,000，別途積立金は￥17,600，繰越利益剰余金は￥193,000であった。

〈剰余金の配当に関する決議事項〉

配当総額は￥150,000であり，その内￥100,000については繰越利益剰余金を財源とし，残額￥50,000についてはその他資本剰余金を財源とする。

A

(借)	金額	(貸)	金額
その他資本剰余金	55,000	資本準備金	5,000
		未払配当金	50,000
繰越利益剰余金	110,000	利益準備金	10,000
		未払配当金	100,000

07）準備金積立額は財源の割合で按分して積立てます。

$$¥500,000 \times \frac{1}{4} - (¥70,000 + ¥35,000) = ¥20,000 > ¥150,000 \times \frac{1}{10} = ¥15,000$$

準備金積立額：¥15,000
- → 資本準備金 $¥50,000 \times \frac{1}{10} = ¥5,000$ [07)]
- → 利益準備金 $¥100,000 \times \frac{1}{10} = ¥10,000$ [07)]

貸借対照表の表示

取引例の結果を貸借対照表で表示すると，以下のようになります。

貸　借　対　照　表

（×年×月×日）　　　（単位：円）

純　資　産　の　部		
Ⅰ　株　主　資　本		
1　資　　本　　金		500,000
2　資 本 剰 余 金		
(1)　資 本 準 備 金	75,000	
(2)　その他資本剰余金	12,000	87,000
3　利 益 剰 余 金		
(1)　利 益 準 備 金	45,000	
(2)　その他利益剰余金		
別 途 積 立 金	17,600	
繰越利益剰余金	83,000	145,600
純 資 産 合 計		732,600

try it Q 例題　剰余金の配当　解答解説 P.1-214

次の取引の仕訳を示しなさい。

① 当期において開催された株主総会で，次の利益処分が決議された。
　株主配当金　¥500,000　　利益準備金積立　¥50,000　　別途積立金積立　¥100,000

② 株主に対して，上記①の配当金を現金で支払った。

解 答 欄

	(借)		(貸)	
①				
②	(借)		(貸)	

1/2 は資本金にしなくてヨイ　　重要度 ◈◈◈

株式の発行

はじめに NS 工務店が新株を発行しました。

マイさん：ところで，株式を発行するって，具体的にどういうことなんですか？

加藤さん：一般に募集をかけて，株主になろうとする人にお金とともに申込みをしてもらって，払込期日になったら，株主に株式を発行するってところかな。

マイさん：難しいですね。

加藤さん：払込期日に相手が株主になるから，こちらも資本金とするし，払込金は自由に使える当座預金にもなる，という関係がポイントだよ。

マイさん：う〜ん。

株式とは

株式とは株式会社における社員としての地位をいいます。なお，ここでいう社員とは，会社オーナー（株主）としての地位であり，従業員を意味するものではありません。

株式発行時の株式の会計処理

株式の発行は，**会社設立時**[01]と**新株発行時**に行われます。このときの会計処理には，**原則処理**と**容認処理**があり，どちらの処理を選択するかによって資本金とする額が異なります。

01）株式会社設立にあたり，従来の商法においては最低資本金として設立時に 1,000 万円以上必要でしたが，会社法ではその規定が削除されました。
また設立時には，**授権株式数の4分の1以上**の数の株式を発行しなければなりません。

	資　本　金　組　入　額
原　則	払込価額の全額（1株の発行価額×発行株式数）
容　認	払込価額の1／2以上

(1)原則処理 払込金額の全額を資本金とします。

取引例

Q 次の取引について仕訳を示しなさい。

会社の設立にあたり株式を ¥60,000 で10株発行し，全額の払込みを受け，払込金は当座預金とした。

A （借）当　座　預　金　600,000　（貸）資　　本　　金　600,000

Ch11

(2)容認処理 払込金額の２分の１を資本金とし，残額を株式払込剰余金とすることができます。

取引例

Q 次の取引について仕訳を示しなさい。

①会社の設立にあたり株式を発行価額 @¥60,000 で 20 株発行し，払込金は当座預金とした。ただし，資本金とすべき金額は会社法の規定する最低限度額とした。

②新株の発行にあたり株式を発行価額 @¥50,000 で 20 株発行し，払込金は当座預金とした。ただし資本金とすべき金額は会社法の規定する最低限度額とした。

A

	借方科目	金額		貸方科目	金額
①（借）	当座預金	1,200,000	（貸）	資本金	600,000
				株式払込剰余金[02]	600,000

$@¥60{,}000 \times \frac{1}{2} \times 20$ 株 $= ¥600{,}000$ → 資本金

	借方科目	金額		貸方科目	金額
②（借）	当座預金	1,000,000	（貸）	資本金	500,000
				株式払込剰余金[02]	500,000

$@¥50{,}000 \times \frac{1}{2} \times 20$ 株 $= ¥500{,}000$ → 資本金

02）貸借対照表上，資本準備金の一部を構成します。

株式交付費用の処理 新株発行にかかる株式の発行費用や自己株式の交付にかかる費用は**株式交付費**となります。この株式交付費は**繰延資産**[03]として処理することができ，株式交付費は**３年**以内に月割で償却を行います。

03）原則は，支出時に費用として処理します。

増資（ぞうし）

増資とは，会社設立後資本金を増加させることです。増資には，純資産が増加する**有償増資**と，資本金は増加しても純資産は変わらない**無償増資**とがあります。

有償増資：会社の純資産が増加する増資
例）通常の新株発行，吸収合併など

無償増資：会社の純資産が増加しない増資
例）資本剰余金の資本金組入

剰余金の資本金組入（無償増資）

資本剰余金（資本準備金など）の資本金組入は金銭の払込みを受けないため無償増資といわれます。この場合，資本金の金額は増加しますが，純資産の額は変化しません。

B／S
資本金
資本準備金
新資本金

取引例

Q　次の資本金組入に関する仕訳を示しなさい。
　京都建設㈱は，資本準備金 ¥500,000 を資本金に組み入れることを株主総会で決議した。

A

（借）資本準備金	500,000	（貸）資本金	500,000

合併（吸収合併）

合併とは２つの会社が１つになることをいい，存続する方の会社を合併会社，吸収されるほうの会社を被合併会社といいます[04]。

合併を行うさい，合併会社は被合併会社の株主に対して**合併会社の株式を交付することもあります**。この時の増加資本と受け入れた純資産との差額はのれん勘定で処理します[05]。

04）これに対し，両会社とも消滅して新しい会社ができることを新設合併といいます。

05）のれんは超過収益力を表す無形固定資産です。逆の（マイナスになる）場合には，「負ののれん発生益」という特別利益となります。

のれん ＝ 増加資本 － 受入純資産

取引例

Q　次の合併に関する仕訳を示しなさい。
　A社はB社（諸資産 ¥28,500,000，諸負債 ¥16,500,000）を吸収合併し，株式 250 株（@ ¥50,000）を発行し全額を資本金とした。

A　増加資本金：¥50,000 × 250 株 = ¥12,500,000
　　のれん：¥12,500,000 − (¥28,500,000 − ¥16,500,000) = ¥500,000

（借）諸資産	28,500,000	（貸）諸負債	16,500,000
のれん	500,000	資本金	12,500,000

申込証拠金　建設業・論点

新株式の発行を決定すると，新株式の発行条件を広告して株主を募集します。株式を引き受けようと思う人は現金を添えて株式を申し込みます。この現金を**新株式申込証拠金**といいます[06]。

06）単に「株式申込証拠金」とすることもあります。

申込証拠金の受取と株式の割当

申込証拠金は株式の割当が済むまでは一種の預り金なので，他の資金と区別するために，**別段預金勘定**で処理しておきます。また，会社は新株式の引受の状況を判断して新株の割当をしますが，このとき株式を割り当てられなかった人には申込証拠金を返却します。

なお，会社法上，**払込期日に株主となる**ため，**資本金に振り替える**仕訳を行います。

取引例

Q 次の取引について仕訳を示しなさい。

①新株発行にあたり，申込証拠金 ¥5,000,000 が払い込まれ，これを別段預金とした。

②本日，申込証拠金 ¥5,000,000 のうち ¥4,000,000 を資本金に振り替え，残りは小切手を振り出して返金した。なお，別段預金は当座預金に預け替えた。

A

①	（借）	別段預金	5,000,000	（貸）	新株式申込証拠金	5,000,000
②	（借）	当座預金	5,000,000	（貸）	別段預金	5,000,000
	（借）	新株式申込証拠金	5,000,000	（貸）	資本金	4,000,000
					当座預金	1,000,000

減資（げんし） 建設業・論点

減資とは 減資とは，**会社設立後に資本金を減少させること**をいいます。

減資の方法 **①株式の買入消却（実質的減資）**

株式の買入消却とは会社が株主から株式を買い戻し，その株式を消却することです。株式を消却することにより，資本金は減少します。

②欠損填補（形式的減資）

欠損填補とは，会社の資本金を取り崩すことにより，会社の損失を補うことです。欠損填補することにより資本金は減少しますが，現金が社外に流出することはありません。

取引例

Q 次の取引について仕訳を示しなさい。

①東京建設（資本金 ¥40,000，発行済株式数　500 株）は，株主総会の決議にもとづき資本金 ¥2,000 を減少することとした。

②①の後，発行済株式のうち 50 株を 1 株につき ¥38 で買入消却（自己株式の取得と同時に消却）した。なお，代金は小切手を振り出して支払った。

A

①	（借）	資本金	2,000	（貸）	資本金減少差益[07]	2,000
②	（借）	資本金減少差益	1,900	（貸）	当座預金	1,900

（ア）と（イ）の仕訳を合算すると②の仕訳になります。

（ア）自己株式の買入れ

（借）自己株式[08]　1,900　（貸）当座預金　1,900

（イ）自己株式の消却

（借）資本金減少差益　1,900　（貸）自己株式　1,900

07）減資差益とすることもあります。

08）自己株式とは，自社の発行している株式を自社で取得することで計上されます。

例題 株式の発行

解答解説 P.1-214

次の取引の仕訳を示しなさい。

① 株式会社設立にあたり，株式 100 株を 1 株 ¥65,000 で発行し，全額の払込みを受けて当座預金とした。
② 株式会社設立にあたり，株式 100 株を 1 株 ¥55,000 で発行し，全額の払込みを受けて当座預金とした。ただし，会社法の規定する最低額を資本金に組み入れることとする。
③ 増資にさいし，株式 100 株を 1 株の発行価額 ¥80,000 で発行し，全額の払込みを受けて当座預金とした。また，新株発行のために直接支出した費用として，¥90,000 の小切手を振り出し支払っている。
④ 増資にさいし，株式 100 株を 1 株の発行価額 ¥80,000 で発行し，全額の払込みを受けて当座預金とした。ただし，会社法の規定する最低額を資本金に組み入れる。

解答欄

①	(借)		(貸)	
②	(借)		(貸)	
③	(借) (借)		(貸) (貸)	
④	(借)		(貸)	

コラム 工事進行基準を悪用！東芝不正経理事件（2015年）

請負金額200億円、見積総工事原価120億円、当期発生原価30億円としたとき、当期の工事収益は次のように計算しますね。

$$\text{正しい工事収益} = \frac{30\text{億円}}{120\text{億円}} \times 200\text{億円} = 50\text{億円}$$

「これでは利益が足りない！チャレンジしろ！」と言われた社員は見積総工事原価を下げにかかります。仮に見積総工事原価を100億円に下げたとすると、
当期の工事収益は次のようになります。

$$\text{不正な工事収益} = \frac{30\text{億円}}{100\text{億円}} \times 200\text{億円} = 60\text{億円}$$

“チャレンジ”の結果、工事収益は10億円アップし、さらに当期発生工事原価は30億円のままなので、そのまま当期の工事利益のアップとして処理することになります。

これは、明らかに『不正』ですね。

Chapter 12

決算と財務諸表

決算を迎えました。期中取引を見直し，決算のための整理事項を仕訳します。ここでは，整理記入をしやすいように精算表を利用して，貸借対照表と損益計算書を完成させましょう。

Chapter 12 では，Section 1 で決算整理の処理を学習します。Section 2 では，精算表を必ず押さえてください。Section 3 では今まで学んだところが財務諸表のどこにあたるのかを注意しながら，全体像をつかんでください。

Section 1

さあ，何をいくら持っているのか，どれだけ儲けたのか，ハッキリさせよう。　重要度 ◈◈◈

決算整理と帳簿の締切り

はじめに マイさんにとって，初めての決算日がきました。

マイさん：決算って，どんな風に忙しいんですか？

加藤さん：まず，期中の処理がまちがっていないかをチェックしないとだし，次に決算の資料集め，そして決算整理をしたり，帳簿を締め切ったりするんだよ。

マイさん：私のしてきた処理は大丈夫かなぁて。

加藤さん：大丈夫だと思うよ。頑張ってきたからね。

マイさん：ありがとうございます…。

決算整理事項

決算日で締め切って，その期の経営成績を明らかにするために損益計算書を作成し，決算日の財政状態を明らかにするために資産や負債，資本（純資産）の残高を計算して貸借対照表を作成します。この手続を**決算**といいます。

期中には正しく処理を行っていても，決算にあたって修正を必要とする事項を**決算整理事項**といいます。主な決算整理事項は次のとおりです。

減価償却費の計上，引当金の計上，費用・収益の見越・繰延，
工事原価の算定，仮設撤去費の計上など

減価償却費の計上 本社建物などの減価償却は期中には行わず，決算整理事項として処理します（ただし工事用設備の減価償却費は工事原価算定のため月次決算で計上されます）。

引当金の計上 引当金は決算時に見積もられます。

取引例

Q　次の決算整理事項に関する仕訳を示しなさい。

期末売上債権の２％で貸倒引当金を設定する。当社の完成工事未収入金残高は ¥3,000,000，受取手形残高は ¥1,000,000，貸倒引当金残高は ¥60,000である（差額補充法）。

A

（借）貸倒引当金繰入額	20,000	（貸）貸倒引当金	20,000[01]

01）(¥3,000,000＋¥1,000,000)×2%−¥60,000＝¥20,000

費用・収益の見越・繰延 借入金の利息などは，利払日と決算日が一致するとは限りません。

そこでこれらの費用，収益が会計期間に対応するように調整する必要があります。これを費用・収益の見越・繰延といい，決算整理で処理されます。

取引例

Q　次の取引に関する決算整理仕訳を示しなさい。

当期首（4/1）に¥100,000を借り入れた（利率年4％，利払日6月末日）。

6/30の仕訳	(借)	支払利息	1,000[02]	(貸) 当座預金	1,000

当期に負担する利息は¥4,000[03]です。しかし，支払利息勘定には6月30日に支払った¥1,000しか記帳されていません。そこで7月1日から3月31日までの利息を決算整理で追加計上します。

A 決算整理仕訳	(借)	支払利息	3,000[04]	(貸) 未払利息	3,000

02) $¥100,000 \times 4\% \times \frac{3カ月}{12カ月} = ¥1,000$

03) $¥100,000 \times 4\% = ¥4,000$

04) $¥100,000 \times 4\% \times \frac{9カ月}{12カ月} = ¥3,000$

仮設撤去費（かせつてっきょひ）の計上

建設業・論点

仮設建物などの仮設物は工事が完成すれば撤去され，次の工事現場で使用されます。この仮設物の撤去にかかる費用を仮設撤去費といいます。仮設撤去費は決算において見越計上されることがあります。この場合，支払いは確定していませんが，実務上の慣行となっているため，工事未払金勘定で処理します。

取引例

Q　次の決算に関する仕訳を示しなさい。

決算につき，完成工事にかかる仮設撤去費の未払分 ¥5,000を計上する。

A (借)	未成工事支出金	5,000	(貸) 工事未払金	5,000

帳簿の締切り

会社は会計期間が終了すると，次の会計期間に備えて帳簿を締め切ります。

損益計算書項目の締切り

収益・費用項目は損益勘定に集合させます。

(1)　収益勘定の残高を損益勘定の貸方に振り替えます。

↓

(2)　費用勘定の残高を損益勘定の借方に振り替えます。

↓

(3)　損益勘定の貸借差額を繰越利益剰余金勘定へ振り替えます。

↓

(4)　収益・費用・損益勘定を締め切ります。

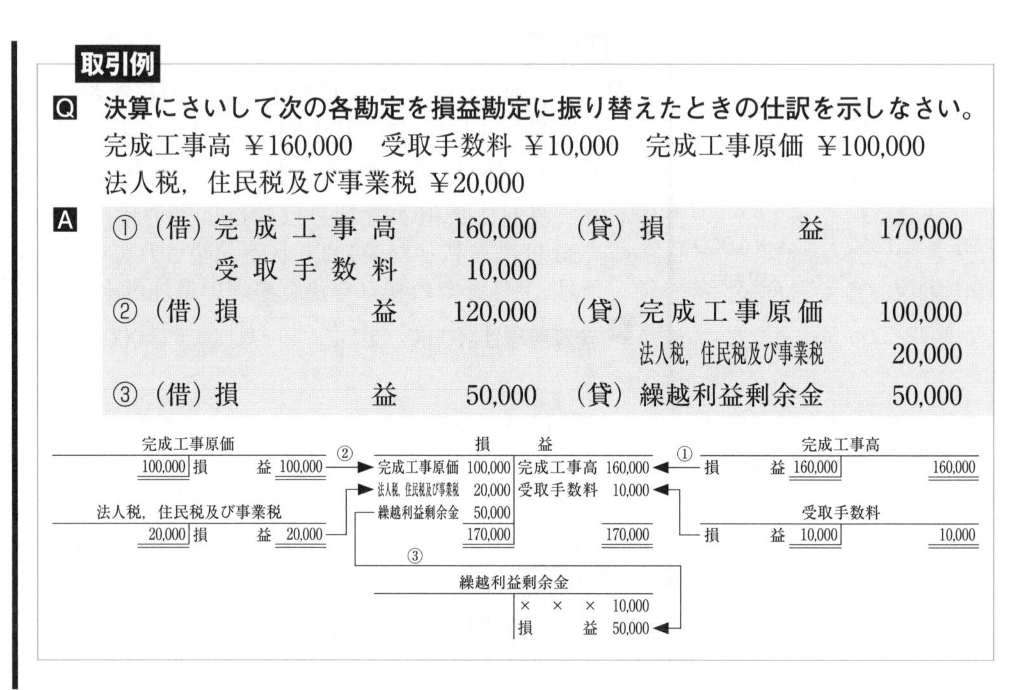

取引例

Q 決算にさいして次の各勘定を損益勘定に振り替えたときの仕訳を示しなさい。
完成工事高 ￥160,000　受取手数料 ￥10,000　完成工事原価 ￥100,000
法人税，住民税及び事業税 ￥20,000

A

		借方科目	金額		貸方科目	金額
①	(借)	完成工事高	160,000	(貸)	損益	170,000
		受取手数料	10,000			
②	(借)	損益	120,000	(貸)	完成工事原価	100,000
					法人税，住民税及び事業税	20,000
③	(借)	損益	50,000	(貸)	繰越利益剰余金	50,000

貸借対照表項目の締切り ● 資産・負債・資本(純資産)項目は残高勘定に集合させます。

(1)　資産の各勘定の残高を残高勘定[05]の借方に振り替えます。

↓

(2)　負債･資本（純資産）の各勘定の残高を残高勘定[05]の貸方に振り替えます。

↓

(3)　資産・負債・資本（純資産）の各勘定と残高勘定を締め切ります。

05）大陸式の締切方法を前提としています。英米式の締切方法では次期繰越として帳簿を締め切るだけで，振替仕訳は行いません。

取引例

Q 決算にさいして次の各勘定を残高勘定に振り替えたときの仕訳を示しなさい。
現　　金 ￥100,000　受取手形 ￥500,000　借入金 ￥340,000
資本金 ￥200,000　繰越利益剰余金 ￥60,000

A

		借方科目	金額		貸方科目	金額
①	(借)	残高	600,000	(貸)	現金	100,000
					受取手形	500,000
②	(借)	借入金	340,000	(貸)	残高	600,000
		資本金	200,000			
		繰越利益剰余金	60,000			

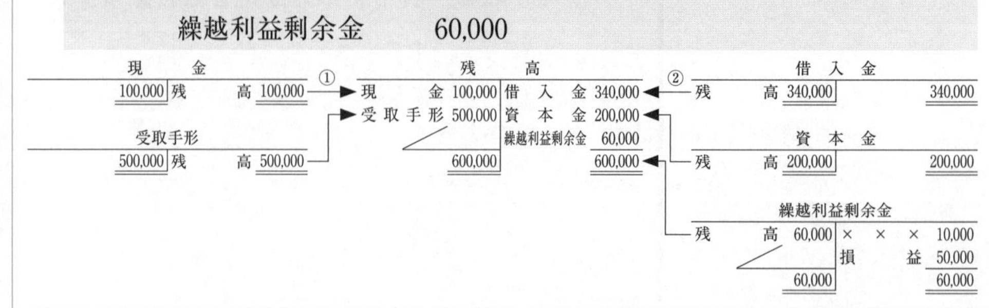

精算表の作成

はじめに 決算日，マイさんは“精算表”を見ました。

マイさん：ずいぶん細かい表ですよね。こんなに細かい表に数値を書き込んでいたら，私，目，悪くなっちゃう。

加藤さん：大丈夫だよ。

マイさん：私，こうみえてもコンタクトしてるんですよ。

加藤さん：だったら，ますます大丈夫。

マイさん：でも…。

加藤さん：つべこべ言わずに，さっさと仕事しなさい。

精算表（せいさんひょう）とは

残高試算表と決算整理仕訳により，**損益計算書と貸借対照表を作成するプロセスを一覧表の形で示したもの**を精算表といいます。

精算表の作成手順

精算表は，帳簿上で決算を行う前に，決算整理前残高試算表の金額を基礎として損益計算書，貸借対照表の金額を概観するために作成される計算表です。これは次の手順で作成します。

精算表の作成手順

(1) 整理記入欄において，決算整理仕訳を行います。
(2) 各勘定科目の決算整理後の残高を計算し，損益計算書欄[01]，貸借対照表欄[02]に移記します。
(3) 損益計算書欄を合計し，貸借差額で当期純利益を計算します。
(4) 当期純利益を貸借対照表欄に移記します。
(5) 貸借対照表欄を合計し，貸借の一致を確認して精算表を締め切ります。

01）損益計算書欄に移記される勘定科目は，収益と費用です。

02）貸借対照表欄に移記される勘定科目は，資産・負債および資本（純資産）です。

精算表の作成

精算表の作成手順のうち，２級で特に重要な⑴**減価償却費の計上**と⑵**完成工事原価の算定**について説明します。

(1)減価償却費の計上

〈残高試算表〉

機械装置　¥200,000　機械装置減価償却累計額　¥81,000
備　　品　¥ 80,000　備品減価償却累計額　¥12,000

〈決算整理事項〉

減価償却費：工事現場用機械装置…¥24,600(付記事項参照)
一般管理用備品…定率法（償却率 0.25），販売費及び一般管理費として処理する。

〈付記事項〉

同社の月次原価計算において，機械装置の減価償却費について月額¥2,000 の予定計算を実施している。これについては，当期の予定計上額と実際発生額との差額は当期の工事原価(未成工事支出金)に加減するものとする。

1．機械装置：機械装置の減価償却費は，工事原価の一部なので未成工事支出金勘定で処理します[03]。

03）２級の精算表作成問題は代表科目仕訳法で出題されています。

会計期間中，**月次決算時**[04]**に減価償却費を予定額で計上**しています。したがって，未成工事支出金勘定の残高にはすでに１年分の減価償却費予定額が含まれています。

04）月次決算時の仕訳
（借）未成工事支出金　2,000
（貸）機械装置減価償却累計額　2,000

減価償却費予定額：¥2,000 × 12 カ月 = ¥24,000

しかし，実際の減価償却費は ¥24,600 ですから，不足額の ¥600 を追加計上する必要があります。

（借）未成工事支出金　600　（貸）機械装置減価償却累計額　600

2．備品：備品の減価償却費は一般管理費なので，販売費及び一般管理費[05]として処理します。

05）(¥80,000 − ¥12,000) × 0.25 = ¥17,000

（借）販売費及び一般管理費　17,000　（貸）備品減価償却累計額　17,000

精　算　表　(単位：円)

勘定科目	残高試算表		整理記入		損益計算書		貸借対照表	
	借方	貸方	借方	貸方	借方	貸方	借方	貸方
機械装置	200,000						200,000	
備品	80,000						80,000	
機械装置減価償却累計額		81,000	⊕	600				81,600
備品減価償却累計額		12,000	⊕	17,000				29,000
未成工事支出金	×××		600					
販売費及び一般管理費	×××		17,000					

(2)完成工事原価の算定

〈残高試算表〉

未成工事支出金　¥173,000

〈決算整理事項〉

① 材料の棚卸減耗損¥700を工事原価に算入する。
② 完成工事にかかる仮設撤去費の未払分¥17,000を計上する。
③ 未成工事支出金の次期繰越額は¥59,300である。

残高試算表の未成工事支出金の金額は月次損益で計上された原価を集計したものです。これに決算整理事項を加え，工事原価を修正し，完成工事原価を計算します。

①（借）	未成工事支出金	700	（貸）材料貯蔵品	700
②（借）	未成工事支出金	17,000	（貸）工事未払金	17,000

完成工事原価はボックス図を用いて貸借差額で算定します。

未成工事支出金

借方		貸方	
残高試算表	173,000	完成工事原価	132,000
①	700		
②	17,000	次期繰越	59,300
(1)より	600		

③（借）	完成工事原価	132,000	（貸）未成工事支出金	132,000

精算表　(単位：円)

勘定科目	残高試算表		整理記入		損益計算書		貸借対照表	
	借方	貸方	借方	貸方	借方	貸方	借方	貸方
未成工事支出金	173,000		① 700 ② 17,000 (1) 600	③ 132,000			59,300	
完成工事原価			③ 132,000		132,000			

おわりに

マイさん：加藤さん，終わりました。私ふらふらです。
加藤さん：おお，よくやったね。どれどれ…ん？　借方と貸方が合ってないじゃないか！　やり直しっ！
マイさん：えーっ。がんばったのにー。
加藤さん：いくら頑張っても，借方と貸方が合ってないとどうしようもないじゃないか。
マイさん：はい…。

例題 精算表の作成

解答解説 P.1-215

次の資料にもとづいて精算表を完成しなさい(決算年1回)。

〈決算整理事項〉

(1) 売上債権の期末残高の2％の貸倒れを見積もる（差額補充法)。

(2) 有価証券の帳簿価額を ¥40,000 に評価替えする。

(3) 減価償却費を次のとおり計上する（残存価額：取得原価の10％)。ただし，機械および車両の減価償却に関しては付記事項を参照する。

現場用：	機械	¥400,000	耐用年数 10 年	定率法（償却率 0.250)
	車両	¥250,000	耐用年数 5 年	定額法
一般管理部門：	建物	¥320,000	耐用年数 30 年	定額法

(4) 完成工事補償引当金を当期の完成工事高に対し1％を計上する。

(5) 退職給付引当金を次のとおり計上する。ただし，現場技術者の退職給付引当金繰入額に関しては付記事項を参照する。

現場技術者等（現場） ¥3,080　　管理部門従事者 ¥1,470

(6) 完成工事に対する仮設撤去費 ¥5,200 を計上する。

(7) 仮受金は工事請負代金の前受分である。

(8) 販売費及び一般管理費のなかに保険料の前払分 ¥600 が含まれている。また，このほかに家賃（事務所）の未払分 ¥900 がある。

(9) 未成工事支出金の次期繰越高 ¥39,800 である。

(10) 法人税等の計上は，税引前当期純利益の50％とする。ただし，その未払額は仮払法人税等 ¥16,200 と相殺して計算する。

〈付記事項〉

なお，当社では月次計算において機械および車両の減価償却費を各々の月額 ¥4,690， ¥3,700 として予定計算している。

また，現場技術者の退職給付引当金繰入額も月額 ¥250 として予定計算している。よって，当期の予定額と実際発生額との差額は当期の未成工事支出金に加減する。

解答欄

精　算　表

（単位：円）

勘定科目	試算表		整理記入		損益計算書		貸借対照表	
	借方	貸方	借方	貸方	借方	貸方	借方	貸方
現金	16,070							
当座預金	43,500							
受取手形	57,400							
完成工事未収入金	61,600							
有価証券	40,100							
材料貯蔵品	5,700							
未成工事支出金	73,100							
仮払法人税等	16,200							
機械装置	400,000							
車両運搬具	250,000							
建物	320,000							
仮受金		5,800						
支払手形		35,400						
工事未払金		32,600						
未成工事受入金		25,600						
貸倒引当金		1,700						
機械装置減価償却累計額		231,280						
車両運搬具減価償却累計額		179,400						
建物減価償却累計額		115,200						
退職給付引当金		23,100						
資本金		400,000						
利益準備金		42,000						
別途積立金		61,000						
繰越利益剰余金		6,700						
完成工事高		671,000						
受取利息		1,220						
完成工事原価	483,000							
販売費及び一般管理費	62,100							
支払利息	1,350							
固定資産売却損	1,880							
	1,832,000	1,832,000						
貸倒引当金繰入額								
有価証券評価損								
（　　　）引当金								
（　　　）保険料								
（　　　）賃借料								
法人税，住民税及び事業税								
未払法人税等								
仮計								
当期純利益								

財務諸表

はじめに　マイさんは，ようやく精算表を完璧に仕上げました。
加藤さん：マイちゃん，よくやったね。えらい，えらい。
マイさん：だって，加藤さん，恐かったから…。
加藤さん：あれは，マイちゃんならできると思ったんだよ。
マイさん：そうですか。私って期待されているんですね。
加藤さん：そうそう。あとは財務諸表を揃えるだけだね。
マイさん：えっ，まだあるんですか。

財務諸表とは

財務諸表とは，会社の１会計期間における経営活動の成果を株主等の利害関係者に報告するために作成される書類をいいます。作成すべき財務諸表の種類は関連する法規によって異なりますが，いずれの場合でも**損益計算書**と**貸借対照表**は必ず作成しなければならないものです。

会社計算規則（会社法）	財務諸表等規則（金融商品取引法）	建　設　業　法
①　貸借対照表	①　貸借対照表	①　貸借対照表
②　損益計算書	②　損益計算書	②　損益計算書
③　株主資本等変動計算書	③　キャッシュ・フロー計算書	③　株主資本等変動計算書
④　個別注記表	④　株主資本等変動計算書	④　個別注記表
	⑤　附属明細表	

損益計算書とは

損益計算書とは，会社の１会計期間における経営成績を報告するための書類です。その形式には勘定式と報告式がありますが，報告式が多く用いられています。

報告式の損益計算書は，収益・費用の項目を同じような性格をもつグループ(区分)に分類し，それを順次対応させることにより，性格の異なる利益を計算・表示するところに大きな特徴があります。

〈報告式〉

損益計算書

○○建設株式会社　自×年4月1日　至×年3月31日　(単位：円)

Ⅰ　完成工事高		410,000
Ⅱ　完成工事原価		327,580
完成工事総利益[01]		82,420
Ⅲ　販売費及び一般管理費[02]		
給料手当	23,000	
退職金	18,000	
法定福利費	700	
修繕維持費	800	
事務用消耗品費	450	
旅費交通費	200	
水道光熱費	300	
広告宣伝費	2,000	
貸倒引当金繰入額	800	
支払地代	8,000	
減価償却費	10,000	
雑費	1,700	65,950
営業利益[03]		16,470
Ⅳ　営業外収益		
受取利息	1,830	
仕入割引	1,400	3,230
Ⅴ　営業外費用		
支払利息	700	
売上割引	900	
有価証券評価損	200	1,800
経常利益[03]		17,900
Ⅵ　特別利益[04]		
固定資産売却益	3,800	3,800
Ⅶ　特別損失[04]		
投資有価証券売却損	800	800
税引前当期純利益		20,900
法人税・住民税及び事業税		10,450
当期純利益		10,450

01）損益計算書では，まず完成工事高とその直接の費用である完成工事原価を表示して，完成工事総利益を計算します。

02）販売費及び一般管理費は，その企業の主たる営業活動によって発生した費用で，それを完成工事総利益から控除した営業利益は，主たる営業活動から得た利益です。

03）営業利益が主たる営業活動によってあげられた利益であるのに対して，営業外損益は資金の運用益や支払利息などの財務活動によって発生する損益です。このため，経常利益は企業の期間利益を総体的に示す数字として収益力を判断するのに使われます。

04）特別損益は，事故による損失や固定資産売却益などの臨時的な損益項目からなり，これらを加減した結果の税引前当期純利益はその企業のすべての収益と費用を集計して計算した利益となります。

貸借対照表とは

貸借対照表とは，**決算日における会社の財政状態を報告するための書類**です。その形式には勘定式と報告式がありますが，勘定式が多く用いられています。

勘定式の貸借対照表は，会社の一定時点における資産と，その調達源泉である負債と純資産を対照表示するものです。

〈勘定式〉

貸借対照表

○○建設株式会社　　×年3月31日現在　　(単位：円)

資産の部			負債の部		
Ⅰ 流動資産[05][06]			Ⅰ 流動負債[05][06]		
現金預金		21,900	支払手形		48,000
受取手形		58,000	工事未払金		26,000
完成工事未収入金		32,000	未払法人税等		5,350
有価証券		25,400	未払費用		400
未成工事支出金		52,600	未成工事受入金		30,000
材料貯蔵品		8,800	完成工事補償引当金		410
前払費用		300	流動負債合計		110,160
未収収益		200	Ⅱ 固定負債		
貸倒引当金[07]		△1,800	退職給付引当金		16,330
流動資産合計		197,400	固定負債合計		16,330
Ⅱ 固定資産			負債合計		126,490
(1) 有形固定資産					
建物	500,000		純資産の部		
減価償却累計額[07]	△146,250	353,750	Ⅲ 株主資本		
機械装置	500,000		1 資本金		800,000
減価償却累計額[07]	△206,200	293,800	2 資本剰余金		
土地		109,000	(1) 資本準備金		20,000
有形固定資産計		756,550	3 利益剰余金		
(2) 投資その他の資産[08]			(1) 利益準備金	18,000	
投資有価証券		40,000	(2) その他利益剰余金		
投資その他の資産計		40,000	別途積立金	17,000	
固定資産合計		796,550	繰越利益剰余金	12,460	47,460
			純資産合計		867,460
資産合計		993,950	負債・純資産合計		993,950

05）主たる営業取引から発生した受取手形，支払手形，完成工事未収入金，工事未払金などは流動資産，流動負債とします。

06）その他の債権，債務は貸借対照表日の翌日から起算して１年以内に決済の期限が到来するものは流動，そうでないものは固定とします。

07）貸倒引当金，減価償却累計額の表示は間接控除形式で表示するのが原則です。

08）非売買目的で長期にわたり保有する有価証券，出資金などの“投資”と１年以内に返済期限の到来しない長期貸付金，長期前払費用，敷金，差入保証金などの“その他の資産”は“投資その他の資産”とします。具体的には次のものがあります。

- 投資有価証券
- 長期貸付金
- 投資不動産
- 子会社株式

流動項目，固定項目の分類基準

資産・負債項目の流動・固定はまず(1)**正常営業循環基準**で分類されます。そして営業循環過程に入らない資産は(2)**1年基準**で分類されます。

(1)正常営業循環基準（せいじょうえいぎょうじゅんかんきじゅん）

建設業・論点

正常営業循環基準とは，企業の主目的たる営業活動の循環過程（営業サイクル）の中に入る資産(負債)はすべて流動資産(流動負債)とする基準です。

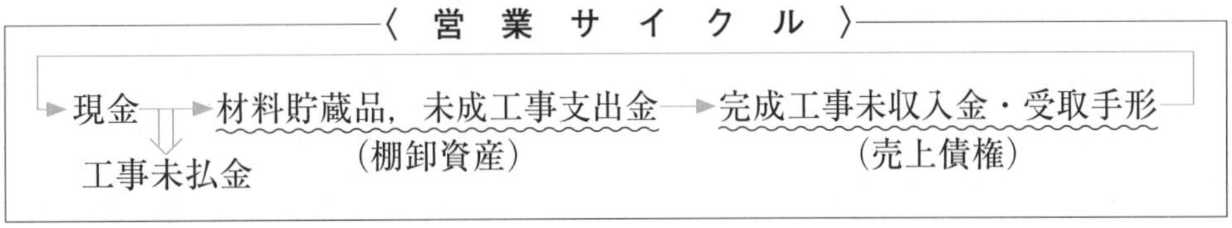

〈営業サイクル〉

現金 → 材料貯蔵品，未成工事支出金（棚卸資産） → 完成工事未収入金・受取手形（売上債権） → 現金

現金 ⇩ 工事未払金

(2)1年基準（いちねんきじゅん）

1年基準とは決算日の翌日から起算して1年以内に現金化される予定の資産（負債)を**流動資産(流動負債)**とし，1年を超えて現金化される予定の資産(負債)を**固定資産(固定負債)**とする基準です。

おわりに

マイさん：加藤さん，私もう決算は完璧です！
加藤さん：よくやったね。これでマイちゃんも一人前だね，と言いたいとこだけどうちの会社には支店もあるんだよ。
マイさん：えっ，支店って何かまた別のことやるんですか？
加藤さん：じゃあ，札幌支店へ行ってみようか。

例題 財務諸表の作成

解答解説 P.1-217

下記の資料により，株式会社 NS 工務店の貸借対照表，損益計算書を作成しなさい。(単位：円)

勘定科目	金額	勘定科目	金額	勘定科目	金額
貸倒引当金	1,800	現金預金	31,200	支払手形	48,000
完成工事原価	327,580	受取手形	58,000	退職金	5,500
資本金	800,000	給料手当	5,000	工事未払金	26,000
雑費	1,950	有価証券	25,400	完成工事高	410,000
退職給付引当金	16,330	広告宣伝費	15,000	未払費用	400
未成工事支出金	52,600	未払法人税等	5,350	減価償却費	25,000
未成工事受入金	30,000	建物	500,000	利益準備金	18,000
資本準備金	20,000	完成工事補償引当金	410	旅費交通費	12,700
建物減価償却累計額	146,250	受取利息	1,900	法人税，住民税及び事業税	10,450
仕入割引	1,330	支払利息	900	別途積立金	17,000
繰越利益剰余金	12,460	機械装置	500,000	有価証券評価損	200
投資有価証券	40,000	売上割引	700	土地	109,000
固定資産売却益	4,000	機械装置減価償却累計額	206,200	投資有価証券売却損	1,000
税引前当期純利益	20,900	当期純利益	10,450		

解答欄

貸借対照表

株式会社 NS 工務店　　×年3月31日現在　　(単位：円)

資産の部			負債の部		
I 流動資産			I 流動負債		
現金預金		31,200	支払手形		(　　)
受取手形		(　　)	(　　)		26,000
完成工事未収入金		32,000	未払法人税等		5,350
貸倒引当金		(　　)	未払費用		400
有価証券		(　　)	未成工事受入金		(　　)
(　　)		52,600	完成工事補償引当金		(　　)
流動資産合計		(　　)	流動負債合計		(　　)
			II 固定負債		
			(　　)		16,330
II 固定資産			固定負債合計		(　　)
(1) 有形固定資産			負債合計		(　　)
建物	500,000				
減価償却累計額	△146,250	(　　)	純資産の部		
機械装置	(　　)		I 株主資本		
減価償却累計額	(　　)	293,800	1 資本金		800,000
土地		109,000	2 資本剰余金		
有形固定資産計		(　　)	(1) 資本準備金		20,000
(2) 投資その他の資産			3 利益剰余金		
投資有価証券		(　　)	(1) 利益準備金	18,000	
投資その他の資産計		(　　)	(2) その他利益剰余金		
固定資産合計		(　　)	別途積立金	17,000	
			繰越利益剰余金	(　　)	(　　)
			純資産合計		(　　)
資産合計		(　　)	負債・純資産合計		(　　)

損益計算書

株式会社 NS 工務店　　自×年４月１日　至×年３月31日　　（単位：円）

Ⅰ　完成工事高		(　　　)
Ⅱ（　　　）		327,580
完成工事総利益		(　　　)
Ⅲ　販売費及び一般管理費		
（　　　）	(　　　)	
退職金	5,500	
旅費交通費	(　　　)	
広告宣伝費	(　　　)	
貸倒引当金繰入額	800	
減価償却費	(　　　)	
雑費	(　　　)	(　　　)
営業利益		(　　　)
Ⅳ　営業外収益		
受取利息	(　　　)	
（　　　）	1,330	(　　　)
Ⅴ　営業外費用		
支払利息	(　　　)	
（　　　）	700	
有価証券評価損	(　　　)	(　　　)
経常利益		(　　　)
Ⅵ　特別利益		
固定資産売却益		(　　　)
Ⅶ　特別損失		
（　　　）		1,000
税引前当期純利益		(　　　)
法人税・住民税及び事業税		(　　　)
当期純利益		(　　　)

Chapter 13

本支店会計

会社は，規模が大きくなると本店のほかに支店を持ちます。支店での取引を本店で会計処理すると煩雑(はんざつ)になるので，支店は独自の帳簿を持ち，会計処理を行います。このとき，本店と支店との取引の処理に気をつけてください。

Chapter 13では，本店と支店の間の取引仕訳について押さえてください。

Section 1　本店にとって支店勘定は，支店にある資産を表している。　重要度 ◈

本店・支店間の取引

はじめに

NS 工務店は，東京に本店があります。そして，支店が札幌にあり，さらに福岡にも開設しようとしています。マイさんは，加藤さんに連れられて，初めての出張で札幌支店に行きました。

マイさん：加藤さん，せっかく札幌に来たんだから，ラーメン食べに行きましょう。
加藤さん：帰りにね。それより，本店と支店との取引ってわかってる？
マイさん：本店の会計処理と支店の会計処理って，どこか違うんですか？
加藤さん：支店には資本にあたる科目がないんだよ。その代わりをするのが本店勘定。それに対応しているのが本店にある支店勘定。
マイさん：う～ん。ややこしい。でも自分で自分の勘定をもっていても，しょうがないですものね。

本支店会計とは

01）これに対して本店のみが帳簿を持ち，支店におけるすべての取引を本店で処理する制度を**本店集中会計制度**といいます。

支店を開設した場合，すべての会計処理を本店で行うよりも，それぞれの支店に帳簿（仕訳帳，総勘定元帳）を設け，支店ごとに会計処理を分担させるほうが効果的です。支店が帳簿を持つことで，支店は独自の経営成績の把握や，財産管理ができるようになるからです。

このように，支店が独自の帳簿を持ち，独立して会計処理を行う本支店会計の制度を**支店独立会計制度**[01]といいます。

本支店間の取引

(1)本店勘定と支店勘定

02）支店勘定は**支店に対する投資額を意味する**ので，資産の勘定としての性格をもち，借方残高となります。

03）本店勘定は**本店からの出資額を意味する**ので，資本としての性格をもち，貸方残高となります。

04）このような性質をもつ勘定を照合勘定といいます。

本店と支店との間で発生する取引は，支店勘定[02]（本店に設置）および本店勘定[03]（支店に設置）を設けて処理します。この本店勘定と支店勘定は**本店と支店の取引の窓口となる勘定**で，本支店間の取引は常にこの勘定を用いて処理します。

したがって**本店勘定と支店勘定の残高は貸借逆で一致**します[04]。

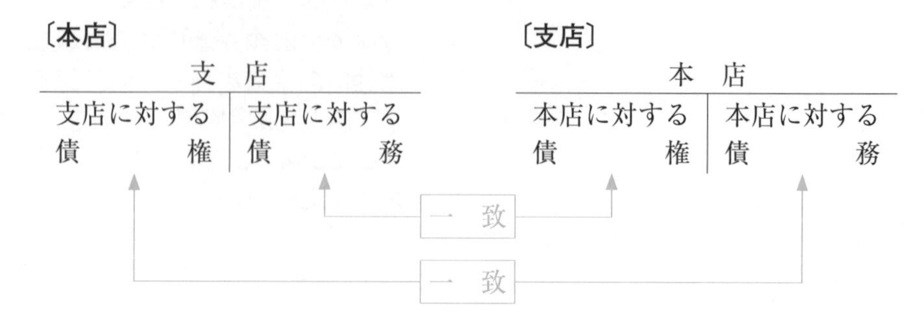

(2)支店の開設

本店が支店を開設することにより，本支店間の取引が始まります。

そして最初に行われる取引は，これまで本店の帳簿に記帳されていた資産や負債を支店の帳簿に移し，差額を支店勘定や本店勘定に計上することです。

取引例

Q **次の取引を本店および支店の立場から仕訳しなさい。**

福岡に支店を開設し，これまで本店の帳簿に記帳していた本店の現金 ¥300,000, 建物 ¥10,000,000, 工事未払金 ¥1,000,000 を支店の帳簿に移し，支店はこれを記帳した。

A

本店[05]：	(借) 福岡支店	9,300,000	(貸) 現金	300,000
	工事未払金	1,000,000	建物	10,000,000
支店[06]：	(借) 現金	300,000	(貸) 本店	9,300,000
	建物	10,000,000	工事未払金	1,000,000

〔本店〕 福岡支店

借方	貸方
諸　口 9,300,000	

〔支店〕 本　店

借方	貸方
	諸　口 9,300,000

一　致

05）本店は支店との取引を支店勘定で処理します。この場合，現金や建物などの減少にともない福岡支店勘定を増加させます（福岡支店勘定は借方残高）。

06）支店は本店との取引を本店勘定で処理します。この場合，現金や建物などの増加にともない本店勘定を増加させます（本店勘定は貸方残高）。

(3)本支店間の立替取引

取引例

Q **次の取引を本店および支店の立場から仕訳しなさい。**

福岡支店は東京本店の工事未払金 ¥150,000 を現金で支払い，東京本店はこの連絡を受けた。

A

本店[07]：	(借) 工事未払金	150,000	(貸) 福岡支店	150,000
支店[08]：	(借) 本店	150,000	(貸) 現金	150,000

〔本店〕 福岡支店

借方	貸方
9,300,000	工事未払金 150,000
	残　高 9,150,000

〔支店〕 本　店

借方	貸方
現　金 150,000	9,300,000
残　高 9,150,000	

一　致

07）本店は工事未払金勘定を減少させ，福岡支店勘定を同時に減少させます。この取引は福岡支店が本店の工事未払金を立替払いしたと考えて処理します。

08）福岡支店は現金勘定を減少させ，本店勘定を同時に減少させます。

(4)材料の搬送取引(はんそうとりひき)

①原価を振替価額とする方法

取引例

Q　東京本店は札幌支店の倉庫に材料￥10,000を原価のままで搬入した。

A

本店：	(借)札幌支店	10,000	(貸)材料	10,000
支店：	(借)材料	10,000	(貸)本店	10,000

②原価に一定の利益を加算した価額を振替価額とする方法

取引例

Q　**次の取引を本店および支店の立場から仕訳しなさい。**

本店は材料（原価 ￥10,000，振替価額 ￥12,000）を札幌支店の作業現場に搬入した。

A

本店：	(借)札幌支店	12,000	(貸)材料売上	12,000
	(借)材料売上原価	10,000	(貸)材料	10,000
支店：	(借)未成工事支出金[09]	12,000	(貸)本店	12,000

09）これは，代表科目仕訳法によります。費目別仕訳法によると材料勘定で処理されます。

(5)他店の債権・債務の決済取引

取引例 1

Q　**次の取引を本店および支店の立場から仕訳しなさい。**

東京本店は札幌支店の得意先の完成工事未収入金￥15,000を現金で回収し，支店は報告を受けた。

A

本店：	(借)現金	15,000	(貸)札幌支店	15,000
支店：	(借)本店	15,000	(貸)完成工事未収入金	15,000

取引例 2

Q　札幌支店は，東京本店の材料仕入代金の未払分を決済するための小切手￥10,000を振り出した。

A

本店：	(借)工事未払金	10,000	(貸)札幌支店	10,000
支店：	(借)本店	10,000	(貸)当座預金	10,000

(6)送金取引

資金を合理的に運用するため，資金に余裕のある店から，資金不足の店に送金する形で送金取引が行われます。

取引例

Q 次の取引を本店および支店の立場から仕訳しなさい。
東京本店から札幌支店に現金¥6,500が送金された。

A

本店：	(借) 札幌支店	6,500	(貸) 現金	6,500
支店：	(借) 現金	6,500	(貸) 本店	6,500

(7) 支店の固定資産・借入金取引

取引例

Q 次の取引を本店および支店の立場から仕訳しなさい。
①札幌支店は支店用のトラックを購入し，その代金¥850,000を支払うため小切手を振り出した[10]。
②東京本店は，札幌支店用の備品¥60,000を購入し，現金で支払った[11]。
(注) ただし，支店の固定資産や借入金は本店の管理下におくものとする。

A

① 本店：	(借) 車両運搬具	850,000	(貸) 札幌支店	850,000
支店：	(借) 本店	850,000	(貸) 当座預金	850,000
② 本店：	(借) 備品	60,000	(貸) 現金	60,000
支店：	仕訳なし[12]			

10) 本店の管理下にある支店の借入金取引も同様の処理を行います。
11) 支店で代金を支払った場合には，支店が本店の購入代金を立て替えたものとみなすため，次の仕訳となります。
本店：(借) 備品×× (貸) 支店××
支店：(借) 本店×× (貸) 現金××

12) 本店の管理下においているため，本店でまとめて記録します。

(8) 他店の費用・収益の立替取引

取引例

Q 次の取引を本店および支店の立場から仕訳しなさい。
①札幌支店は，東京本店の社員の出張旅費¥20,000を現金で立替払いした。
②札幌支店用の備品(本店の資産として計上している)の減価償却費¥5,000を本店で処理し，札幌支店の負担とした。

A

① 本店：	(借) 旅費交通費	20,000	(貸) 札幌支店	20,000
支店：	(借) 本店	20,000	(貸) 現金	20,000
② 本店：	(借) 札幌支店	5,000	(貸) 減価償却累計額	5,000
支店：	(借) 減価償却費	5,000	(貸) 本店	5,000

おわりに

マイさん：要は，本店と支店とが取引した場合，本店では支店勘定を，支店では本店勘定を使って会計処理をするんですね。
加藤さん：そのとおり。さすがマイちゃん。把握が早いね。
マイさん：でしょ。

例題　本支店間の取引　解答解説 P.1-219

次の取引を本支店両者の側から仕訳を示し，与えられた勘定に記入しなさい。なお，勘定記入するさいには取引番号と金額のみを示しなさい。

① 本店は支店へ現金 ¥100,000 を送付し，支店はこれを受け取った。
② 本店は支店の完成工事未収入金 ¥150,000 を現金で回収し，支店はこの報告を受けた。
③ 支店は本店の仕入先Ｂ商店へ工事未払金 ¥60,000 を現金で立替払いし，本店はこの報告を受けた。
④ 支店は本店の営業費 ¥30,000 を小切手を振り出して支払い，本店はこの連絡を受けた。
⑤ 本店は支店の作業現場に材料（原価 ¥100,000，振替価額 ¥130,000）を搬送した。なお，支店では工事原価の記帳について代表科目仕訳法を採用している。
⑥ 支店は銀行から ¥150,000 を借り入れ，ただちに当座預金に預け入れた。
ただし，支店の固定資産や借入金は本店の管理下におくものとする。
⑦ 支店のための借入金の支払利息（本店ですでに支払い記録済み）¥5,500 を支店の負担とした。

解答欄

①	本店	(借)		(貸)	
	支店	(借)		(貸)	
②	本店	(借)		(貸)	
	支店	(借)		(貸)	
③	本店	(借)		(貸)	
	支店	(借)		(貸)	
④	本店	(借)		(貸)	
	支店	(借)		(貸)	
⑤	本店	(借)		(貸)	
		(借)		(貸)	
	支店	(借)		(貸)	
⑥	本店	(借)		(貸)	
	支店	(借)		(貸)	
⑦	本店	(借)		(貸)	
	支店	(借)		(貸)	

支　　店	

本　　店	

Section 2

本店を中心にしたヤジロベー，重くなったり軽くなったり。　重要度 ◈◈

支店相互間の取引

はじめに　札幌支店に出張中のマイさんと福岡支店に出張中の加藤さんが，電話しています。

マイさん：札幌支店から福岡支店に現金を送ったんですけど，これって，どう処理すればいいんですか？

加藤さん：それぞれの支店勘定を「そこにある資産」と考えればいいんだよ。本店では，札幌支店が減って，福岡支店が増える。それぞれの支店では本店との取引として処理するから，これまでと同じだよ。

マイさん：これが、本店集中計算制度なんですね。

加藤さん：そうだよ。本店を通して処理しているだろ。

支店相互間取引

支店相互間取引とは，支店相互間で行われる企業内部の取引をいいます。支店相互間取引の会計処理方法には⑴**支店分散計算制度**と⑵**本店集中計算制度**があります[01]。

⑴　支店分散計算制度

支店分散計算制度[02]とは，それぞれの支店で**取引相手の支店勘定を用いて処理**する方法です。したがって，各支店には本店勘定と各支店勘定を設けます。

⑵　本店集中計算制度

本店集中計算制度[03]とは，支店相互間の取引を**本店と支店の取引と見なして処理**する方法です。各支店には本店勘定のみを設け，本店には各支店勘定を設けます。

01）支店分散計算制度，本店集中計算制度とSection 1で学習した支店独立会計制度，本店集中会計制度を混同しないようにしてください。

02）支店分散計算制度によると，支店間の取引が明確になりますが，本店が支店間の取引を直接把握できなくなります。

03）本店集中計算制度によると，本店で支店相互間のすべての取引を把握することができます。

取引例

Q　札幌支店は，福岡支店に対して現金 ¥120,000を送金した。このときの本店，札幌支店および福岡支店の仕訳を⑴支店分散計算制度および⑵本店集中計算制度により示しなさい。

A

(1)　支店分散計算制度

	借方	金額	貸方	金額
本　　店：	仕訳不要			
札幌支店：	(借) 福岡支店	120,000	(貸) 現金	120,000
福岡支店：	(借) 現金	120,000	(貸) 札幌支店	120,000

(2)　本店集中計算制度

	借方	金額	貸方	金額
本　　店：	(借) 福岡支店	120,000	(貸) 札幌支店	120,000
札幌支店：	(借) 本店	120,000	(貸) 現金	120,000
福岡支店：	(借) 現金	120,000	(貸) 本店	120,000

本店集中計算制度では，支店間取引を①札幌支店と本店の取引と②福岡支店と本店との取引とに分解します。

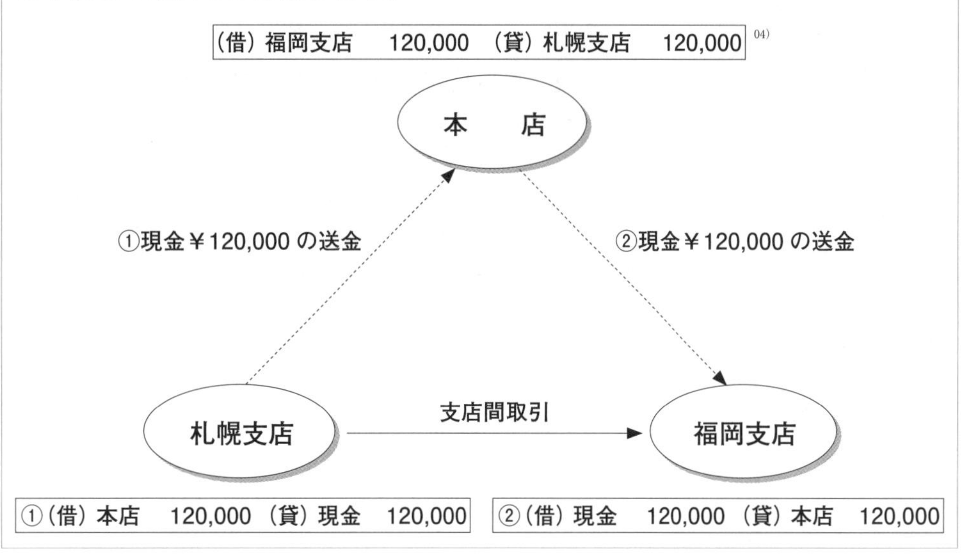

04）本店における各支店勘定と，各支店における本店勘定は，必ず貸借逆に記入します。

おわりに

マイさん：支店間で取引する場合，２通りの処理方法があるんですね。

加藤さん：でも，どちらも「支店＝そこにある資産」と考えれば，それを本店で把握するか，各支店が把握するかの違いに過ぎないんだよ。

マイさん：なるほど。支店分散計算制度では，各支店で把握しているんですね。

例題　支店相互間取引

解答解説 P.1-220

次の各取引について，⑴支店分散計算制度による場合と⑵本店集中計算制度による場合の本店，大阪支店および神戸支店のそれぞれの仕訳を示しなさい。なお，仕訳が不要の場合は「仕訳なし」と記入すること。

① 大阪支店は神戸支店へ現金 ¥3,300 を送金し，神戸支店はこれを受け取った。本店へは連絡済みである。
② 神戸支店は大阪支店の工事未払金 ¥500 を当座預金で立替払いした。大阪支店・本店へは連絡済みである。
③ 大阪支店は神戸支店の家賃 ¥1,000 を現金にて立替払いした。神戸支店・本店へは連絡済みである。

解答欄

⑴ 支店分散計算制度

①	本　店	(借)		(貸)	
	大阪支店	(借)		(貸)	
	神戸支店	(借)		(貸)	
②	本　店	(借)		(貸)	
	大阪支店	(借)		(貸)	
	神戸支店	(借)		(貸)	
③	本　店	(借)		(貸)	
	大阪支店	(借)		(貸)	
	神戸支店	(借)		(貸)	

⑵ 本店集中計算制度

①	本　店	(借)		(貸)	
	大阪支店	(借)		(貸)	
	神戸支店	(借)		(貸)	
②	本　店	(借)		(貸)	
	大阪支店	(借)		(貸)	
	神戸支店	(借)		(貸)	
③	本　店	(借)		(貸)	
	大阪支店	(借)		(貸)	
	神戸支店	(借)		(貸)	

Try it 解答解説

例題 財務諸表

問題 P.1-12

(1)

貸借対照表

京都商店 ×1年1月1日 (単位：円)

資産	金額	負債及び純資産	金額
(現金)	(***200,000***)	(借入金)	(***100,000***)
(建物)	(***400,000***)	(資本金)	(***500,000***)
	(***600,000***)		(***600,000***)

(2)

期首資本（純資産）	期末資本（純資産）	当期収益	当期費用	当期純利益[01]
250,000	(***270,000***)	90,000	70,000	(***20,000***)
300,000	330,000	123,000	(***93,000***)	(***30,000***)
(***180,000***)	225,000	(***130,000***)	85,000	45,000
315,000	(***380,000***)	185,000	(***120,000***)	65,000

01)
当期収益－当期費用＝当期純利益
期首資本（純資産）＋当期純利益＝期末資本（純資産）
という点が理解できれば空欄はパズルのように埋まります。

例題 貸借対照表・損益計算書

問題 P.1-17

(1)

貸 借 対 照 表

京都商店　×1年12月31日　(単位：円)

資産	金額	負債及び純資産	金額
(現金)	(220,000)	(工事未払金)	(170,000)
(完成工事未収入金)	(270,000)	(借入金)	(150,000)
(建物)	(400,000)	(資本金)	(500,000)
		(当期純利益)	(70,000)
	(890,000)		(890,000)

(2)

損 益 計 算 書

京都商店　×1年1月1日から×1年12月31日まで　(単位：円)

費用	金額	収益	金額
(完成工事原価)	(240,000)	(完成工事高)	(420,000)
(給料)	(120,000)	(受取手数料)	(15,000)
(支払利息)	(5,000)		
(当期純利益)	(70,000)		
	(435,000)		(435,000)

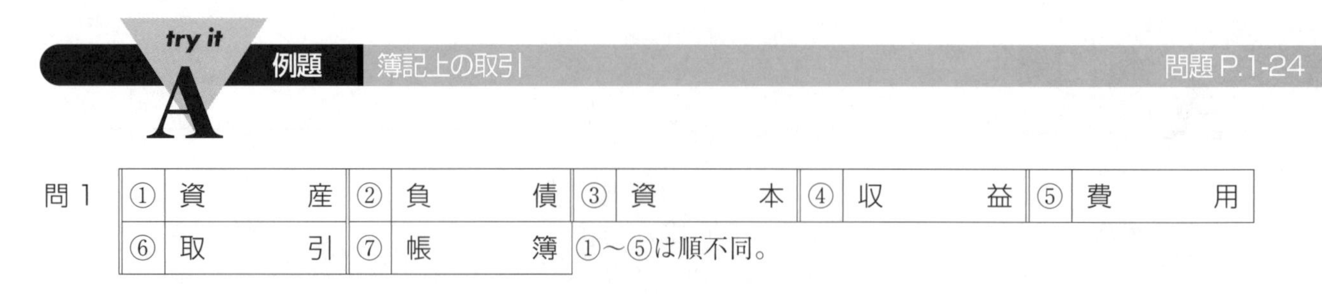

try it A 例題 簿記上の取引 問題 P.1-24

問 1

①	資　　産	②	負　　債	③	資　　本	④	収　　益	⑤	費　　用
⑥	取　　引	⑦	帳　　簿	①～⑤は順不同。					

問 2

(1), (3), (5), (6)

(2)の場合，受注を受けたこの段階では，資産・負債・資本（純資産）が増減していません。したがって簿記上の取引ではありません。

(4)は，一見すると取引のように見えます。しかし￥30,000 の家賃を実際に支払ったわけではないので，資産・負債・資本(純資産)は増減していません。したがって，これも簿記上の取引ではありません。

try it A 例題 仕　訳 問題 P.1-25

5.1	(借)	現　金	***20,000***	(貸)	資 本 金	***80,000***
		建　物 [01]	***60,000***			
5.6	(借)	現　金	***30,000***	(貸)	借 入 金	***30,000***
5.10	(借)	材　料	***10,000***	(貸)	現　金	***10,000***
5.14	(借)	現　金	***20,000***	(貸)	完成工事高	***20,000***
5.26	(借)	支払家賃	***5,000***	(貸)	現　金	***5,500***
		通 信 費	***500***			
5.31	(借)	借 入 金	***30,000***	(貸)	現　金	***32,000***
		支払利息 [02]	***2,000***			

01)「建物」は資産の勘定です。
02)「支払利息」は費用の勘定です。

例題 仕訳・転記

問題 P.1-26

日付	借方科目	金額	貸方科目	金額
7.1	(借) 現金	*200,000*	(貸) 資本金	*250,000*
	車両	*50,000*		
7.5	(借) 現金	*100,000*	(貸) 借入金	*100,000*
7.15	(借) 材料	*80,000*	(貸) 現金	*80,000*
7.20	(借) 現金	*150,000*	(貸) 完成工事高	*150,000*
7.24	(借) 給料	*30,000*	(貸) 現金	*35,000*
	支払家賃	*5,000*		
7.29	(借) 借入金	*100,000*	(貸) 現金	*102,000*
	支払利息	*2,000*		

現金

借方			貸方		
7/1	資本金	*200,000*	*7/15*	材料	*80,000*
5	借入金	*100,000*	*24*	諸口	*35,000* [01]
20	完成工事高	*150,000*	*29*	諸口	*102,000* [01]

借入金

借方			貸方		
7/29	現金	*100,000*	*7/5*	現金	*100,000*

資本金

借方			貸方		
			7/1	諸口	*250,000* [01]

車両

借方			貸方		
7/1	資本金	*50,000*			

完成工事高

借方			貸方		
			7/20	現金	*150,000*

材料

借方			貸方		
7/15	現金	*80,000*			

給料

借方			貸方		
7/24	現金	*30,000*			

支払利息

借方			貸方		
7/29	現金	*2,000*			

支払家賃

借方			貸方		
7/24	現金	*5,000*			

01）相手勘定科目が複数ある場合は，記入する科目を「諸口」とすることに注意してください。

try it A 例題 当座預金

問題 P.1-28

①	(借) 当 座 預 金	***100,000***	(貸) 現 金	***100,000***
②	(借) 工 事 未 払 金	***35,000***	(貸) 当 座 預 金	***35,000***
③	(借) 支 払 利 息	***8,000***	(貸) 当 座 預 金	***8,000***

try it A 例題 原価と利益

問題 P.1-34

<table>
<tr><td>直接材料費
¥120,000</td><td rowspan="4">工事直接費
(現場個別費)
¥(300,000)</td><td rowspan="5">(工事原価)
¥380,000</td><td rowspan="6">(総原価)
¥480,000</td><td rowspan="7">請負工事価格
¥650,000</td></tr>
<tr><td>(直接労務費)
¥100,000</td></tr>
<tr><td>外 注 費
¥50,000</td></tr>
<tr><td>直 接 経 費
¥(30,000)</td></tr>
<tr><td colspan="2">工事間接費(現場共通費)
¥80,000</td></tr>
<tr><td colspan="2">販売費・一般管理費
¥100,000</td><td></td></tr>
<tr><td colspan="2">利 益 な ど
¥(170,000)</td><td></td><td></td></tr>
</table>

例題 原価計算の基礎知識

問題 P.1-37

1	2	3	4
C	E	D	B

例題 取引の流れ

P.1-41

	借方科目	金額	貸方科目	金額
①	(借) 材料費	*60,000*	(貸) 支払手形	*60,000*
②	(借) 未成工事支出金	*40,000*	(貸) 材料費	*55,000*
	工事間接費	*15,000*		
③	(借) 労務費	*90,000*	(貸) 現金	*90,000*
④	(借) 未成工事支出金	*70,000*	(貸) 労務費	*95,000*
	工事間接費	*17,500*		
	販売費及び一般管理費	*7,500*		
⑤	(借) 外注費	*50,000*	(貸) 現金	*50,000*
⑥	(借) 未成工事支出金	*55,000*	(貸) 外注費	*55,000*
⑦	(借) 経費	*60,000*	(貸) 当座預金	*60,000*
⑧	(借) 工事間接費	*50,000*	(貸) 経費	*65,000*
	販売費及び一般管理費	*15,000*		
⑨	(借) 未成工事支出金	*82,500*	(貸) 工事間接費	*82,500*
⑩	(借) 完成工事原価	*200,000*	(貸) 未成工事支出金	*200,000*
⑪	(借) 完成工事未収入金	*350,000*	(貸) 完成工事高	*350,000*
⑫	(借) 完成工事高	*350,000*	(貸) 月次損益	*350,000*
	(借) 月次損益	*222,500*	(貸) 完成工事原価	*200,000*
			販売費及び一般管理費	*22,500*

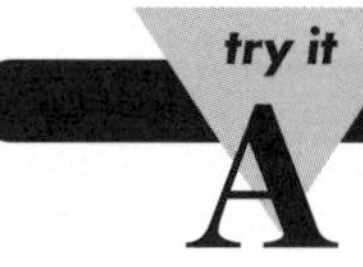

例題 材料の購入と消費 P.1-51

1.

		借方科目	金額	貸方科目	金額
(1)	①	(借) 未成工事支出金	*11,000*	(貸) 当座預金	*11,000*
	②	(借) 未成工事支出金	*19,500*	(貸) 工事未払金	*18,000*
				当座預金	*1,500*
	③	(借) 未成工事支出金	*31,800*	(貸) 工事未払金	*30,000*
				現金	*1,800*
(2)	①	(借) 材料	*11,000*	(貸) 当座預金	*11,000*
	②	(借) 材料	*19,500*	(貸) 工事未払金	*18,000*
				当座預金	*1,500*
	③	(借) 仮設材料	*31,800*	(貸) 工事未払金	*30,000*
				現金	*1,800*

2.

① 先入先出法 ¥ *73,600* [01)]

② 平均法 ¥ *74,200* [02)]

01) @¥98×200個+@¥108×500個=¥73,600

02) (@¥98×200個+@¥108×800個)×$\frac{700個}{1,000個}$=¥74,200

例題 工事別の労務費の計算 P.1-55

¥ *212,040*

作業員の賃率：$\frac{¥621,240}{83時間+42時間+51時間-9時間}$=@¥3,720

A－17号工事が負担すべき労務費：@¥3,720×(51時間－9時間)+¥55,800 = ¥212,040

例題 外注費の会計処理

P.1-57

		借方科目	金額	貸方科目	金額
(1)	①	(借) 前渡金	4,900,000	(貸) 当座預金	4,900,000
	②	(借) 外注費	7,000,000 [01]	(貸) 前渡金	4,900,000
				工事未払金	2,100,000
	③	(借) 外注費	7,000,000	(貸) 当座預金	8,400,000
		工事未払金	1,400,000		
	④	(借) 工事未払金	700,000	(貸) 現金	700,000
(2)	①	(借) 前渡金	4,900,000	(貸) 当座預金	4,900,000
	②	(借) 未成工事支出金	7,000,000 [01]	(貸) 前渡金	4,900,000
				工事未払金	2,100,000
	③	(借) 未成工事支出金	7,000,000	(貸) 当座預金	8,400,000
		工事未払金	1,400,000		
	④	(借) 工事未払金	700,000	(貸) 現金	700,000

01)費目別仕訳法→外注費で処理
代表科目仕訳法→未成工事支出金で処理

例題 経費の計算

P.1-62

(1)	¥ 45,000 [01]	(2)	¥ 36,000
(3)	¥ 5,000	(4)	¥ 10,000 [02]
(5)	¥ 24,000	(6)	¥ 77,000 [03]

電力料は測定経費であるため，消費額の計算には測定額を用います。

01)¥540,000 ÷ 12カ月＝¥45,000
02)¥120,000 ÷ 12カ月＝¥10,000
03)¥65,000＋¥8,000＋¥4,000＝¥77,000

例題 工事間接費の配賦 P.1-66

問1 配賦率	¥ ***1,050*** [01)]
問2 D-17号工事配賦額	¥ ***36,750*** [02)]

01) ¥220,500÷(35時間＋175時間)＝@¥1,050
02) @¥1,050×35時間＝¥36,750

例題 工事間接費の予定配賦 P.1-70

問1 予定配賦率	¥ ***1,050*** [01)]
問2 D-17号工事予定配賦額	¥ ***36,750*** [02)]
問3 配賦差異	△¥ ***10,000*** [03)]

01) ¥220,500 ÷ 210 時間＝@¥1,050
02) @¥1,050 × 35 時間＝¥36,750
03) @¥1,050 × (35 時間＋ 165 時間)
　－¥220,000 ＝ (－) ¥10,000

例題 部門費振替表の作成 P.1-79

①直接配賦法

部門費振替表

費目	合計	施工部門		補助部門		
		第１部門	第２部門	A部門	B部門	C部門
部門個別費	883,400	252,000	322,000	123,200	127,400	58,800
部門共通費	865,200	196,000	295,400	156,800	124,600	92,400
部門費合計	1,748,600	448,000	617,400	280,000	252,000	151,200
A部門費		***175,000***	***105,000***			
B部門費		***126,000***	***126,000***			
C部門費		***75,600***	***75,600***			
合計	***1,748,600***	***824,600***	***924,000***			

②相互配賦法

部門費振替表

費目	合計	施工部門		補助部門		
		第１部門	第２部門	A部門	B部門	C部門
部門個別費	883,400	252,000	322,000	123,200	127,400	58,800
部門共通費	865,200	196,000	295,400	156,800	124,600	92,400
部門費合計	1,748,600	448,000	617,400	280,000	252,000	151,200
第１次配賦						
A部門費		***140,000***	***84,000***	—	***56,000***	—
B部門費		***113,400***	***113,400***	***25,200***	—	—
C部門費		***45,360***	***45,360***	***30,240***	***30,240***	—
第２次配賦				***55,440***	***86,240***	—
A部門費		***34,650***	***20,790***			
B部門費		***43,120***	***43,120***			
C部門費		—	—			
合計	***1,748,600***	***824,530***	***924,070***			

③階梯式配賦法

部門費振替表

費　目	合　計	施工部門		補助部門		
		第1部門	第2部門	B部門	A部門	C部門
部門個別費	883,400	252,000	322,000	127,400	123,200	58,800
部門共通費	865,200	196,000	295,400	124,600	156,800	92,400
部門費合計	1,748,600	448,000	617,400	252,000	280,000	151,200
C部門費		*45,360*	*45,360*	*30,240*	*30,240*	*151,200*
A部門費		*155,120*	*93,072*	*62,048*	*310,240*	
B部門費		*172,144*	*172,144*	*344,288*		
合　計	*1,748,600*	*820,624*	*927,976*			

Section3 Chapter 4

例題 部門費の予定配賦 P.1-86

仮設部門費

諸口	60,000	配管工事部門費	(*12,000*) 01)
		鉄筋工事部門費	(*48,000*) 02)
	(*60,000*)		(*60,000*)

施工部門費配賦差異

(鉄筋工事部門費)	(*28,000*)	前月繰越	20,000
(次月繰越)	(*10,000*)	(配管工事部門費)	(*18,000*)
	(*38,000*)		(*38,000*)

配管工事部門費

諸口	300,000	未成工事支出金	(*330,000*) 03)
仮設部門費	(*12,000*) 01)		
施工部門費配賦差異	(*18,000*) 05)		
	(*330,000*)		(*330,000*)

未成工事支出金

前月繰越	100,000		
配管工事部門費	(*330,000*) 03)		
鉄筋工事部門費	(*420,000*) 04)		

鉄筋工事部門費

諸口	400,000	未成工事支出金	(*420,000*) 04)
仮設部門費	(*48,000*) 02)	施工部門費配賦差異	(*28,000*) 05)
	(*448,000*)		(*448,000*)

01）¥60,000 × 20%＝¥12,000
02）¥60,000 × 80%＝¥48,000
03）¥1,100 × 300 時間＝¥330,000
04）¥1,200 × 350 時間＝¥420,000
05）貸借差額で求めます。

例題 完成工事原価の計算

P.1-91

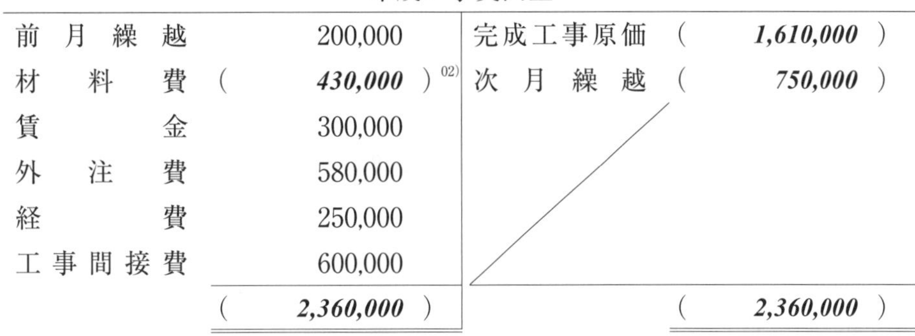

未成工事支出金

前月繰越	200,000	完成工事原価	(***1,610,000***)
材料費	(***430,000***) [02]	次月繰越	(***750,000***)
賃金	300,000		
外注費	580,000		
経費	250,000		
工事間接費	600,000		
	(***2,360,000***)		(***2,360,000***)

原価計算表 (単位：円)

費目＼工事台帳	No.101	No.102	No.103
月初未成工事原価	(***90,000***) [01]	——	110,000
直接材料費	120,000	180,000	130,000
直接労務費	80,000	(***120,000***) [03]	100,000
外注費	(***220,000***) [04]	170,000	190,000
直接経費	(***130,000***) [09]	(***120,000***) [08]	——
工事間接費	(***184,000***) [05]	(***160,000***) [06]	(***256,000***) [07]
合計	(***824,000***)	750,000	(***786,000***)

完成工事原価報告書 (単位：円)

Ⅰ．材料費	(***400,000***) [10]
Ⅱ．労務費	(***230,000***) [11]
(うち労務外注費 0)	
Ⅲ．外注費	(***410,000***) [12]
Ⅳ．経費	(***570,000***) [13]
(うち人件費 320,000)	
合計	(***1,610,000***)

01) ¥200,000－¥110,000＝¥90,000

02) ¥120,000＋¥180,000＋¥130,000＝¥430,000

03) ¥300,000－（¥80,000＋¥100,000）＝¥120,000

04) ¥580,000－（¥170,000＋¥190,000）＝¥220,000

05) 230＋200＋320＝750時間

$¥600,000 \times \frac{230時間}{750時間} = ¥184,000$

06) $¥600,000 \times \frac{200時間}{750時間} = ¥160,000$

07) $¥600,000 \times \frac{320時間}{750時間} = ¥256,000$

08) ¥750,000－（¥180,000＋¥120,000＋¥170,000＋¥160,000）＝¥120,000

09) ¥250,000－¥120,000＝¥130,000

10) ¥150,000＋¥120,000＋¥130,000＝¥400,000

11) ¥50,000＋¥80,000＋¥100,000＝¥230,000

12) ¥220,000＋¥190,000＝¥410,000

13) 経費には，直接経費と工事間接費が含まれます。

¥130,000＋¥184,000＋¥256,000＝¥570,000

例題 工事収益の計上

P.1-96

(1)

(単位：万円)

	第1期	第2期	第3期
完成工事高	(3,000) [01)]	(9,000)	(6,000)
完成工事原価	(2,000)	(6,000)	(4,000)
工事利益	(1,000)	(3,000)	(2,000)

(2)

(単位：万円)

	第1期	第2期	第3期
完成工事高	(0)	(0)	(18,000)
完成工事原価	(0)	(0)	(12,000)
工事利益	(0)	(0)	(6,000)

01) $18,000\text{万円} \times \frac{2,000\text{万円}}{12,000\text{万円}} = 3,000\text{万円}$

例題 銀行勘定調整表 問題 P.1-104

銀行勘定調整表 （単位：円）

当座預金勘定残高	1,543,000	残高証明書残高	1,450,000
（加算）		（加算）	
①完成工事未収入金回収	*100,000*	④時間外預入	*230,000*
③未渡小切手	*40,000*		
（減算）		（減算）	
②家賃引落し	*3,000*		
	1,680,000		*1,680,000*

貸借対照表に計上される当座預金 ￥ *1,680,000*

修正仕訳

①	（借）当座預金	*100,000*	（貸）完成工事未収入金	*100,000*
②	（借）支払家賃	*3,000*	（貸）当座預金	*3,000*
③	（借）当座預金	*40,000*	（貸）工事未払金	*40,000*
④	（借）仕訳なし		（貸）	

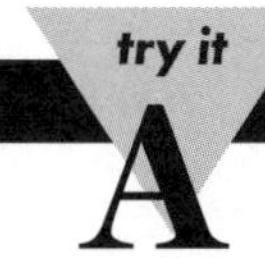

例題 返品・値引・割引の処理 問題 P.1-108

(1)		（借）工事未払金	*36,000*	（貸）材料	*36,000*
(2)		（借）工事未払金	*15,000*	（貸）材料	*15,000*
(3)		（借）現金	*90,000*[01]	（貸）材料	*90,000*
(4)	①	（借）材料	*50,000*	（貸）工事未払金	*50,000*
	②	（借）工事未払金	*50,000*	（貸）当座預金	*49,000*
				仕入割引	*1,000*[02]

01）￥3,600,000 × 2.5%＝￥90,000
02）￥50,000 × 2%＝￥1,000
割引は仕入割引(営業外収益)として処理します。

tryit解答解説

try it A 例題 有価証券の取引

問題 P.1-112

		借方科目	金額	貸方科目	金額
(1)	①	(借) 有価証券	16,050,000[01]	(貸) 現金	16,050,000
	②	(借) 現金	8,475,000	(貸) 有価証券	8,025,000[02]
				有価証券売却益	450,000[03]
(2)		(借) 現金	6,240,000	(貸) 有価証券	6,848,000[04]
		有価証券売却損	608,000[05]		
(3)	①	(借) 現金	8,000	(貸) 有価証券利息	8,000
	②	(借) 現金	50,000	(貸) 受取配当金	50,000
(4)		(借) 現金	532,500	(貸) 有価証券	498,000
				有価証券売却益	22,000[06]
				有価証券利息	12,500
(5)		(借) 有価証券	980,000	(貸) 現金	1,000,000
		有価証券利息	20,000		

01) @¥80,000 × 200株 + ¥50,000 = ¥16,050,000
02) ¥16,050,000 ÷ 200株 × 100株 = ¥8,025,000
03) (@¥85,000 − @¥80,250) × 100株 − ¥25,000 = ¥450,000
04) @¥800 × 5,000株 + @¥900 × 6,000株 + @¥860 × 4,000株 = ¥12,840,000
¥12,840,000 ÷ 15,000株 = @¥856
@¥856 × 8,000株 = ¥6,848,000
05) (@¥780 − @¥856) × 8,000株 = (−)¥608,000
06) ¥520,000 − ¥498,000 = ¥22,000

例題 有価証券の分類と評価 問題 P.1-116

	B/S表示科目および金額		評価損益の科目および金額	
A株式	〔有価証券〕	(***4,760*** 千円)	〔有価証券評価損〕	(***40*** 千円)
B株式	〔有価証券〕	(***786*** 千円)	〔有価証券評価益〕	(***2*** 千円)
C株式	〔関係会社株式〕	(***800*** 千円)	〔関係会社株式評価損〕	(***1,000*** 千円)
D株式	〔関係会社株式〕	(***5,000*** 千円)	〔　〕	(－ 千円)
E株式	〔関係会社株式〕	(***750*** 千円) [01]	〔関係会社株式評価損〕	(***1,050*** 千円)

01）E社の実質価額：(7,000千円－4,500千円) $\times \frac{3,000株}{10,000株}$ = 750千円

〈別式〉

(4,000千円－1,500千円) $\times \frac{3,000株}{10,000株}$ = 750千円

例題 約束手形 問題 P.1-119

	日付	借方科目	金額	貸方科目	金額
(1)	6.15	(借) 受取手形	***650,000***	(貸) 完成工事高	***1,600,000***
		完成工事未収入金	***950,000***		
	7.31	(借) 当座預金	***650,000***	(貸) 受取手形	***650,000***
(2)	6.15	(借) 外注費 [01]	***1,600,000***	(貸) 支払手形	***650,000***
				工事未払金	***950,000***
	7.31	(借) 支払手形	***650,000***	(貸) 当座預金	***650,000***

01）「未成工事支出金」で仕訳することもあります。

例題 偶発債務の処理

問題 P.1-123

	借方	金額	貸方	金額
①	(借) 当座預金	788,000	(貸) 受取手形	800,000
	手形売却損	12,000		
	(借) 保証債務費用	16,000	(貸) 保証債務	16,000
②	(借) 保証債務	16,000	(貸) 保証債務取崩益	16,000
③	(借) 工事未払金	300,000	(貸) 受取手形	300,000
	(借) 保証債務費用	6,000	(貸) 保証債務	6,000
④	(借) 保証債務	6,000	(貸) 保証債務取崩益	6,000

例題 その他の手形取引

問題 P.1-128

	借方	金額	貸方	金額
①	(借) 不渡手形	200,000	(貸) 受取手形	200,000
②	(借) 不渡手形	315,000	(貸) 当座預金	315,000
③	(借) 建物	3,000,000	(貸) 当座預金	400,000
			営業外支払手形	2,600,000
④	(借) 営業外受取手形	2,250,000	(貸) 土地	1,800,000
			固定資産売却益	450,000
⑤	(借) 手形貸付金	200,000	(貸) 当座預金	200,000
⑥	(借) 手形貸付金	5,000	(貸) 受取利息	5,000 [01]

01) (¥125,000 − ¥100,000) × $\frac{1年}{5年}$ = ¥5,000

例題　有形固定資産

問題 P.1-137

1

	借方	金額	貸方	金額
①	(借) 機械装置	*5,080,000*	(貸) 営業外支払手形	*5,000,000*
			当座預金	*80,000*
②	(借) 建物	*8,950,000*	(貸) 材料	*2,500,000*
			賃金	*4,300,000*
			経費	*1,900,000*
			当座預金	*250,000*
③	(借) 建物	*1,800,000*	(貸) 建物	*1,800,000*
④	(借) 土地	*6,000,000*	(貸) 有価証券	*4,300,000*
			有価証券売却益	*1,700,000*

2

	減価償却費の金額
(1) 定額法	¥ *108,000* 01)
(2) 定率法	¥ *84,375* 02)
(3) 生産高比例法	¥ *99,900* 03)

3

借方	金額	貸方	金額
(借) 建物	*2,000,000*	(貸) 当座預金	*2,500,000*
修繕維持費	*500,000*		

01) ¥600,000 × 0.9 ÷ 5 年 = ¥108,000

02) ¥600,000 × 0.75 × 0.75 × 0.25 = ¥84,375（¥600,000 × 0.75 × 0.75：当期首の帳簿価額）

03) $¥600{,}000 \times 0.9 \times \frac{1{,}850\text{時間}}{10{,}000\text{時間}} = ¥99{,}900$

例題 無形固定資産

問題 P.1-142

		借方科目	金額	貸方科目	金額
①	特許権	(借) 特許権償却	*270,000*[01)]	(貸) 特許権	*270,000*
②	借地権	(借) 仕訳なし		(貸)	
③	のれん	(借) のれん償却	*10,000*[02)]	(貸) のれん	*10,000*

01) ¥2,160,000 ÷ 8年＝¥270,000
02) ¥200,000 ÷ 20年＝¥10,000

Section1 Chapter 10

例題 社債

問題 P.1-147

1

	借方科目	金額	貸方科目	金額
①	(借) 社債利息	*300,000*	(貸) 当座預金	*300,000*
②	(借) 社債利息	*100,000*[01)]	(貸) 社債	*100,000*
	(借) 社債利息	*200,000*	(貸) 未払社債利息	*200,000*[02)]
③	(借) 未払社債利息	*200,000*	(貸) 社債利息	*200,000*
④	(借) 社債利息	*300,000*	(貸) 当座預金	*300,000*

2

借方科目	金額	貸方科目	金額
(借) 社債	*5,000,000*	(貸) 当座預金	*5,000,000*

3

	借方科目	金額	貸方科目	金額
①	(借) 社債	*4,880,000*[03)]	(貸) 現金	*4,900,000*
	社債償還損	*20,000*		
②	(借) 社債	*3,940,000*[04)]	(貸) 当座預金	*3,912,000*
			社債償還益	*28,000*

01) $¥10,000,000 \times \frac{@¥100 - @¥94}{¥100} \times \frac{10\text{カ月}}{60\text{カ月}} = ¥100,000$

02) $¥10,000,000 \times 6\% \times \frac{4\text{カ月}}{12\text{カ月}} = ¥200,000$

03) $¥4,800,000 + ¥200,000 \times \frac{2\text{年}}{5\text{年}} = ¥4,880,000$

04) $¥7,720,000 \times \frac{¥4,000,000}{¥8,000,000} + ¥280,000 \times \frac{¥4,000,000}{¥8,000,000} \times \frac{4\text{年}}{7\text{年}} = ¥3,940,000$

例題 引当金・税金

問題 P.1-154

1

(借)		(貸)	
貸倒引当金繰入額	60,500	貸倒引当金	60,500

2

	(借)		(貸)	
①	未成工事支出金	60,000	完成工事補償引当金	60,000
②	完成工事補償引当金	80,000	材料	80,000
③	租税公課	180,000	現金	45,000
			未払税金	135,000
④	未払税金	45,000	現金	45,000
⑤	仮払法人税等	418,000	当座預金	418,000
⑥	法人税，住民税及び事業税	963,000	仮払法人税等	418,000
			未払法人税等	545,000

3

	(借)		(貸)	
①	完成工事未収入金	440,000	完成工事高	400,000
			仮受消費税	40,000
②	未成工事支出金	150,000	工事未払金	165,000
	仮払消費税	15,000		
③	仮受消費税	2,578,000	仮払消費税	1,826,000
			未払消費税	752,000
④	未払消費税	752,000	当座預金	752,000

try it A 例題 剰余金の配当

問題 P.1-160

	借方科目	金額	貸方科目	金額
①	(借) 繰越利益剰余金	*650,000*	(貸) 未払配当金	*500,000*
			利益準備金	*50,000*
			別途積立金	*100,000*
②	(借) 未払配当金	*500,000*	(貸) 現金	*500,000*

try it A 例題 株式の発行

問題 P.1-165

	借方科目	金額	貸方科目	金額
①	(借) 当座預金	*6,500,000*	(貸) 資本金	*6,500,000*
②	(借) 当座預金	*5,500,000*	(貸) 資本金	*2,750,000*
			株式払込剰余金	*2,750,000*
③	(借) 当座預金	*8,000,000*	(貸) 資本金	*8,000,000*
	(借) 株式交付費	*90,000*	(貸) 当座預金	*90,000*
④	(借) 当座預金	*8,000,000*	(貸) 資本金	*4,000,000*
			株式払込剰余金	*4,000,000*

問題文に指示がない場合，原則法で処理します。

例題　精算表の作成

問題P.1-174

精　算　表

（単位：円）

勘定科目	試算表		整理記入		損益計算書		貸借対照表	
	借方	貸方	借方	貸方	借方	貸方	借方	貸方
現金	16,070						***16,070***	
当座預金	43,500						***43,500***	
受取手形	57,400						***57,400***	
完成工事未収入金	61,600						***61,600***	
有価証券	40,100			[02] ***100***			***40,000***	
材料貯蔵品	5,700						***5,700***	
未成工事支出金	73,100		[04] ***600***	[03] ***30***			***39,800***	
			[06] ***6,710***	[08] ***45,860***				
			[07] ***80***					
			5,200					
仮払法人税等	16,200			***16,200***				
機械装置	400,000						***400,000***	
車両運搬具	250,000						***250,000***	
建物	320,000						***320,000***	
仮受金		5,800	***5,800***					
支払手形		35,400						***35,400***
工事未払金		32,600		***5,200***				***37,800***
未成工事受入金		25,600		***5,800***				***31,400***
貸倒引当金		1,700		[01] ***680***				***2,380***
機械装置減価償却累計額		231,280	[03] ***30***					***231,250***
車両運搬具減価償却累計額		179,400		[04] ***600***				***180,000***
建物減価償却累計額		115,200		[05] ***9,600***				***124,800***
退職給付引当金		23,100		***1,550***				***24,650***
資本金		400,000						***400,000***
利益準備金		42,000						***42,000***
別途積立金		61,000						***61,000***
繰越利益剰余金		6,700						***6,700***
完成工事高		671,000				***671,000***		
受取利息		1,220				***1,220***		
完成工事原価	483,000		[08] ***45,860***		***528,860***			
販売費及び一般管理費	62,100		[05] ***9,600***	***600***	***73,470***			
			1,470					
			900					
支払利息	1,350				***1,350***			
固定資産売却損	1,880				***1,880***			
	1,832,000	1,832,000						
貸倒引当金繰入額			[01] ***680***		***680***			
有価証券評価損			[02] ***100***		***100***			
(完成工事補償)引当金				[06] ***6,710***				***6,710***
(前払)保険料			***600***				***600***	
(未払)賃借料				***900***				***900***
法人税, 住民税及び事業税			***32,940***		***32,940***			
未払法人税等				***16,740***				***16,740***
仮計					***639,280***	***672,220***	***1,234,670***	***1,201,730***
当期純利益					[09] ***32,940***			***32,940***
			110,570	***110,570***	***672,220***	***672,220***	***1,234,670***	***1,234,670***

決算整理仕訳

		借方科目	金額		貸方科目	金額
(1)	(借)	貸倒引当金繰入額	***680***	(貸)	貸倒引当金	***680***[01)]
(2)	(借)	有価証券評価損	***100***	(貸)	有価証券	***100***[02)]
(3)	(借)	機械装置減価償却累計額	***30***	(貸)	未成工事支出金	***30***[03)]
	(借)	未成工事支出金	***600***	(貸)	車両運搬具減価償却累計額	***600***[04)]
	(借)	販売費及び一般管理費	***9,600***	(貸)	建物減価償却累計額	***9,600***[05)]
(4)	(借)	未成工事支出金	***6,710***	(貸)	完成工事補償引当金	***6,710***[06)]
(5)	(借)	未成工事支出金	***80***	(貸)	退職給付引当金	***80***[07)]
	(借)	販売費及び一般管理費	***1,470***	(貸)	退職給付引当金	***1,470***
(6)	(借)	未成工事支出金	***5,200***	(貸)	工事未払金	***5,200***
(7)	(借)	仮受金	***5,800***	(貸)	未成工事受入金	***5,800***
(8)	(借)	前払保険料	***600***	(貸)	販売費及び一般管理費	***600***
	(借)	販売費及び一般管理費	***900***	(貸)	未払賃借料	***900***
(9)	(借)	完成工事原価	***45,860***	(貸)	未成工事支出金	***45,860***[08)]
(10)	(借)	法人税，住民税及び事業税	***32,940***[09)]	(貸)	仮払法人税等	***16,200***
					未払法人税等	***16,740***

01) (¥57,400＋¥61,600) × 2%－¥1,700
　＝¥680
　勘定科目欄に「貸倒引当金繰入額」とあるので，販売費及び一般管理費には含めず，別建てで記入します。

02) ¥40,000 －¥40,100 ＝△¥100

03)
予定　¥4,690 × 12カ月 ＝¥56,280
実際　{¥400,000 －(¥231,280 －¥4,690 × 12カ月)} × 0.25
（¥231,280 －¥4,690 × 12カ月：期首の減価償却累計額）
　　＝ ¥56,250
差引　¥　30

04)
予定　¥3,700 × 12カ月＝¥44,400
実際　¥250,000 × 0.9 ÷ 5年
　　＝ ¥45,000
差引　¥　600

05) ¥320,000 × 0.9 ÷ 30年＝¥9,600

06) ¥671,000 × 1%＝¥6,710

07)
予定　¥250 × 12カ月＝¥3,000
実際　　¥3,080
　　　¥　80

08)

未成工事支出金

借方		貸方	
試算表	73,100	(3)	30
(3)	600	完成工事原価 (45,860)	
(4)	6,710		
(5)	80		
(6)	5,200	期末	39,800

09)
(¥672,220 －¥606,340) × 50%
（¥672,220：P／L貸方合計，¥606,340：P／L借方合計）
＝¥32,940

例題 財務諸表の作成

問題 P.1-180

貸借対照表

株式会社 NS 工務店　　×年3月31日現在　　（単位：円）

資産の部

科目		金額
I 流動資産		
現金預金		31,200
受取手形		(58,000)
完成工事未収入金		32,000
貸倒引当金		(△1,800)
有価証券		(25,400)
(未成工事支出金)		52,600
流動資産合計		(197,400)
II 固定資産		
(1) 有形固定資産		
建物	500,000	
減価償却累計額	△146,250	(353,750)
機械装置	(500,000)	
減価償却累計額	(△206,200)	293,800
土地		109,000
有形固定資産計		(756,550)
(2) 投資その他の資産		
投資有価証券		(40,000)
投資その他の資産計		(40,000)
固定資産合計		(796,550)
資産合計		(993,950)

負債の部

科目		金額
I 流動負債		
支払手形		(48,000)
(工事未払金)		26,000
未払法人税等		5,350
未払費用		400
未成工事受入金		(30,000)
完成工事補償引当金		(410)
流動負債合計		(110,160)
II 固定負債		
(退職給付引当金)		16,330
固定負債合計		(16,330)
負債合計		(126,490)

純資産の部

科目		金額
I 株主資本		
1 資本金		800,000
2 資本剰余金		
(1) 資本準備金		20,000
3 利益剰余金		
(1) 利益準備金	18,000	
(2) その他利益剰余金		
別途積立金	17,000	
繰越利益剰余金	(12,460)	(47,460)
純資産合計		(867,460)
負債・純資産合計		(993,950)

損益計算書

株式会社 NS 工務店　　自×年4月1日　至×年3月31日　　(単位：円)

Ⅰ 完成工事高		(***410,000***)
Ⅱ (完成工事原価)		327,580
完成工事総利益		(***82,420***)
Ⅲ 販売費及び一般管理費		
(給料手当)	(***5,000***)	
退職金	5,500	
旅費交通費	(***12,700***)	
広告宣伝費	(***15,000***)	
貸倒引当金繰入額	800	
減価償却費	(***25,000***)	
雑費	(***1,950***)	(***65,950***)
営業利益		(***16,470***)
Ⅳ 営業外収益		
受取利息	(***1,900***)	
(仕入割引)	1,330	(***3,230***)
Ⅴ 営業外費用		
支払利息	(***900***)	
(売上割引)	700	
有価証券評価損	(***200***)	(***1,800***)
経常利益		(***17,900***)
Ⅵ 特別利益		
固定資産売却益		(***4,000***)
Ⅶ 特別損失		
(投資有価証券売却損)		1,000
税引前当期純利益		(***20,900***)
法人税・住民税及び事業税		(***10,450***)
当期純利益		(***10,450***)

try it A 例題 本支店間の取引

問題 P.1-188

		借方科目	金額	貸方科目	金額
①	本店	(借) 支店	*100,000*	(貸) 現金	*100,000*
	支店	(借) 現金	*100,000*	(貸) 本店	*100,000*
②	本店	(借) 現金	*150,000*	(貸) 支店	*150,000*
	支店	(借) 本店	*150,000*	(貸) 完成工事未収入金	*150,000*
③	本店	(借) 工事未払金	*60,000*	(貸) 支店	*60,000*
	支店	(借) 本店	*60,000*	(貸) 現金	*60,000*
④	本店	(借) 営業費	*30,000*	(貸) 支店	*30,000*
	支店	(借) 本店	*30,000*	(貸) 当座預金	*30,000*
⑤	本店	(借) 支店	*130,000*	(貸) 材料売上	*130,000*
		(借) 材料売上原価	*100,000*	(貸) 材料	*100,000*
	支店	(借) 未成工事支出金	*130,000*	(貸) 本店	*130,000*
⑥	本店	(借) 支店	*150,000*	(貸) 借入金	*150,000*
	支店	(借) 当座預金	*150,000*	(貸) 本店	*150,000*
⑦	本店	(借) 支店	*5,500*	(貸) 支払利息	*5,500*
	支店	(借) 支払利息	*5,500*	(貸) 本店	*5,500*

支店

①	*100,000*	②	*150,000*
⑤	*130,000*	③	*60,000*
⑥	*150,000*	④	*30,000*
⑦	*5,500*		

本店

②	*150,000*	①	*100,000*
③	*60,000*	⑤	*130,000*
④	*30,000*	⑥	*150,000*
		⑦	*5,500*

例題 支店相互間取引 問題 P.1-192

(1) 支店分散計算制度

①	本店	(借) 仕訳なし		(貸)	
	大阪支店	(借) 神戸支店	3,300	(貸) 現金	3,300
	神戸支店	(借) 現金	3,300	(貸) 大阪支店	3,300
②	本店	(借) 仕訳なし		(貸)	
	大阪支店	(借) 工事未払金	500	(貸) 神戸支店	500
	神戸支店	(借) 大阪支店	500	(貸) 当座預金	500
③	本店	(借) 仕訳なし		(貸)	
	大阪支店	(借) 神戸支店	1,000	(貸) 現金	1,000
	神戸支店	(借) 支払家賃	1,000	(貸) 大阪支店	1,000

(2) 本店集中計算制度

①	本店	(借) 神戸支店	3,300	(貸) 大阪支店	3,300
	大阪支店	(借) 本店	3,300	(貸) 現金	3,300
	神戸支店	(借) 現金	3,300	(貸) 本店	3,300
②	本店	(借) 大阪支店	500	(貸) 神戸支店	500
	大阪支店	(借) 工事未払金	500	(貸) 本店	500
	神戸支店	(借) 本店	500	(貸) 当座預金	500
③	本店	(借) 神戸支店	1,000	(貸) 大阪支店	1,000
	大阪支店	(借) 本店	1,000	(貸) 現金	1,000
	神戸支店	(借) 支払家賃	1,000	(貸) 本店	1,000

第２部　過去問題編

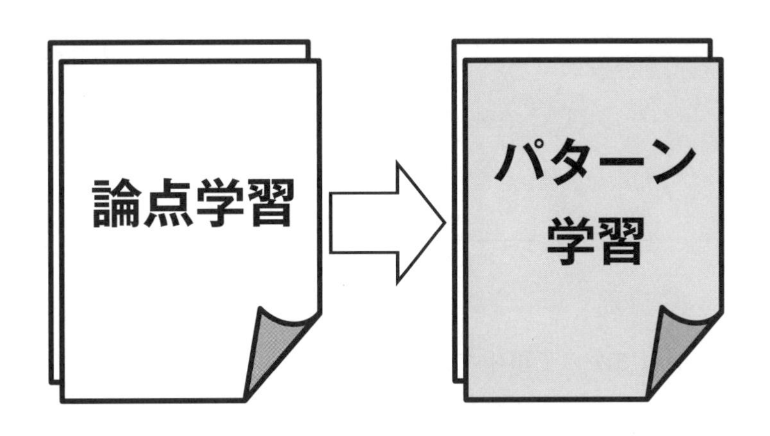

過去問題編では，パターン学習を行います。パターン学習とは，論点学習で蓄えた知識を建設業経理士の試験に反映させるために過去問題（参考問題）をパターンごとに解く学習法です。パターン学習を効率的に進めるために，過去問題集は次のように構成されています。

①各問題の冒頭には，「解き方」が示されています。どんな問題が過去に出題されているかを分析し，解法を示すことで，過去問題を解きやすくしています。

②過去問題編では各問題に「ヒント」を示しました。解答は，解くきっかけがあれば作成できるものです。わからなくなったときには，「ヒント」を見ながら解答してください。

③解答には，間違えやすいポイントを指摘した「ここに注意」を載せています。間違えたときには，必ずチェックしてください。

さらに，テキストに戻って学習しやすいように，「テキスト参照ページ」も示しています。ご自身の状況に合わせてご活用ください。

仕訳

第1問 対策

第1問で問われるのはこれだ！

知識を得点につなげるためには、まず出題内容を把握しよう！

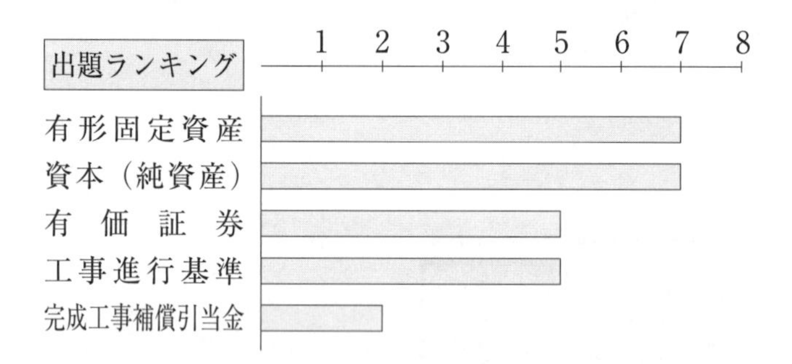

第１問は，一見さまざまな論点から出題されているように見えますが，その半分以上が，次の５つの論点からの出題です。特に近年，工事進行基準に関する出題も多いので必ずチェックしておいてください。

まずはこの５つの論点のマスターから始めましょう。

代表的仕訳一覧

１．有形固定資産	
⑴　建設仮勘定の処理	
株式会社大阪商事は，かねてから工事中であった本社事務所が完成し引渡しを受け，工事代金の残額 ￥2,000 を小切手を振り出して支払った。なお，工事契約金額は ￥8,000 であり，中間支払額はすべて建設仮勘定で処理している。	(借) 建物 8,000 (貸) 建設仮勘定 6,000 当座預金 2,000
⑵　資本的支出と収益的支出	
千葉商事は，自社の商品倉庫の改良補修工事を埼玉工務店に依頼し完成引渡しを受けたので，その代金 ￥1,200 を小切手を振り出して支払った。この支出のうち，￥750 は商品倉庫の改良費として資本的支出とされるべきものである。	(借) 建物 750 (貸) 当座預金 1,200 修繕維持費 450
２．資本（純資産）会計	
⑴　株主資本の計数の変動	
取締役会の決議により，資本準備金 ￥5,000 を資本金に組み入れ，株式100株を株主に無償交付した。	(借) 資本準備金 5,000 (貸) 資本金 5,000

第1問対策

(2) 剰余金の配当

前期決算に係る利益処分として，利益剰余金を源泉とする株主配当金 ¥6,750が決定された。なお，決定時点での資本金は ¥150,000，資本準備金と利益準備金の合計額は ¥36,000 であった。

(借)	繰越利益剰余金	7,425	(貸)	未払配当金	6,750
				利益準備金	675

配当額の10分の1の金額を，準備金の積立上限額まで，配当財源別に準備金として積み立てます。

積立上限額

$$= 資本金の額の\frac{1}{4} - (資本準備金 + 利益準備金)$$

3．有価証券

(1) 有価証券の購入

東京建設株式会社は，短期利殖の目的で券面総額 ¥1,200 の社債を ¥1,150 で購入し，端数利息 ¥20 とともに小切手を振り出して支払った。

(借)	有価証券	1,150	(貸)	当座預金	1,170
	有価証券利息	20			

(2) 有価証券の売却

仙台建設株式会社は，手持ちの社債（券面総額 ¥2,000　帳簿価額 ¥1,950）を ¥1,985 で売却し，端数利息 ¥10 とともに現金で受け取った。

(借)	現金	1,995	(貸)	有価証券	1,950
				有価証券売却益	35
				有価証券利息	10

4．工事進行基準

前期において契約額 ¥10,000 の工事（工期は 3 年）を受注したが，成果の確実性が見込まれるため前期から工事進行基準を適用している。当該工事の工事原価総額の見積額は ¥5,000 であり，前期は ¥1,000 当期は ¥2,000 の原価が計上されている。当期の完成工事高及び完成工事原価に関する仕訳を示しなさい。

(借)	完成工事未収入金	4,000	(貸)	完成工事高	4,000
(借)	完成工事原価	2,000	(貸)	未成工事支出金	2,000

$$前期完成工事高：10{,}000 \times \frac{1{,}000}{5{,}000} = 2{,}000$$

$$当期完成工事高：10{,}000 \times \frac{1{,}000 + 2{,}000}{5{,}000} - 2{,}000 = 4{,}000$$

5．完成工事補償引当金

前期に完成し引き渡した建物に欠陥があったため，当該補修工事に係る外注工事代¥700,000（代金は未払い）が生じた。なお，完成工事補償引当金の残高は¥1,500,000 である。

(借)	完成工事補償引当金	700,000	(貸)	工事未払金	700,000

前期に完成し引き渡した建物の欠陥なので，完成工事補償引当金を取り崩します。なお，外注工事代の未払いは「工事未払金」で処理します。

第1問対策　これで得点アップ！
知識を得点に変えるための解き方をマスターしよう！

① まず，指定勘定科目を確認し，資産・負債・純資産・収益・費用等に分類します。

勘定科目	分類
A現　　金　B当座預金　C受取手形　D営業外受取手形 E材　　料　F機械装置　G建設仮勘定	資　　産
H減価償却累計額　　I工事未払金　J未 払 金 K完成工事補償引当金　　L社　　債	負　　債
M資 本 金　N資本準備金　P利益準備金	純 資 産
Q固定資産売却益　R固定資産売却損	収益・費用
S損　　益　T繰越利益剰余金	決算勘定

勘定科目群は無差別に並んでいるように見えますが，よく見ると，**上から順に資産・負債・純資産・収益・費用等と並んでいます。**

② 仕訳をします。

長い問題文は**句読点ごとに区切って**，その内容を**部分的に仕訳**すると解答しやすくなります。

⑷　建設重機械の補修を行い，その代金 ￥500を小切手を振り出して支払った①。この支出額￥500のうち，￥300は改良費である②。なお，修繕引当金の金額が ￥150ある③。

	借方	金額		貸方	金額
②	機械装置	300	①	当座預金	500
③	修繕引当金	150			
差額⇒	機械等経費	50			

③ 指定勘定科目の中から該当する勘定科目を見つけ解答します。

勘定科目指定の問題では，**指定された勘定科目以外は使用できません**。指定外の勘定科目を用いて仕訳をした場合，一般的な仕訳としては正しくても，試験での解答としては不正解（×）となります。

また略したり，漢字で書くべきものをひらがな，カタカナで書いたり，送り仮名をつけて書いたりした場合も不正解（×）になります。もちろん，誤字は不正解（×）です。

設問では勘定科目の記号の記入も要求しています。設問の要求がすべて満たされて初めて正解になるのですから，忘れないようにしてください。

第23回

次の各取引について仕訳を示しなさい。使用する勘定科目は下記の〈勘定科目群〉から選び，その記号（A～Y）と勘定科目を書くこと。なお，解答は次に掲げた（例）に対する解答例にならって記入しなさい。

（例）現金 ¥100,000を当座預金に預け入れた。　（20点）

〈標準時間〉

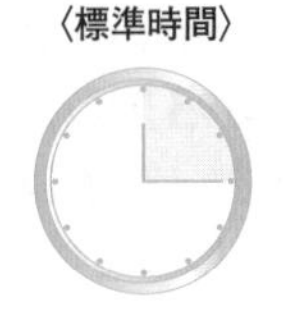

15分

解答用紙 ⇒P.1　解答・解説 ⇒P. 2-38

(1) 前期末において，A社に対する完成工事未収入金 ¥480,000に対して50%の貸倒引当金を設定していたが，当期において全額回収できないことが確定した。

(2) 前期に請負金額 ¥9,200,000の工事（工期は3年）を受注し，成果の確実性が見込まれるために前期から工事進行基準を適用している。当該工事の工事原価総額の見積額は ¥8,000,000であり，発生した工事原価は前期が ¥1,440,000で，当期が ¥4,320,000であり，工事原価は未成工事支出金で処理している。当期において得意先との交渉により，請負金額を ¥200,000増額することができた。なお着手前の受入金は ¥3,000,000であった。当期の完成工事高及び完成工事原価に関する仕訳を示しなさい。

(3) 決算において，消費税の納付額が確定した。なお，期末の消費税仮払分の残高は ¥265,000であり，仮受分の残高は ¥281,000であった。

(4) 期首に償還期限3年の社債を発行した。社債発行に係る費用 ¥300,000については小切手を振り出して支払ったが，同支出額は繰延経理することとした。社債発行時及び当期の決算における社債発行費に係る仕訳を示しなさい。

(5) 本社建物の補修工事を行い，その代金 ¥485,600について約束手形を振り出して支払った。この代金のうち ¥375,000は資本的支出と認め，残りを収益的支出として処理した。

〈勘定科目群〉

A 現金	B 当座預金	C 仮払消費税	D 完成工事未収入金
E 支払手形	F 有価証券	G 建物	H 未成工事支出金
J 仮受消費税	K 工事未払金	L 未成工事受入金	M 貸倒引当金
N 未払消費税	Q 完成工事高	R 完成工事原価	S 修繕費
T 社債発行費償却	U 貸倒損失	W 営業外支払手形	X 貸倒引当金戻入
Y 社債発行費			

ヒント

(1) 貸倒引当金の設定額を超えた金額の貸倒れはどうする？

(2) 当期に請負金額が増額になったので，前期の損益には影響しない。

(3) 消費税の仮払分と仮受分の差額はどうする？

(4) 「社債発行時の仕訳」と「当期の決算における社債発行費に係る仕訳」の2つの仕訳が必要となる。

(5) 通常の営業取引以外の取引で手形を振り出した場合はどうする？

第24回

次の各取引について仕訳を示しなさい。使用する勘定科目は下記の〈勘定科目群〉から選び，その記号（A～Z）と勘定科目を書くこと。なお，解答は次に掲げた（例）に対する解答例にならって記入しなさい。

（例）現金 ￥100,000を当座預金に預け入れた。（20点）

〈標準時間〉

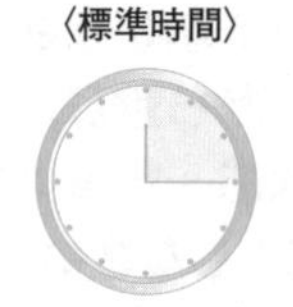

15分

解答用紙	解答・解説
⇒P. 2	⇒P. 2-40

解答用紙 ⇒P. 2　解答・解説 ⇒P. 2-40

(1)　数年前に取引関係の強化を目的として，A社株式3,000株を1株 ￥520で買入れた。その時の手数料は ￥45,000であった。当期において，A社株式1,000株を1株 ￥580で売却し，手数料 ￥11,600を差し引いた手取り額を当座預金に預け入れた。当期の売却取引の仕訳を示しなさい。

(2)　過年度に完成させた建物の補修を行った。補修に係る支出額 ￥760,000を約束手形で支払った。なお，前期決算において完成工事補償引当金 ￥800,000を計上している。

(3)　当期において開催された株主総会で，次の利益処分が決議された。
　　株主配当金 ￥400,000　利益準備金積立 ￥40,000　別途積立金積立 ￥250,000

(4)　工事用機械（取得価額 ￥930,000，期首減価償却累計額 ￥490,000）を期末に売却した。売却価額 ￥300,000は2ヶ月後に支払われる。なお，当期の減価償却費は ￥120,000であり，減価償却費の記帳は間接記入法を採用している。

(5)　受注した工事が完成し発注先に引渡した。請負金額は ￥3,500,000であり，受注時に受け取っていた ￥900,000との差額を約束手形で受け取った。なお，収益認識については，工事完成基準によっている。

〈勘定科目群〉

A 現金	B 当座預金	C 完成工事未収入金	D 受取手形
E 未収入金	F 有価証券	G 減価償却費	H 機械装置
J 投資有価証券	K 支払手形	L 未成工事受入金	M 貸倒引当金
N 減価償却累計額	Q 未払配当金	R 完成工事高	S 完成工事原価
T 固定資産売却損	U 投資有価証券売却益	W 利益準備金	X 完成工事補償引当金
Y 繰越利益剰余金	Z 別途積立金		

(1)　取引関係の強化を目的として株式を買い入れた場合の処理は？

(2)　完成工事補償引当金を計上している場合はどうする？

(3)　利益処分の場合の配当財源は？

(4)　売却代金の未収の処理はどうする？

(5)　工事完成基準の場合の収益計上の処理はどうする？

第26回

次の各取引について仕訳を示しなさい。使用する勘定科目は下記の〈勘定科目群〉から選び，その記号（A～X）と勘定科目を書くこと。なお，解答は次に掲げた（例）に対する解答例にならって記入しなさい。

（例）現金 ¥100,000を当座預金に預け入れた。　（20点）

〈標準時間〉

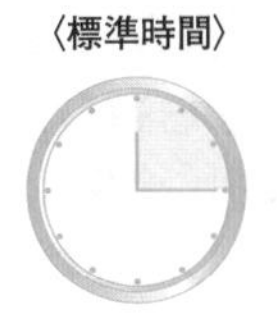

15分

解答用紙	解答・解説
⇒P.3	⇒P.2-41

(1)　当期に売買目的でＡ社株式 3,000株を１株当たり ¥1,100で購入し，手数料は¥57,000であった。Ａ社株式の期末の時価は１株当たり ¥900であった。期末の仕訳を示しなさい。

(2)　工事用の建設機械 ¥5,800,000を約束手形を振り出して購入し，その引取運賃¥140,000については小切手を振り出して支払った。

(3)　材料費については購入時材料費処理法を採用し，仮設材料の消費分の把握については，すくい出し方式によっている。工事が完了して倉庫に返却された仮設材料の評価額は ¥360,000であった。

(4)　前期の決算で，滞留していた完成工事未収入金 ¥600,000に対して50％の貸倒引当金を設定したが，当期において ¥400,000が当座預金に振り込まれ，残額は貸し倒れとなった。

(5)　Ｂ株式会社は１株当たりの払込金額 ¥5,500で1,000株発行することとし，払込期日までに全額が取扱銀行に払い込まれた。

〈勘定科目群〉

A 現金	B 当座預金	C 受取手形	D 材料貯蔵品
E 完成工事未収入金	F 有価証券	G 未成工事支出金	H 機械装置
J 支払手形	K 工事未払金	L 資本準備金	M 貸倒引当金
N 別段預金	Q 借入金	R 新株式申込証拠金	S 未成工事受入金
T 営業外支払手形	U 完成工事高	W 有価証券評価損	X 貸倒引当金戻入

(1)　手数料はどうする？

(2)　営業外取引で約束手形を振り出した場合はどうする？

(3)　仮設材料の評価額は，工事原価からどうする？

(4)　特定の債権に対して設定した貸倒引当金は，貸し倒れたときに全額，取り崩す。

(5)　株式の割当てが決定するまで，払込金額は他の預金と区別する。

次の各取引について仕訳を示しなさい。使用する勘定科目は下記の〈勘定科目群〉から選び，その記号（A～X）と勘定科目を書くこと。なお，解答は次に掲げた（例）に対する解答例にならって記入しなさい。

（例）現金 ￥100,000を当座預金に預け入れた。　（20点）

解答用紙 ⇒P.4　解答・解説 ⇒P. 2-42

⑴　長期で保有していた非上場株式1,000株（１株当たり ￥300で取得）について，当期末における１株当たり純資産は ￥120であったので，評価替えをする。

⑵　株主総会で次の利益処分を決議した。
　株主配当金　￥2,000,000　利益準備金　￥200,000　別途積立金　￥1,800,000

⑶　当期において，建物の修繕工事を行い，その代金 ￥2,000,000を全額，建物勘定で処理していたが，このうち，￥500,000は現状回復のための支出であった。

⑷　前期に完成した工事に係る完成工事未収入金 ￥1,500,000が回収不能となった。貸倒引当金の残高は ￥30,000である。

⑸　工事未払金 ￥3,000,000について，決済日よりも早く現金で支払い，￥15,000の割引を受けた。

〈勘定科目群〉

A 現金	B 当座預金	C 受取手形	D 完成工事未収入金
E 建物	F 投資有価証券	G 工事未払金	H 未成工事受入金
J 未払配当金	K 貸倒引当金	L 資本準備金	M 利益準備金
N 別途積立金	Q 繰越利益剰余金	R 完成工事高	S 修繕費
T 貸倒損失	U 仕入割引	W 売上割引	X 投資有価証券評価損

⑴　実質価額が著しく低下したときはどうする？

⑵　利益処分の場合の配当財源は？

⑶　現状回復のための支出は？

⑷　貸倒引当金の残高を超えた分はどうする？

⑸　割引額はどのように処理する？

第29回

次の各取引について仕訳を示しなさい。使用する勘定科目は下記の〈勘定科目群〉から選び，その記号（Ａ～Ｘ）と勘定科目を書くこと。なお，解答は次に掲げた（例）に対する解答例にならって記入しなさい。

（例）現金 ¥100,000を当座預金に預け入れた。　（20点）

〈標準時間〉

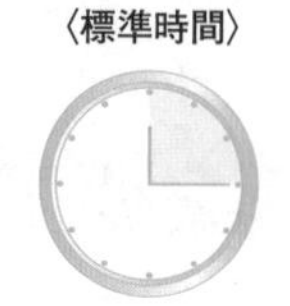

15分

解答用紙 ⇒P.5　　解答・解説 ⇒P. 2-43

(1)　工事未払金 ¥8,000,000を決済日よりも早く小切手を振り出して支払い，¥15,000の割引を受けた。

(2)　当期に売買目的で所有していたＡ社株式10,000株（売却時の１株当たり帳簿価額 ¥300）のうち，5,000株を１株当たり 280円で売却し，代金は当座預金に預け入れた。

(3)　新本社の建物（建築費総額 ¥5,800,000）が当期末に完成した。手付金¥1,200,000を差し引いた残額 ¥4,600,000を小切手を振り出して支払った。

(4)　株主総会において，利益剰余金を財源として株主配当金を ¥300,000支払うこととした。純資産の内訳は，資本金 ¥1,000,000，資本準備金 ¥150,000，利益準備金 ¥50,000，繰越利益剰余金 ¥2,500,000である。

(5)　当期首に社債（償還期限５年）を発行した。この社債発行に際して生じた社債募集広告費などの支出 ¥600,000は，小切手を振り出して支払った。当該支出に関して繰延経理した場合，当期の決算における仕訳を示しなさい。

〈勘定科目群〉

Ａ 現金	Ｂ 当座預金	Ｃ 有価証券	Ｄ 建物
Ｅ 建設仮勘定	Ｆ 社債発行費	Ｇ 社債	Ｈ 未成工事受入金
Ｊ 工事未払金	Ｋ 未払配当金	Ｌ 受取配当金	Ｍ 資本準備金
Ｎ 利益準備金	Ｑ 繰越利益剰余金	Ｒ 社債利息	Ｓ 社債発行費償却
Ｔ 売上割引	Ｕ 仕入割引	Ｗ 有価証券売却益	Ｘ 有価証券売却損

(1)　割引額は収益となる。

(2)　所有株式をすべて売却するのではない。

(3)　手付金の支払時の処理は？

(4)　準備金の積立額には上限がある。

(5)　繰延資産は，決算時に償却することになる。

金額の推定

第２問対策

第2問で問われるのはこれだ！

知識を得点につなげるためには、まず出題内容を把握しよう！

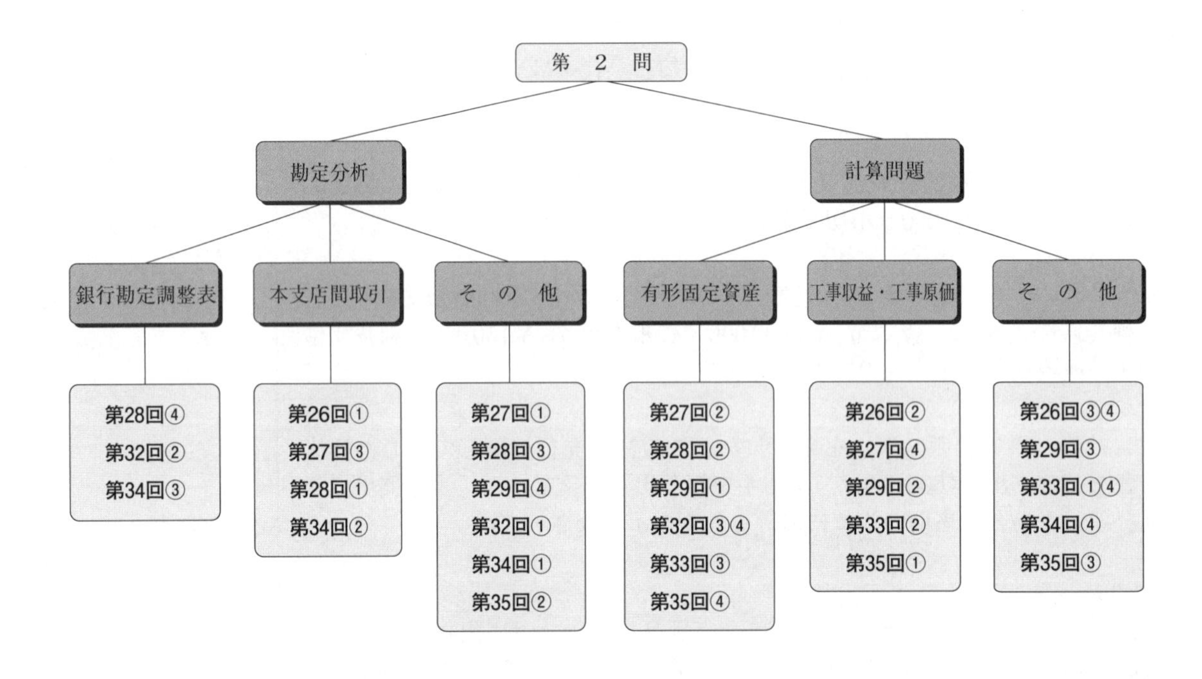

第２問は文章による金額の推定計算問題が出題されています。これはさらに勘定分析タイプ，計算問題タイプに大別されます。

ただ，第２問には難問もあるので，４題中２題の正解で良しとしましょう。

勘定分析タイプ：期首残高，期末残高などの与えられた金額をもとに特定の箇所の金額を推定します。複数の勘定をもつ設問もあるので金額の流れをつねに意識する必要があります。

計算問題タイプ：問題文の設定や公式などを利用して金額を推定する問題です。少なくとも過去に出題された公式は暗記しておく必要があります。

第２問対策　これで得点アップ！

知識を得点に変えるための解き方をマスターしよう！
「勘定分析タイプ」と「計算問題タイプ」の各々の解答手順を示します。

1　勘定分析タイプの問題の解き方

⑴　銀行勘定調整表

> 期末の当座預金勘定の残高は ￥5,620,000，同預金に係る銀行の残高証明書の金額は ￥［　？　］であった。調査の結果，未取付小切手 ￥168,000 及び電話料の未記入分 ￥47,500 があった。これらを調整したところ，両金額は一致した。

銀行勘定調整表の調整後の金額が一致することを利用し，空所を推定します。

銀行勘定調整表

当社側の残高	5,620,000	？	銀行側の残高
電話料未記入	⊖ 47,500	⊖ 168,000	未取付小切手
調整後残高	5,572,500	5,572,500	調整後残高

（↑ 一致 ↑）

調整後残高：￥5,620,000 － ￥47,500 ＝ ￥5,572,500
銀行側残高：￥5,572,500 ＋ ￥168,000 ＝ ￥5,740,500

⑵　本支店間取引

> 本店から支店に発送した材料 ￥800 が支店に未達であり，支店から本店に送金した現金 ￥1,200 が本店に未達であるとしたときに，未達事項整理前の本店の支店勘定の借方残高は ￥2,500，支店の本店勘定の貸方残高は ￥［　？　］である。

未達事項整理仕訳を行うことによって，**支店勘定と本店勘定の残高が貸借逆で一致することを利用して**，整理前の本店勘定の残高を求めます。

①本店：（借）現　　金　　1,200　（貸）支　　店　　1,200
②支店：（借）材　　料　　　800　（貸）本　　店　　　800

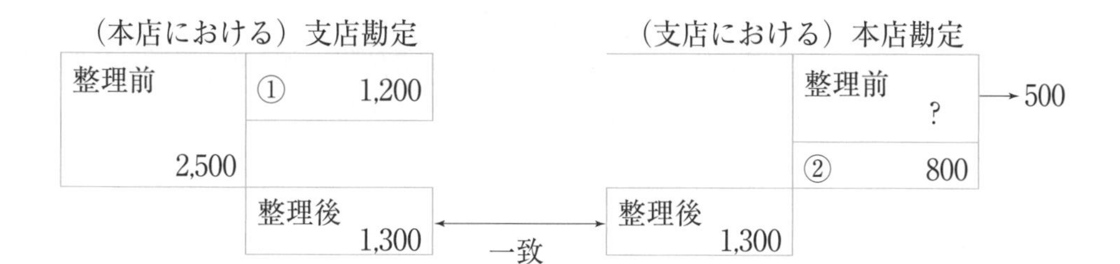

よって，［　？　］＝￥500

A　設問の条件から計算するタイプ

貸倒引当金

完成工事未収入金の期末残高 ¥8,000,000 に対して 2％の貸倒引当金を計上するとして，差額補充法による場合の貸倒引当金繰入額が ¥70,000 とすれば，洗替法による場合の貸倒引当金戻入額は ¥［　?　］となる。

決算整理における貸倒引当金の設定の仕訳を差額補充法によって仕訳をすると次のようになります。

（借）販売費及び一般管理費　70,000　（貸）貸　倒　引　当　金　70,000

貸倒引当金設定額 ¥8,000,000 × 2％＝ ¥160,000 のうち，¥70,000 計上したということは，差額 ¥90,000 が貸倒引当金残高となります。したがって，洗替法による貸倒引当金戻入額は ¥90,000 となります。

B　公式を利用して計算するタイプ

次に示す計算式は重要なので覚えておいてください。

① 工事進行基準による収益額：工事収益総額 $\times \dfrac{\text{当期までの実際発生原価累計額}}{\text{見積工事原価総額}}$ －過年度工事収益累計額

② 会社法規定の資本金組入額：原則：払込金額の総額を資本金とする。
容認：払込金額の 1／2 を資本金とする。

③ 利益準備金の積立額：準備金の合計が資本金の 1／4 に達するまで，配当金の 1／10 を積立てる。

④ 設立時に発行すべき株式数：授権株式数の 1／4。

⑤ 有形固定資産の取得原価：購入の場合：取得原価＝購入代価＋付随費用

⑥ の　れ　ん　の　計　算：被合併会社の純資産（資産－負債）－増加させる資本金

⑦ 内　部　利　益　の　金　額：本店が商品を内部利益を付して支店に提供している場合。

支店の期末在庫（未達分含む）のうちの本店仕入分 $\times \dfrac{\text{内部利益率}}{1+\text{内部利益率}}$

Q 第25回 次の ＿＿ に入る正しい数値を計算しなさい。（12点）

〈標準時間〉20分

解答用紙 ⇒P.6　解答・解説 ⇒P. 2-44

(1)　A社を￥5,000,000で買収した。A社の諸資産は￥7,250,000で，諸負債は￥2,750,000であった。この取引により発生したのれんについて，会計基準が定める最長期間で償却した場合の１年分の償却額は￥＿＿ である。

(2)　実地棚卸前の材料元帳の期末残高は，数量が650 kgであり，１kg当たり単価￥1,300であった。実地棚卸の結果，数量について40 kgの不足が生じていたが，原因は不明であった。１kg当たり単価が ￥1,200に下落している場合，材料評価損は￥＿＿ である。

(3)　期末に当座預金勘定残高と銀行の当座預金残高の差異分析をしたところ，次の事実が判明した。①借入金の利息 ￥96,000が引き落とされていたが，その通知が当社に未達であった，②工事未払金の支払に小切手 ￥283,000を振り出したが，いまだ取り立てられていなかった，③工事代金の入金 ￥158,000があったが，その通知が未達であった，④通信料金の自動引き落としが ￥13,000あったが未処理であった。このとき，銀行の当座預金残高は当社の当座預金勘定残高より￥＿＿ 多い。

(4)　未収利息の期首残高が ￥82,000で，当期の利息の収入額が￥＿＿ で，当期の損益計算書に記載された受取利息が ￥385,000であれば，当期末の貸借対照表に記載される未収利息は ￥95,300となる。

(1)　のれんは20年以内に償却することになる。

(2)　材料の評価替えは，実地棚卸の数量に対して行う。

(3)　調整後の残高が一致（両者区分調整法）することを利用して，調整前の残高の差額を計算する。

(4)　未収利息の期首残高は再振替仕訳によって受取利息から減算され，当期末の貸借対照表に記載される未収利息の金額は受取利息に加算される。

第27回

Q 次の ☐ に入る正しい金額を計算しなさい。 (12点)

〈標準時間〉

20分

解答用紙 ⇒P.6 解答・解説 ⇒P. 2-45

(1) 未払利息の期首残高は ¥80,000, 当期における利息の支払額は ¥120,000, 当期の損益計算書上の支払利息が¥☐ であれば, 当期末の貸借対照表に記載される未払利息は ¥60,000である。

(2) 工事用機械（取得価額 ¥3,600,000, 残存価額ゼロ, 耐用年数９年）を７年間定額法で償却してきたが, ８年目の期首において ¥500,000で売却した。このときの固定資産売却損は¥☐ である。

(3) 本店は, 名古屋支店を独立会計単位として取り扱っており, 本店における名古屋支店勘定は ¥160,000の借方残である。名古屋支店で使用している乗用車に係る減価償却費 ¥20,000は本店で計算し, 名古屋支店の負担とした。本店における名古屋支店勘定は¥☐ の借方残である。

(4) 前期に請負金額 ¥50,000,000の工事(工期は５年)を受注し, 前期より工事進行基準を適用している。当該工事の前期における総見積原価は ¥40,000,000であったが, 当期末において原材料の高騰を受けて, 総見積原価を ¥42,000,000に変更した。前期における工事原価の発生額は ¥4,000,000であり, 当期は ¥6,500,000である。工事進捗度の算定を原価比例法によっている場合, 当期の完成工事高は¥☐ である。

(1) 未払利息の期首残高は再振替仕訳によって支払利息から減算され, 当期末の貸借対照表に記載される未払利息の金額は支払利息に加算される。

(2) 売却時の帳簿価額＝取得原価－減価償却累計額

(3) 本店における名古屋支店勘定は, どのように考える？

(4) 先に前期の完成工事高を求める。

次の［　　］に入る正しい金額を計算しなさい。（12点）

第28回

〈標準時間〉

20分

解答用紙 ⇒P.6　解答・解説 ⇒P. 2-47

(1) 本店は，支店への材料振替価格を，原価に３％の利益を加算した金額としている。支店における期末棚卸資産には未成工事支出金に含まれている材料費 ¥325,000（うち本店仕入分 ¥154,500），材料棚卸高 ¥56,000（うち本店仕入分 ¥25,750）があった。これらに含まれている内部利益は¥［　　］である。

(2) 機械装置Ａは取得原価 ¥1,500,000，耐用年数５年，残存価額ゼロ，機械装置Ｂは取得原価 ¥5,800,000，耐用年数８年，残存価額ゼロ，機械装置Ｃは取得原価 ¥600,000，耐用年数３年，残存価額ゼロである。これらを総合償却法で減価償却費の計算（定額法）を行う場合，加重平均法で計算した平均耐用年数は［　　］年である。なお，小数点以下は切り捨てるものとする。

(3) 甲建設株式会社の賃金支払期間は前月21日から当月20日までであり，当月25日に支給される。当月の賃金支給総額は ¥2,530,000であり，所得税 ¥230,000，社会保険料 ¥163,200を控除して，現金にて支給された。前月賃金未払高が¥863,000で，当月賃金未払高が ¥723,000であったとすれば，当月の労務費は¥［　　］である。

(4) 当社の当座預金勘定の決算整理前の残高は ¥964,000であるが，銀行の当座預金残高は ¥1,042,800であった。両者の差異分析をした結果，次の事実が判明した。
① 取立を依頼しておいた約束手形 ¥28,000が取立済となっていたが，その通知が当社に未達であった。
② 工事未払金の支払に小切手 ¥12,000を振り出したが，いまだ取り立てられていなかった。
③ 工事代金の入金 ¥34,000があったが，その通知が当社に未達であった。
④ 備品購入代金の決済のために振り出した小切手 ¥4,800が相手先に未渡しであった。
このとき，修正後の当座預金勘定の残高は¥［　　］である。

(1) 内部利益が含まれているものは？

(2) 平均耐用年数
$$=\frac{\text{減価償却総額の合計}}{\text{年次償却の合計}}$$

(3) 未払賃金／賃　　金（月初）
賃　　金／現金など（25日）
賃　　金／未払賃金（月末）

(4) ①連絡未通知
②未取付小切手
③連絡未通知
④未渡小切手

Q 次の ＿＿ に入る正しい金額を計算しなさい。 (12点)

第29回

〈標準時間〉

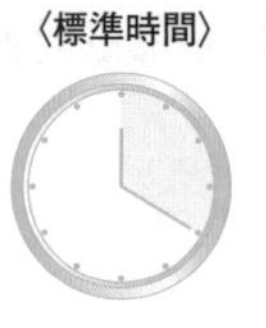

20分

解答用紙	解答・解説
⇒P.6	⇒P. 2-48

(1) 当期首において，建設機械（取得原価 ¥3,000,000，耐用年数５年，残存価額ゼロ，見積総生産量15,000単位）を取得した。当年度における実際生産量は4,000単位である。生産高比例法による場合と定額法による場合の，当年度における減価償却費の差額は¥＿＿ である。

(2) 甲工事（工期５年，請負金額 ¥18,000,000，見積総工事原価 ¥15,840,000）については，成果の確実性が認められないため，前期までは工事完成基準を適用していたが，当期に成果の確実性を事後的に獲得したため，当期より工事進行基準を適用することとした。甲工事の前期までの工事原価発生額は ¥1,508,000，当期の工事原価発生額は ¥5,620,000であった。なお，工事着手時に請負金額の30％を受領している。工事進捗度の算定について原価比例法によっている場合，当期末の完成工事未収入金の残高は¥＿＿ である。

(3) 乙建設㈱は，20×1年４月１日に得意先の丙商店に対する貸付のために現金¥7,800,000を支出し，その見返りに同商店振出しの約束手形 ¥8,000,000（支払期日20×5年３月31日）を受け取った。償却原価法（定額法）による場合，当該貸付金の20×3年３月31日における貸借対照表価額は¥＿＿ である。

(4) 前払利息の期首残高は ¥5,000で，当期における利息の支払額は ¥350,000である。当期の損益計算書に記載された支払利息が ¥340,000のとき，当期末の貸借対照表に記載される前払利息は¥＿＿ となる。

(1) 残存価額に注意する。

(2) 過去に遡った修正は必要ない。

(3) 貸付時から何年経過している？

(4) 支払利息／前払利息（期首）
支払利息／現金など（期中）
前払利息／支払利息（期末）

費目別計算
部門別計算

第３問 対 策

第3問で問われるのはこれだ！

知識を得点につなげるためには、まず出題内容を把握しよう！

- 第 3 問
  - 費目別計算
    - 工事間接費
      - 第28回
      - 第29回（第４問）
      - 第32回
      - 第35回
    - 原価の分類
      - 第26回
      - 第27回
  - 部門別計算
    - 部門費配分表
    - 部門費振替表
      - 第33回
      - 第34回問２（第４問）

第３問は費目別の原価数値算定問題と部門費振替表作成問題に大別されます。費目別計算では予定原価について多く出題されます。

第３問対策　これで得点アップ！

知識を得点に変えるための解き方をマスターしよう！
「工事間接費の配賦」の解答手順を示します。

(1)設問を読み要求されている内容を把握します。

設例とは逆に資料→設問で構成されている場合も，設問から読むことで資料の理解度が高まります。

問１　当会計期間の予定配賦率を計算しなさい。この計算過程において生じた端数は円位未満四捨五入とする。

問２　当月の86号工事に対する車両関係費予定配賦額を計算しなさい。

問３　当月の車両関係費に関する配賦差異を計算しなさい。

〈資　料〉

(1)　当会計期間の車両関係費予算
　甲車両減価償却費　¥276,840　乙車両減価償却費　¥195,440
　車両修繕管理費　　¥100,760　車両保険料その他　¥　88,460
(2)　当会計期間の車両運転時間（予定）　2,450時間
(3)　当月の工事現場別車両利用実績　　86号工事：45時間　その他の工事：153時間
(4)　当月の車両関係費実際発生額　　総額¥54,879

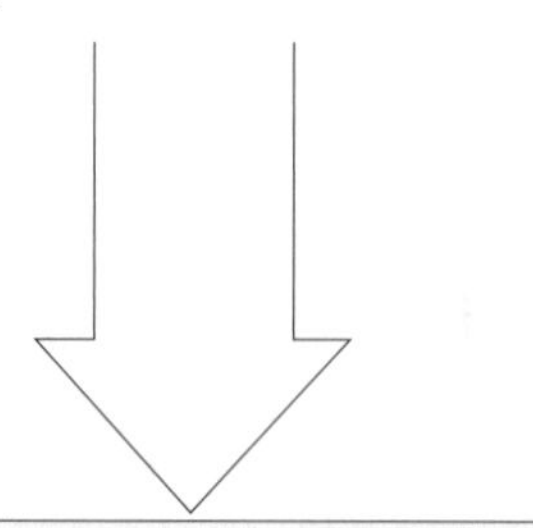

(2)予定配賦率を計算します。

予定配賦率算定で必要なのは予算額と予定操業度です。

車両関係費予算額：¥276,840＋¥195,440＋¥100,760＋¥88,460＝¥661,500
予定配賦率：¥661,500÷2,450時間＝@¥270/時間 →問１

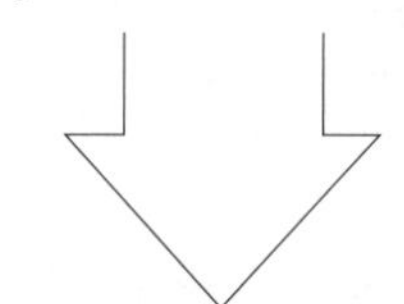

(3)予定配賦額を計算します。

予定配賦額＝予定配賦率×実際操業度

予定配賦額：@¥270×45時間　＝ ¥12,150（86号工事）→問２
　　　　　　@¥270×153時間＝ ¥41,310（その他の工事）
　　　　　　予定配賦額合計　　¥53,460

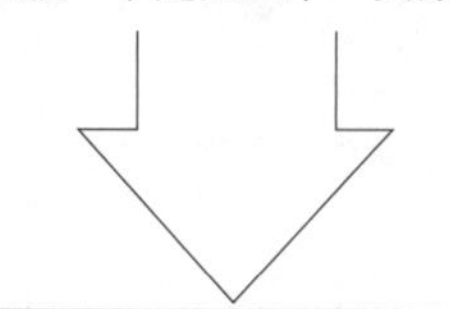

(4)配賦差異を計算します。

配賦差異＝予定配賦額－実際発生額

配賦差異：¥53,460－¥54,879＝（－）¥1,419 →問３

解答用紙 ⇒P.7　解答・解説 ⇒P. 2-50

第24回

次の〈資料〉により，解答用紙の部門費配分表を完成しなさい。なお，解答の記入において端数が生じた場合には，円未満を四捨五入すること。　(14点)

〈標準時間〉

20分

〈資料〉

1．部門共通費の配賦基準

労務管理費………従業員数
建物関係費………専有面積
電力費……………電力使用量
福利厚生費………労務費額

2．部門別配賦基準数値

配賦基準＼部門	A部門	B部門	C部門	D部門
労務費額	9,253,000円	7,548,500円	4,383,000円	3,165,500円
従業員数	16人	10人	8人	6人
専有面積	311.6㎡	213.2㎡	155.8㎡	139.4㎡
電力使用量	385kw	330kw	220kw	165kw

本問は部門共通費の配賦で，補助部門費の配賦ではないことに注意する。

解答用紙の部門共通費の金額を，部門共通費の配賦基準にしたがって配分する。

解答用紙 ⇒P.8　解答・解説 ⇒P. 2-52

第25回

各工事部に共通して補助的なサービスを供与している補助部門は，独立して各々の原価管理を実施している。次の〈資料〉に基づいて，階梯式配賦法により解答用紙の「部門費振替表」を完成しなさい。なお，補助部門費に関する配賦は第１順位を運搬部門とする。また，計算の過程において端数が生じた場合には，円未満を四捨五入すること。　(14点)

〈標準時間〉

20分

〈資料〉

(1) 各部門費の合計額

第１工事部 ¥785,900　第２工事部 ¥682,400　第３工事部 ¥937,600
材料管理部門 ¥99,000　運搬部門 ¥186,000

(2) 各補助部門の他部門へのサービス提供度合

（単位：％）

	第１工事部	第２工事部	第３工事部	材料管理部門	運搬部門
材料管理部門	29	42	27	－	2
運搬部門	30	35	25	10	－

補助部門費に関する配賦は第１順位を運搬部門とするので，部門費振替表の右端は「運搬部門」となる。

Q 第28回

現場技術者に対する従業員給料手当等の人件費（工事間接費）に関する次の〈資料〉に基づいて，下記の問に解答しなさい。　（14点）

解答用紙 ⇒P.9　解答・解説 ⇒P. 2-53

〈資料〉

(1) 当会計期間（20×1年４月１日～20×2年３月31日）の人件費予算額
　①従業員給料手当　¥64,350,000
　②法定福利費　¥7,326,000
　③福利厚生費　¥3,524,000

(2) 当会計期間の現場管理延べ予定作業時間　23,000時間

(3) 当月（20×2年３月）の工事現場別実際作業時間　A工事　280時間
　B工事　170時間
　その他の工事　1,450時間

(4) 当月の人件費実際発生額　総額　¥6,130,000

問１　当会計期間の人件費に関する予定配賦率を計算しなさい。なお，計算過程において端数が生じた場合は，円未満を四捨五入すること。

問２　当月のA工事への予定配賦額を計算しなさい。

問３　当月の人件費に関する配賦差異を計算しなさい。なお，配賦差異については，借方差異の場合は「A」，貸方差異の場合は「B」を解答用紙の所定の欄に記入しなさい。

問１　人件費に関する予定配賦率
$=\frac{\text{人件費予算額}}{\text{予定作業時間}}$

問２　予定配賦額の計算には，A工事の実際作業時間を用いる。

問３　予定配賦額の計算には，A工事，B工事，その他の工事の実際作業時間の合計を用いる。

第29回

Ｐ建設株式会社は，各工事現場の管理のために，３台の車両（１号車，２号車，３号車）を使用している。これら車両に係る費用を各工事に配賦するために，車両走行距離を基準とした予定配賦法を採用している。次の〈資料〉に基づき，下記の問に解答しなさい。（14点）

〈標準時間〉

20分

解答用紙 ⇒P. 9　解答・解説 ⇒P. 2-54

〈資料〉

(1) 当会計期間の車両関係費予算

１号車　減価償却費	￥860,000
２号車　減価償却費	￥540,000
３号車　減価償却費	￥1,085,000
車両修繕管理費	￥642,000
車両保険料その他	￥137,000

(2) 当会計期間の車両走行距離（予定）　25,000 km

(3) 当月の工事現場別車両利用実績

甲工事	630 km
乙工事	420 km
丙工事	150 km
その他の工事	180 km

(4) 当月の車両関係費実際発生額　￥198,000

問１　当会計期間の車両関係費予定配賦率を計算しなさい。なお，計算過程において端数が生じた場合は，円未満を四捨五入すること。

問２　当月の丙工事への予定配賦額を計算しなさい。

問３　当月の車両関係費に関する配賦差異を計算しなさい。なお，配賦差異については，有利差異の場合は「Ａ」，不利差異の場合は「Ｂ」を解答用紙の所定の欄に記入しなさい。

問１　車両関係費予定配賦率

$$= \frac{\text{車両関係費予算}}{\text{車両走行距離（予定）}}$$

問２　予定配賦額の計算には，丙工事の車両利用実績を用いる。

問３　予定配賦額の計算には，甲工事，乙工事，丙工事，その他の工事の車両利用実績の合計を用いる。

第４問対策

第4問で問われるのはこれだ！

理論問題
個別原価計算

知識を得点につなげるためには、まず出題内容を把握しよう！

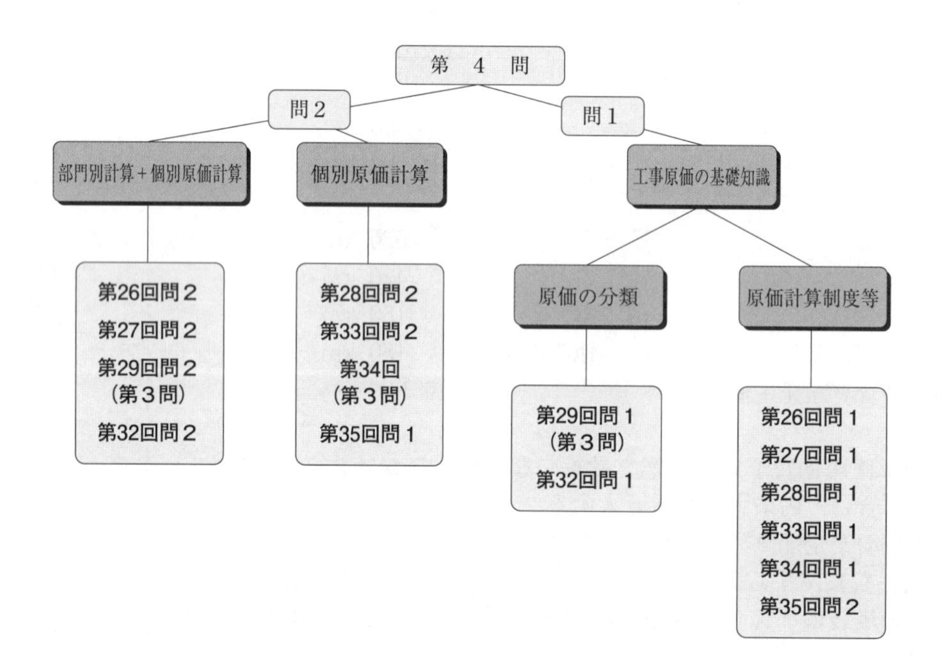

第４問は原価計算についての理論問題（問１）と，個別原価計算（問２）に関する出題になっています。

計算問題の解き方には，⑴資料の数値を解答用紙に直接記入していく方法と，⑵原価計算表を作成してから解答用紙に記入する方法があります。

⑴のほうが短時間で解答できますが，慣れが必要です。ここでは⑴の短時間で解く方法について解説します。なお，本編では⑵の方法で解説していますので，自分に合った解答方法を見つけてください。

＊　第 35 回の第 4 問では，問 1 で計算問題，問 2 で理論問題が出題されています。

第４問対策　これで得点アップ！

知識を得点に変えるための解き方をマスターしよう！
「部門別計算＋個別原価計算」の解答手順を示します。

(1)問題文をチェックします。

問題文を読んで次の事項をチェックします。

① 問題文，解答用紙から何を作成するのかを確認します。
　例：未成工事支出金勘定
　　　A部門費勘定
　　　工事間接費配賦差異勘定
　　　完成工事原価報告書

② 問題となる工事の完成，未完成を確認します。
　例：No 421→完　成
　　　No 422→未完成

③ 部門費の配賦基準を確認します。
　例：A部門費→直接労務時間基準
　　　B部門費→直接材料費基準

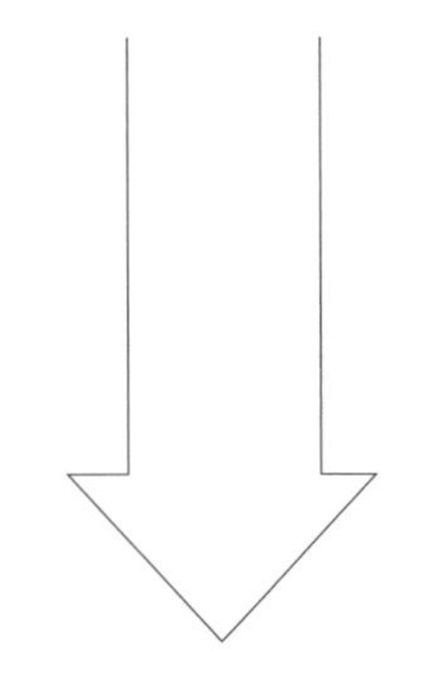

Q　次の資料から未成工事支出金勘定，A部門費勘定，工事間接費配賦差異勘定，月次（X7年12月）の完成工事原価報告書の各空欄に適切な語句または金額を入れなさい。

〈資料〉

1．当月実施した工事の状況

工事番号	着　手	竣　工
No.421	平成X7年11月	平成X7年12月
No.422	平成X7年12月	平成X8年４月予定

2．前月からの繰越額（単位：円）

(1)　未成工事支出金

工事番号	材料費	労務費	外注費	経費（うち，人件費）	合　計
No.421	331,870	195,570	127,900	76,820（41,050）	732,160

(2)　工事間接費配賦差異　A部門 403（借方差異）　B部門 300（貸方差異）

3．当月の発生工事原価（単位：円）

工事直接費

工事番号	材料費	労務費	外注費	経費（うち，人件費）	合　計
No.421	78,100	43,290	45,840	25,170（10,940）	192,400
No.422	132,400	73,050	25,330	34,690（20,940）	265,470

4．現場共通費（A部門費・B部門費）の予定配賦

(1)　A部門費　配賦基準は直接労務時間法であり，当期の予定配賦率は１時間当たり@￥210である。
　当月の工事別直接労務時間は次のとおり。

工　事　番　号	No.421	No.422
直接労務時間（時間）	27	38

(2)　B部門費　配賦基準は直接材料費法であり，当期の予定配賦率は２％である。
(3)　工事間接費は，すべて経費に属するものとして処理する。
(4)　予定配賦計算の過程で端数が生じた場合は，すべて円位未満四捨五入とする。

(2)未成工事支出金勘定を作成します。

①借方数値を資料より求めます。
②工事ごとの原価を集計して貸方数値を求めます。
　完成工事原価：No.421の合計
　￥732,160＋￥192,400＋@￥210×27時間＋￥78,100×２％＝￥931,792＊1
　次月繰越：No.422の合計
　￥265,470＋@￥210×38時間＋￥132,400×２％＝￥276,098
　（貸借差額で求める＊2こともできます）

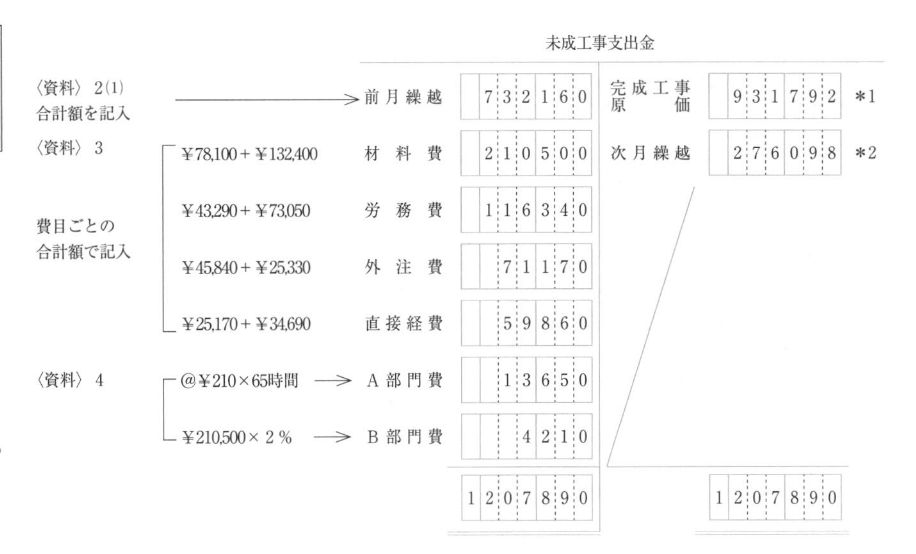

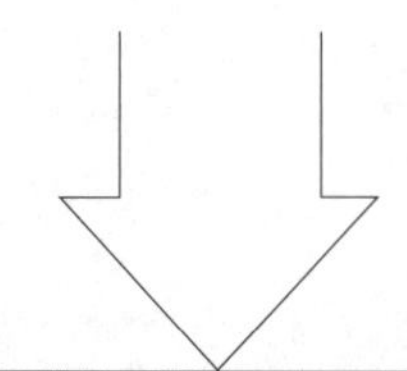

(3)A部門費勘定を作成します。

貸方：未成工事支出金勘定より転記します。
借方：工事間接費配賦差異を貸借差額で求めます。
B部門費勘定も同様に作成できます。

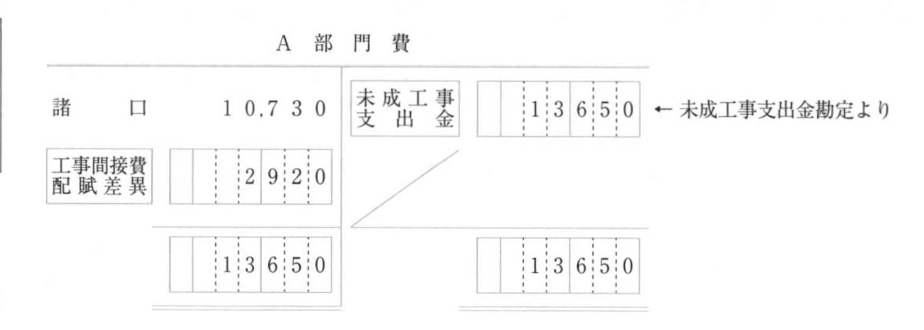

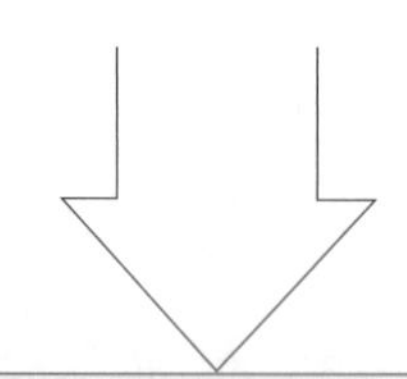

(4)工事間接費配賦差異勘定を作成します。

①前月繰越：A部門，B部門の工事間接費配賦差異合計を純額で記入します。
②A部門費から工事間接費配賦差異を振り替えます。
③貸借差額を次月繰越とします。

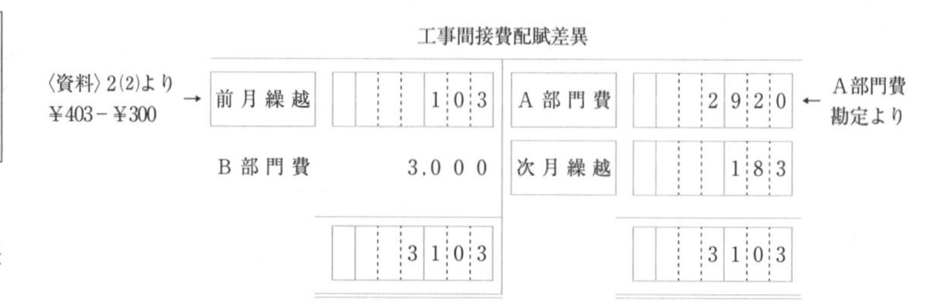

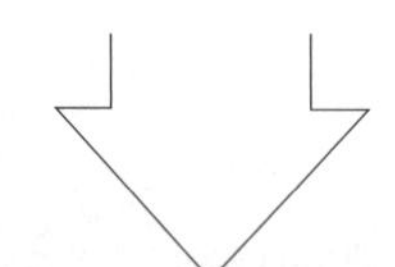

(5)完成工事原価報告書を作成します。

No.421の金額を費目別に記入します。
未成工事支出金勘定では前月繰越は一括して処理していますが，完成工事原価報告書は前月，当月の関係なく費目で集計します。
経費：¥76,820＋¥25,170＋@¥210×27時間
＋¥78,100×2％＝¥109,222*3

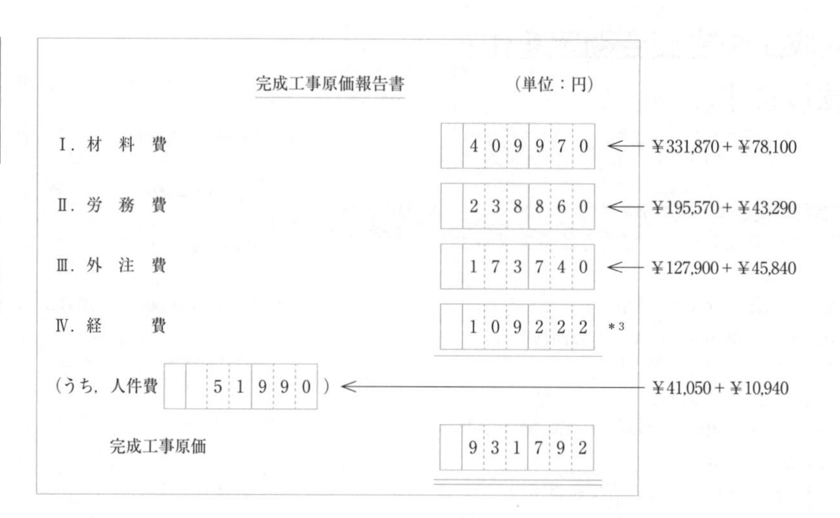

Q 第27回 **以下の問に解答しなさい。** **（24点）**

〈標準時間〉
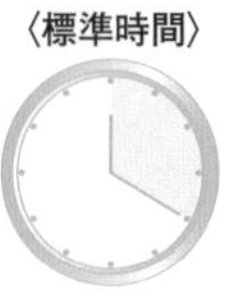
20分

解答用紙 ⇒P. 10　解答・解説 ⇒P. 2-55

問１　次の支出は，原価計算制度によれば，下記の〈区分〉のいずれに属するものか，記号（A～C）で解答しなさい。

1．コンクリート工事外注費
2．本社経理部職員の人件費
3．社債発行費償却
4．仮設材料費

〈区分〉
A　プロダクト・コスト（工事原価）
B　ピリオド・コスト（期間原価）
C　非原価

問２　次の〈資料〉に基づき，解答用紙の部門費振替表を完成しなさい。

問２　解答用紙の部門費振替表に記入済みの金額に着目する。

〈資料〉
1．補助部門費の配賦方法
請負工事について，第１工事部，第２工事部及び第３工事部で施工している。また，共通して補助的なサービスを提供している機械部門，仮設部門及び材料管理部門が独立して各々の原価管理を実施し，発生した補助部門費についてはサービス提供度合に基づいて，直接配賦法により施工部門に配賦している。

2．補助部門費を配賦する前の各部門の原価発生額は次のとおりである。

（単位：円）

第１工事部	第２工事部	第３工事部	機械部門	仮設部門	材料管理部門
2,500,000	1,750,000	1,250,000	50,000	?	35,000

3．各補助部門の各工事部へのサービス提供度合は次のとおりである。

（単位：%）

	第１工事部	第２工事部	第３工事部	合計
機械部門	60	25	15	100
仮設部門	50	?	?	100
材料管理部門	40	40	20	100

第28回

以下の問に解答しなさい。　（24点）

〈標準時間〉

20分

解答用紙 ⇒P.11　解答・解説 ⇒P. 2-57

問1　次の文章は，下記の〈工事原価計算の種類〉のいずれと最も関係の深い事柄か，記号（A～E）で解答しなさい。

1．建設業では，工事原価を材料費，労務費，外注費，経費に区分して計算し，これにより制度的な財務諸表を作成している。
2．「原価計算基準」にいう原価の本質の定義から判断すれば，工事原価と販売費及び一般管理費などの営業費まで含めて原価性を有するものと考えられる。
3．建設資材を量産している企業では，一定期間に発生した原価をその期間中の生産量で割って，製品の単位当たり原価を計算する。
4．建設会社が請け負う工事については，一般的に，1つの生産指図書に指示された生産活動について費消された原価を集計・計算する方法が採用される。

〈工事原価計算の種類〉
A 事前原価計算　B 総原価計算　C 形態別原価計算
D 個別原価計算　E 総合原価計算

問2　工事間接費の予定配賦率

$$=\frac{\text{工事間接費予算額}}{\text{直接原価の総発生見込額}}$$

問2　次の〈資料〉により，解答用紙の工事別原価計算表を完成しなさい。また，工事間接費配賦差異の月末残高を計算しなさい。なお，その残高が借方の場合は「A」，貸方の場合は「B」を，解答用紙の所定の欄に記入しなさい。

〈資料〉
1．当月は，繰越工事であるNo.100工事とNo.110工事，当月に着工したNo.200工事を施工し，月末にはNo.100工事とNo.200工事が完成した。

2．前月から繰り越した工事原価に関する各勘定の前月繰越高は，次のとおりである。

(1)　未成工事支出金　（単位：円）

工事番号	No.100	No.110
材料費	432,000	720,000
労務費	352,000	563,000
外注費	840,000	1,510,000
経　費	144,000	254,000

(2)　工事間接費配賦差異　¥3,500（貸方残高）
（注）　工事間接費配賦差異は月次においては繰り越すこととしている。

3．労務費に関するデータ

(1) 労務費計算は予定賃率を用いており，当会計期間の予定賃率は1時間当たり￥1,200である。

(2) 当月の直接作業時間

No.100工事　138時間　　No.110工事　216時間　　No.200工事　314時間

4．当月の工事別直接原価額　　　　　　　　（単位：円）

工事番号	No.100	No.110	No.200
材料費	238,000	427,000	543,000
労務費	（資料により各自計算）		
外注費	532,000	758,000	1,325,000
経費	84,400	95,800	195,200

5．工事間接費の配賦方法と実際発生額

(1) 工事間接費については直接原価基準による予定配賦法を採用している。

(2) 当会計期間の直接原価の総発生見込額は￥72,300,000である。

(3) 当会計期間の工事間接費予算額は￥2,169,000である。

(4) 工事間接費の当月実際発生額は￥160,000である。

(5) 工事間接費はすべて経費である。

第29回

以下の問に答えなさい。 **（24点）**

〈標準時間〉

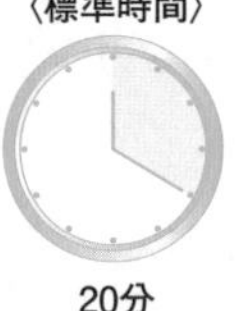

20分

解答用紙 ⇒P. 12　解答・解説 ⇒P. 2-60

問1　次に示すような工事間接費は，どのような配賦基準を選択することが最も適切であるか，記号（A～E）で解答しなさい。

1．労務作業量に比例して発生する費用
2．タワークレーンの稼働時間に関連して発生する費用
3．労務副費のような費用
4．材料副費のような費用

〈配賦基準の種類〉

A　機械運転時間　　B　直接作業時間　　C　材料費額
D　労務費額　　E　外注費額

問2　20×3年9月の工事原価に関する下記の〈資料〉により，次の問に解答しなさい。

1．当月の完成工事原価報告書を完成しなさい。
2．当月末の未成工事支出金勘定残高を計算しなさい。
3．当月末の現場共通費配賦差異勘定残高を計算しなさい。なお，月次で発生する原価差異は，そのまま翌月に繰り越す処理をしている。また，その残高が借方差異の場合は「A」，貸方差異の場合は「B」を，解答用紙の所定の欄に記入しなさい。

〈資料〉

1．当月の工事状況は次のとおりである。なお，収益の認識は工事完成基準を適用している。

工事番号	着工	竣工
No.201	20×2年10月	20×3年９月
No.202	20×2年12月	20×3年12月予定
No.212	20×3年４月	20×3年９月
No.213	20×3年９月	20×3年９月

問2　甲部門費と乙部門費では，配賦基準が異なるので注意する。

2．前月から繰り越した工事原価に関する各勘定の内訳は，次のとおりである。
(1) 未成工事支出金
(単位：円)

工事番号	No.201	No.202	No.212
材料費	1,230,000	850,000	380,000
労務費	560,000	235,000	143,000
外注費	3,800,000	1,380,000	520,000
経　費	231,000	104,000	39,000

(2) 現場共通費配賦差異　甲部門　¥13,400　(借方残高)
　　　　　　　　　　　乙部門　¥8,320　(貸方残高)

3．当月に発生した工事原価
(1) 工事直接費
(単位：円)

工事番号	No.201	No.202	No.212	No.213
材料費	30,000	120,000	50,000	250,000
労務費	81,000	42,000	40,000	134,000
外注費	382,000	127,000	69,000	652,000
直接経費	57,000	26,000	22,000	18,000

(2) 現場共通費　甲部門　¥119,400
　　　　　　　乙部門　¥73,200

4．現場共通費の予定配賦
(1) 甲部門費の配賦基準は直接作業時間であり，当月の予定配賦率は1時間当たり¥1,200である。当月の工事別直接作業時間は次の通りである。
(単位:時間)

工事番号	No.201	No.202	No.212	No.213	合計
直接作業時間	40	20	15	30	105

(2) 乙部門費の配賦基準は直接材料費法であり，当月の予定配賦率は15%である。
(3) 現場共通費はすべて経費に属するものである。
(4) 予定配賦計算の過程で端数が生じた場合は，円未満を四捨五入すること。

精算表の作成

第5問対策

第5問で問われるのはこれだ！

知識を得点につなげるためには、まず出題内容を把握しよう！

第５問は精算表が連続して出題されています。出題論点も各回とも類似しています。解答パターンをマスターして常に満点が取れるようにしておいてください。

〈ほぼ毎回出る論点〉

1．仮払金の処理
2．減価償却
3．貸倒引当金の設定
4．完成工事補償引当金の設定
5．退職給付引当金の設定
6．完成工事原価の算定
7．法人税等の処理

〈その他の論点〉

1．現金勘定の調整
2．当座預金勘定の調整
3．仮設撤去費の処理
　（すくい出し法）
4．材料の棚卸減耗
5．仮受金の処理
6．債権の個別評価
7．経過勘定項目

〈問題の設定〉

1．減価償却費の予定計算を行っている
2．退職給付引当金も予定計算を行っている出題実績あり

第5問対策

これで得点アップ！

知識を得点に変えるための解き方をマスターしよう！
「精算表」の解答手順を示します。

(1)貸倒引当金の設定

注：問題によっては，勘定科目欄に「貸倒引当金繰入額」がない場合があります。その場合は，「販売費及び一般管理費」で処理すると，覚えておいて下さい。

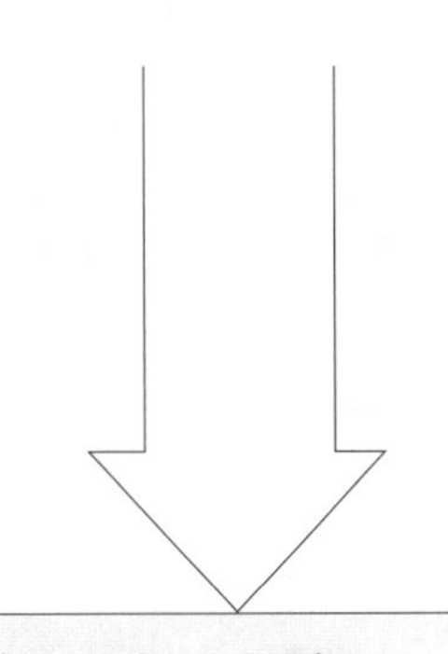

Q　**貸倒引当金：売上債権の期末残高の２％を計上する。（差額補充法）**

精　算　表

（単位：円）

勘定科目	残高試算表		整理記入		損益計算書		貸借対照表	
	借方	貸方	借方	貸方	借方	貸方	借方	貸方
受取手形	210,000							
完成工事未収入金	290,000							
貸倒引当金		6,400		② 3,600 ←				① 10,000
貸倒引当金繰入額			③ 3,600 →		③ 3,600			

①　貸倒引当金の設定額を計算します。
　（¥210,000＋¥290,000）×２％＝¥10,000
　¥10,000が期末の決算整理後の貸倒引当金の額であり，これを貸借対照表欄の貸方に書き込みます。
②　①で計算した金額と貸倒引当金の残高試算表欄の金額との差額を，整理記入欄に記入します。
　¥10,000－¥6,400＝¥3,600
③　同時に貸倒引当金繰入額の整理記入欄の借方と損益計算書の借方に移記します。

(2)有価証券の評価

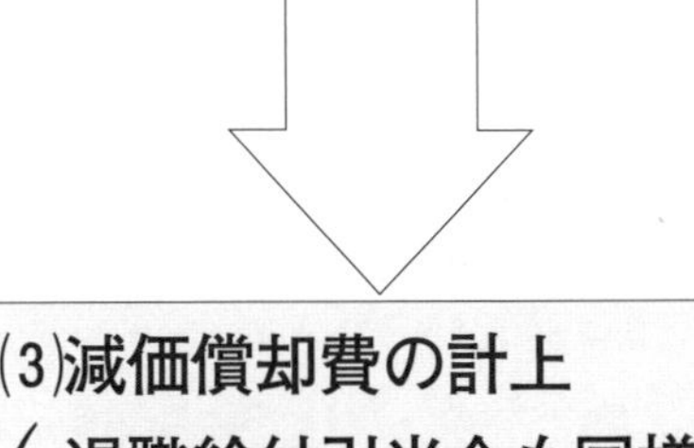

Q　**有価証券は売買目的で保有している。期末時価は ¥336,000である。**

精　算　表

（単位：円）

勘定科目	残高試算表		整理記入		損益計算書		貸借対照表	
	借方	貸方	借方	貸方	借方	貸方	借方	貸方
有価証券	350,000			② 14,000 ←			① 336,000	
有価証券評価損			③ 14,000 →		④ 14,000			

①　¥336,000が有価証券の評価額なので，貸借対照表欄の借方に記入します。
②　帳簿価額 ¥350,000との差額 ¥14,000を整理記入欄の貸方に記入します。
③　同時に有価証券評価損の整理記入欄の借方に ¥14,000を記入します。
④　この評価損を損益計算書欄の借方に移記します。

(3)減価償却費の計上（退職給付引当金も同様に処理します。）

Q　**減価償却費を計上する。**

工事現場用機械装置…¥29,300（付記事項参照）
一般管理部門用備品…定額法　耐用年数８年　残存価額は取得原価の10%
〈付記事項〉
機械装置の減価償却費，月額 ¥2,500を月次決算において予定計算しており，予定額と実際発生額との差額を未成工事支出金で調整する。

精　算　表

（単位：円）

勘定科目	残高試算表		整理記入		損益計算書		貸借対照表	
	借方	貸方	借方	貸方	借方	貸方	借方	貸方
機械装置	300,000							
機械装置減価償却累計額		81,600	① 700		→			④ 80,900
未成工事支出金	126,000			① 700				
備品	80,000							
備品減価償却累計額		32,000		② 9,000	→			④ 41,000
販売費及び一般管理費	521,000		② 9,000 →		③ 530,000			

①　機械装置減価償却費

実際額	¥29,300	予定計上額が多すぎたので
予定計上額　¥2,500／月×12カ月＝	¥30,000	減額する仕訳をします。
差引：超過額	(－)¥700	

　超過額を未成工事支出金の整理記入欄の貸方，機械装置減価償却累計額の整理記入欄の借方に記入します。

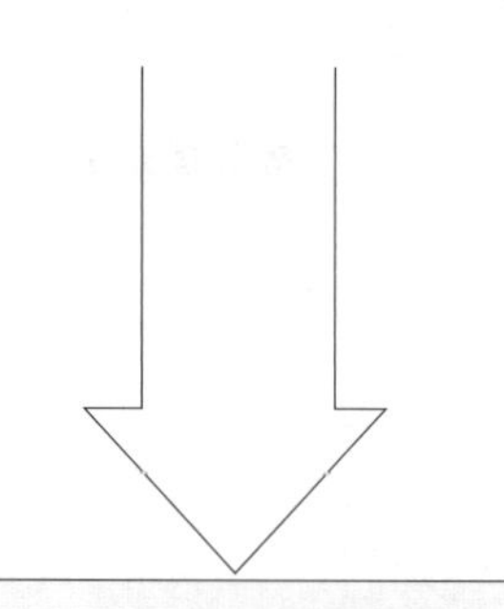

② 備品減価償却費

¥80,000×0.9÷ 8 年 = ¥9,000

算定された減価償却費を販売費及び一般管理費の整理記入欄の借方，備品減価償却累計額の整理記入欄の貸方に記入します。

③ 販売費及び一般管理費の合計を損益計算書欄の借方へ記入します。

④ 減価償却累計額の合計を貸借対照表欄の貸方へ記入します。

(4)完成工事原価の算定

Q 未成工事支出金の次期繰越額は ¥98,500である。

精 算 表

(単位：円)

勘定科目	残高試算表		整理記入		損益計算書		貸借対照表	
	借方	貸方	借方	貸方	借方	貸方	借方	貸方
未成工事支出金	126,000			700 ② 26,800			① 98,500	
完成工事原価			③ 26,800		③ 26,800			

① 次期繰越額 ¥98,500を未成工事支出金の貸借対照表欄の借方に記入します。

② 完成工事原価をボックスの貸借差額で求め，未成工事支出金の整理記入欄の貸方に書き込みます。

③ 同時に，完成工事原価の整理記入欄の借方に記入し，損益計算書欄の借方に移記します。

未成工事支出金

残高試算表 126,000	(3)より 700 完成工事原価 ② 次期繰越額 98,500

完成工事原価

26,800	

引渡しの行われた工事にかかわる工事原価を「完成工事原価」勘定へ振り替えます。

(5)その他の決算整理事項の処理

その他の決算整理事項を処理します。

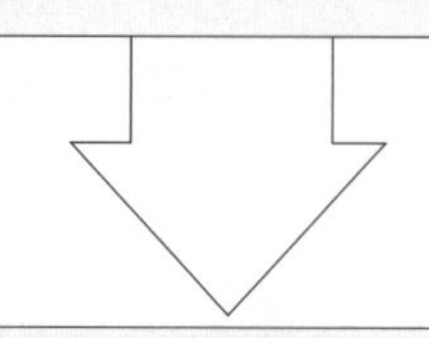

(6)精算表の完成

精算表完成の手順

① 整理記入欄を合計し，貸借の一致を確認します。

② 損益計算書欄，貸借対照表欄に移記します。

③ 損益計算書欄を合計し，貸借差額を当期純利益(損失)とします。

④ ③で計上した当期純利益（損失）を貸借対照表欄に移記します。

⑤ 貸借対照表欄を合計し，貸借の一致を確認します。

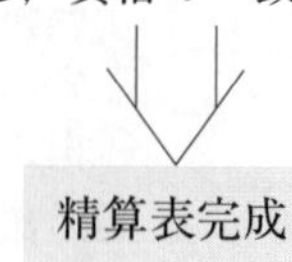

精算表完成

Q 第27回 **次の〈決算整理事項等〉に基づき，解答用紙の精算表を完成しなさい。なお，工事原価は未成工事支出金を経由して処理する方法によっている。会計期間は１年である。また，決算整理の過程で新たに生じる勘定科目で，精算表上に指定されている科目はそこに記入すること。　（30点）**

〈標準時間〉

25分

解答用紙	解答・解説
⇒P.13	⇒P. 2-63

〈決算整理事項等〉

(1)　当座預金の期末残高証明書を入手したところ，期末帳簿残高と差異があった。差額原因を調査したところ以下の内容であった。

①　本社事務員の携帯電話代￥1,500が引き落とされていたが，その通知は当社に未達であった。

②　完成済の工事代金￥8,000が期末に振り込まれていたが，発注者より連絡がなかったため，当社で未記帳であった。

(2)　仮払金の期末残高は，以下の内容であることが判明した。

①　￥5,000は本社事務員の出張仮払金であった。精算の結果，実費との差額￥800が当該本社事務員より現金にて返金された。

②　￥36,000は法人税等の中間納付額である。

(3)　減価償却については，以下の事項により計上する。なお，当期中に固定資産の増減取引は発生していない。

①　建物（本社用）
取得原価　￥456,000　　残存価額　ゼロ　　耐用年数　38年
減価償却方法　定額法

②　機械装置（工事現場用）
取得原価　￥60,000（当期首取得）　　残存価額　ゼロ
耐用年数　６年　　償却率　0.333　　減価償却方法　定率法

(4)　仮受金の期末残高￥23,000は，前期に完成した工事の未収代金回収分であることが判明した。

(5)　売上債権の期末残高に対して1.5％の貸倒引当金を計上する（差額補充法）。

(6)　完成工事高に対して0.2 ％の完成工事補償引当金を計上する（差額補充法）。

(7)　退職給付引当金の当期繰入額は本社事務員について￥8,000，現場作業員について￥32,000である。

(8)　完成工事に係る仮設撤去費の未払分￥3,000を計上する。

(9)　上記の各調整を行った後の未成工事支出金の次期繰越額は￥10,640である。

(10)　当期の法人税，住民税及び事業税として税引前当期純利益の30％を計上する。

マーカーの持ち込みが認められているので，精算表の項目の整理や貸借の記入ミスの防止に使いましょう。

(3)　機械装置は当期首に取得しているので，減価償却累計額は計上していない。

(6)　完成工事補償引当金の繰入額（または戻入額）は工事原価に加減する。

(9)

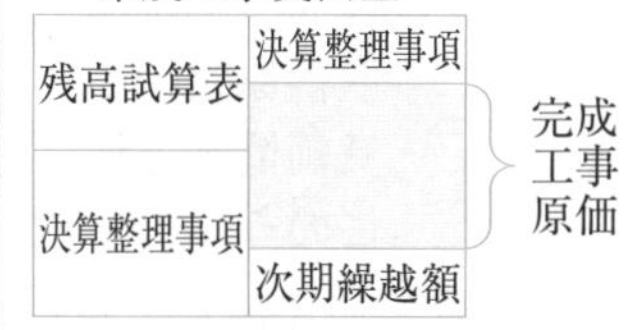

(10)　税引前当期純利益の30％を計上する。

Q 第28回

次の〈決算整理事項等〉に基づき，解答用紙の精算表を完成しなさい。なお，工事原価は未成工事支出金を経由して処理する方法によっている。会計期間は１年である。また，決算整理の過程で新たに生じる勘定科目で，精算表上に指定されている科目はそこに記入すること。　（30点）

〈標準時間〉
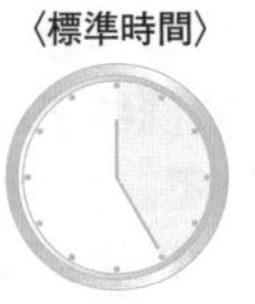
25分

解答用紙	解答・解説
⇒ P. 14	⇒ P. 2-66

〈決算整理事項等〉

(1)　期末における現金の帳簿残高は￥52,000であるが，実際の手許有高は￥45,000であった。原因を調査したところ，本社において事務用文房具￥3,000を現金購入していたが未処理であることが判明した。それ以外の原因は不明である。

(2)　仮設材料費の把握についてはすくい出し方式を採用しているが，現場から撤去されて倉庫に戻された評価額￥1,500の仮設材料について未処理である。

(3)　仮払金の期末残高は，以下の内容であることが判明した。
　①　￥6,000は借入金利息の３か月分であり，うち１か月分は前払いである。
　②　￥28,000は法人税等の中間納付額である。

(4)　減価償却については，以下のとおりである。なお，当期中に固定資産の増減取引は②の備品の一部のみである。
　①　機械装置（工事現場用）　　実際発生額￥58,000
　　なお，月次原価計算において，月額￥5,000を未成工事支出金に予定計上している。当期の予定計上額と実際発生額との差額は当期の工事原価（未成工事支出金）に加減する。
　②　備品（本社用）　以下の事項により減価償却費を計上する。
　　取得原価　￥36,000　　残存価額　ゼロ　　耐用年数３年
　　減価償却方法　定額法
　　このうち，￥12,000は期中取得しており，取得から半年が経過している。

(5)　仮受金の期末残高は，以下の内容であることが判明した。
　①　完成工事の未収代金回収分　　￥6,000
　②　工事契約による前受金　　　　￥4,000

(6)　当期末の売上債権のうち貸倒が懸念される債権￥5,000に対して回収不能と見込まれる￥1,450について，個別に貸倒引当金を計上する。また，この貸倒懸念債権を除く売上債権については，期末残高に対して1.0％の貸倒引当金を計上する（差額補充法）。

(7)　完成工事高に対して0.2％の完成工事補償引当金を計上する（差額補充法）。

(8)　退職給付引当金の当期繰入額は本社事務員について￥5,000　現場作業員について￥27,000である。

(9)　販売費及び一般管理費の中に保険料￥6,000（１年分）があり，うち４か月分は未経過分である。

(10)　上記の各調整を行った後の未成工事支出金の次期繰越額は￥72,100である。

(11)　当期の法人税，住民税及び事業税として税引前当期純利益の30％を計上する。

ルール

マーカーの持ち込みが認められているので，精算表の項目の整理や貸借の記入ミスの防止に使いましょう。

(1)　未処理分を計上した後に，帳簿残高と実際の手許有高を比較する。

(4)　備品の一部は期中取得しているため，月割計算する。

(6)　貸倒引当金＝「貸倒懸念債権」の設定額＋「貸倒懸念債権を除く売上債権」の設定額

(10)

未成工事支出金

借方	貸方	
残高試算表	決算整理事項	
決算整理事項	（完成工事原価）	完成工事原価
	次期繰越額	

Q 第29回

次の〈決算整理事項等〉に基づき，解答用紙の精算表を完成しなさい。なお，工事原価は未成工事支出金を経由して処理する方法によっている。会計期間は１年である。また，決算整理の過程で新たに生じる勘定科目で，精算表上に指定されている科目はそこに記入すること。　　（30点）

〈標準時間〉

25分

解答用紙 ⇒P.15　　解答・解説 ⇒P. 2-70

〈決算整理事項等〉

(1)　当座預金の期末残高証明書を入手したところ，期末帳簿残高と差異があった。原因を調査したところ以下の内容であった。

①　備品購入代金の決済のために振り出した小切手￥1,500が相手先に未渡しであった。

②　工事未払金の決済のため材料仕入先に対して振り出していた小切手￥6,500がまだ銀行に提示されていなかった。

(2)　材料貯蔵品の期末棚卸により棚卸減耗￥2,500が判明した。これを工事原価に算入する。

(3)　仮払金の期末残高は，以下の内容であることが判明した。

①　￥6,500は管理部門従業員の出張旅費の仮払いであった。なお，実費との差額￥800については従業員が立て替えていた。

②　￥32,000は法人税等の中間納付額であった。

(4)　減価償却については，以下のとおりである。なお，当期中に固定資産の増減取引は発生していない。

①　機械装置（工事現場用）　　実際発生額　￥84,000

なお，月次原価計算において，月額￥7,500を未成工事支出金に予定計上している。当期の予定計上額と実際発生額との差額は当期の工事原価（未成工事支出金）に加減する。

②　備品（本社用）　　以下の事項により減価償却費を計上する。

取得原価　￥32,000　　残存価額　ゼロ　　耐用年数　８年

減価償却方法　定率法　　償却率　0.250

(5)　仮受金の期末残高は，以下の内容であることが判明した。

①　当期中に完成した工事の未収代金の回収分が￥14,000であった。

②　当期末に着手した工事の手付金が￥10,000であった。

(6)　売上債権の期末残高に対して1.2％の貸倒引当金を計上する（差額補充法）。なお，当期末の売上債権のうち貸倒が懸念される債権￥15,000については，回収不能と見込まれる￥7,500を個別に貸倒引当金として計上する。

(7)　完成工事高に対して0.2％の完成工事補償引当金を計上する（差額補充法）。

(8)　退職給付引当金の当期繰入額は本社事務員について￥7,000　現場作業員について￥18,000である。

(9)　上記の各調整を行った後の未成工事支出金の次期繰越額は￥63,600である。

(10)　当期の法人税，住民税及び事業税として税引前当期純利益の30％を計上する。

ルール

マーカーの持ち込みが認められているので，精算表の項目の整理や貸借の記入ミスの防止に使いましょう。

(1)　未取付小切手（②）の場合，修正仕訳は必要ない。

(3)　旅費交通費＝仮払額＋実費

(6)　貸倒引当金＝「貸倒懸念債権」の設定額＋「貸倒懸念債権を除く売上債権」の設定額

(9)

未成工事支出金

借方	貸方
残高試算表	決算整理事項
	完成工事原価
決算整理事項	次期繰越額

コラム わかった気になっちゃいけない！

①まず、とにかく解く

このとき、自信がないところも想像を働かせて、できる限り解答用紙を埋める。

②次に、採点をして解説を見る

このとき、自分が解答できなかったところまで含めて、すべての解説に目を通しておく。

ここでわかった気になって、次の問題に行くと、これまでの努力が水泡に帰す。

分かった気になっただけでは、試験での得点にはならない。

だから、これをやってはいけない！

③すぐに、もう一度“真剣に”解く。

ここで、わかっているからと気を抜いて解いてはいけない。

真剣勝負で解く。そうすればわかっている所は、頭に定着するし、わかっていないところも「わかっていない」ことがはっきりする。

④最後に、わかっていないところを復習しておく。

つまり、勉強とは「自分がわかっている所と、わかっていないところを峻別する作業」なのです。

こうして峻別して、わかっていないところをはっきりさせておけば、試験前の総復習もしやすく、確実に実力をつけていくことができますよ。

第 2 部　解答・解説

この解答例は，ネットスクールで作成したものです。

第23回出題

《解　答》

仕訳　記号（A～Y）も必ず記入のこと

No.	借方 記号	借方 勘定科目	借方 金額	貸方 記号	貸方 勘定科目	貸方 金額	
(例)	B	当座預金	100000	A	現金	100000	
(1)	M	貸倒引当金	240000	D	完成工事未収入金	480000	★
	U	貸倒損失	240000				
(2)	L	未成工事受入金	1344000	Q	完成工事高	5112000	★
	D	完成工事未収入金	3768000				
	R	完成工事原価	4320000	H	未成工事支出金	4320000	
(3)	J	仮受消費税	281000	C	仮払消費税	265000	★
				N	未払消費税	16000	
(4)	Y	社債発行費	300000	B	当座預金	300000	★
	T	社債発行費償却	100000	Y	社債発行費	100000	
(5)	G	建物	375000	W	営業外支払手形	485600	★
	S	修繕費	110600				

ここに注意

(1)　貸倒引当金の設定額を超えた金額の貸倒れは「貸倒損失」で処理する。

(2)　請負金額が変更された場合，変更された期の損益に反映させる。

(3)「仮払分＜仮受分」となる場合，差額を「未払消費税」で処理する。

(4)　社債発行費（繰延資産）は，社債の償還期限３年にわたって償却する。

(5)　通常の営業取引以外の取引で手形を振り出したときは「営業外支払手形」で処理する。

予想採点基準

★…4 点×５＝20 点

《解　説》

(1)　貸倒引当金の設定額を超えた金額の貸倒れは「貸倒損失」で処理します。

貸倒引当金：¥480,000×50％＝**¥240,000**

貸倒損失：¥480,000（完成工事未収入金）－¥240,000（貸倒引当金）＝**¥240,000**

(2)　前期から工事進行基準を適用しているため，当期の完成工事高を計算するには，先に前期の完成工事高を計算する必要があります。また，請負金額が変更された場合，変更された期の損益に反映させるため，前期の損益は変わりません。

前期

完成工事高：¥9,200,000×$\frac{¥1,440,000}{¥8,000,000}$（工事進捗度18%）＝¥1,656,000

未成工事受入金の残高：¥3,000,000－¥1,656,000＝**¥1,344,000**

当期

完成工事高：¥9,400,000（増額後）×$\frac{¥1,440,000+¥4,320,000}{¥8,000,000}$（工事進捗度72%）＝¥6,768,000

¥6,768,000－¥1,656,000（前期の完成工事高）＝**¥5,112,000**

完成工事未収入金：¥5,112,000－¥1,344,000（未成工事受入金）＝¥3,768,000

⑶ 「仮払分＜仮受分」となる場合，差額を「未払消費税」で処理します。
未払消費税：￥281,000－￥265,000＝**￥16,000**
（￥281,000：仮受消費税　￥265,000：仮払消費税）

⑷ 社債発行費（繰延資産）は，社債の償還期限３年にわたって償却します。
社債発行費償却：￥300,000÷３年＝**￥100,000**

⑸ 資本的支出は「建物」，収益的支出は「修繕費」で処理します。また，通常の営業取引以外の取引で手形を振り出したときは「営業外支払手形」で処理します。
修繕費：￥485,600－￥375,000＝**￥110,600**

テキスト参照ページ
⑴ ⇒　P.1-149
⑵ ⇒　P.1-94
⑶ ⇒　P.1-152
⑷ ⇒　P.1-141
⑸ ⇒　P.1-136

コラム　解答用紙は間違えるための場所

解答用紙に、せっせと正解を書き写す人がいる。
これは「教科書後遺症」で、小中高と使ってきた教科書に、正解が記載されていない（先生が正解を披歴する）問題が多くあり、それを復習するためには正解を書き写さざるを得なかったことに起因している（と思っている）。

しかし、この本には、正解があるので、そんな必要はまったくない。
正解を書くなど、まったくナンセンスなことなのである。

なら、解答用紙は何のためにあるのか。
解答用紙は“間違えるための場所”として、存在しているのである。

「こうかな？」と思ったことは、必ず解答用紙に書く。
書いて、正解なら嬉しくて覚えるし、不正解ならしっかりと赤ペンで×をつけ、そこに「正しくはこう考える」といった『**正解を導くための思考方法**』や、「電卓の打ち間違え」などといった『**間違えた理由**』を書いておく。
こうしておけば（正解したときよりもさらに）確実に理解し、マスターできる。
さらに、この解答用紙が自動的に『**間違いノート**』になってくれる。

“×より○が大切なのは本試験だけ”
本試験までは、どんどん解答用紙に書き込み、どんどん間違えよう！
それが、本試験での○につながり、みなさんを合格に導きます。
さぁ～！　行け～！

第24回出題

《解　答》

仕訳　記号（A～Z）も必ず記入のこと

No.	借方			貸方			
	記号	勘定科目	金額	記号	勘定科目	金額	
(例)	B	当座預金	100000	A	現金	100000	
(1)	B	当座預金	568400	J	投資有価証券	535000	★
				U	投資有価証券売却益	33400	
(2)	X	完成工事補償引当金	760000	K	支払手形	760000	★
(3)	Y	繰越利益剰余金	690000	Q	未払配当金	400000	
				W	利益準備金	40000	★
				Z	別途積立金	250000	
(4)	N	減価償却累計額	490000	H	機械装置	930000	
	G	減価償却費	120000				★
	E	未収入金	300000				
	T	固定資産売却損	20000				
(5)	L	未成工事受入金	900000	R	完成工事高	3500000	
	D	受取手形	2600000				★

ここに注意

(1)　取引関係の強化を目的として株式を買い入れたので「投資有価証券」で処理している。

(2)　完成工事補償引当金を計上しているので取り崩す。

(3)　利益処分の場合の配当財源は「繰越利益剰余金」となる。

(4)　売却代金の未収は「未収入金」で処理する。

(5)　工事完成基準の場合，完成・引渡時に収益計上する。

予想採点基準

★…4 点×5＝20 点

《解　説》

(1)　取引関係の強化を目的としているので，買入時に「投資有価証券」で処理しています。

買入時

総額：@￥520×3,000株＋￥45,000＝￥1,605,000

単価：￥1,605,000÷3,000株＝@￥535

売却時

売却価額：@￥580×1,000株－￥11,600＝**￥568,400**

帳簿価額：@￥535×1,000株＝**￥535,000**

売却損益：￥568,400－￥535,000＝**￥33,400** → 売却益

(2)「補修に係る支出額＜完成工事補償引当金」なので，支出額の全額，完成工事補償引当金を取り崩します。

(3)　利益処分なので，配当財源は「繰越利益剰余金」となります。

繰越利益剰余金：￥400,000＋￥40,000＋￥250,000＝**￥690,000**

(4)　売却代金は2ヶ月後に受け取ることになるので，「未収入金」で処理します。

売却価額：**￥300,000**

帳簿価額：￥930,000－￥490,000－￥120,000＝￥320,000

売却損益：￥300,000－￥320,000＝△**￥20,000** → 売却損

(5)　工事完成基準によっているため，完成・引渡時に売上計上することになります。なお，受注時に受け取っていた￥900,000は，「未成工事受入金」で処理しています。

受取手形：￥3,500,000－￥900,000＝**￥2,600,000**

テキスト参照ページ

(1) ⇒　P.1-110
(2) ⇒　P.1-150
(3) ⇒　P.1-159
(4) ⇒　P.1-134
(5) ⇒　P.1-95

第26回出題

《解　答》

仕訳　記号（A～X）も必ず記入のこと

No.	借方			貸方			
	記号	勘定科目	金額	記号	勘定科目	金額	
(例)	B	当座預金	100000	A	現金	100000	
(1)	W	有価証券評価損	657000	F	有価証券	657000	★
(2)	H	機械装置	5940000	T	営業外支払手形	5800000	★
				B	当座預金	140000	
(3)	D	材料貯蔵品	360000	G	未成工事支出金	360000	★
(4)	B	当座預金	400000	E	完成工事未収入金	600000	★
	M	貸倒引当金	300000	X	貸倒引当金戻入	100000	
(5)	N	別段預金	5500000	R	新株式申込証拠金	5500000	★

《解　説》

(1)　期末時価：@¥900×3,000株＝¥2,700,000
　帳簿価額：@¥1,100×3,000株＋¥57,000＝¥3,357,000
　有価証券評価損益：¥2,700,000－¥3,357,000＝△¥657,000（損）

(2)　営業外取引の約束手形の振出しは「営業外支払手形」で処理します。
　機械装置：¥5,800,000＋¥140,000＝¥5,940,000

(3)　すくい出し方式によるため，「未成工事支出金」に計上した金額のうち，仮設材料の評価額を「材料貯蔵品」に振り替えます。

(4)　特定の債権に対して設定した貸倒引当金は，貸し倒れたときに全額，取り崩します。貸倒引当金の設定額>貸倒額の場合，差額は「貸倒引当金戻入」で処理します。
　貸倒引当金の設定額：¥600,000×50％＝¥300,000
　貸倒額：¥600,000－¥400,000＝¥200,000
　貸倒引当金戻入：¥300,000－¥200,000＝¥100,000

(5)　株式の割当てが決定するまで，払込金額は「別段預金」で処理します。
　別段預金：@¥5,500×1,000株＝¥5,500,000

ここに注意

(1)　手数料は取得原価に含める。
(2)　営業外取引で約束手形を振り出した場合，「営業外支払手形」で処理する。
(3)　仮設材料の評価額は，工事原価から差し引く。
(4)　貸倒引当金の設定額>貸倒額の場合，差額を「貸倒引当金戻入」で処理する。
(5)　株式の割当てが決定するまで，払込金額は他の預金と区別するため，「別段預金」で処理する。

予想採点基準
★…4点×5＝20点

テキスト参照ページ
(1)⇒　P.1-114
(2)⇒　P.1-125
(3)⇒　P.1-50
(4)⇒　P.1-149
(5)⇒　P.1-163

第27回出題

《解　答》

仕訳　記号（A～X）も必ず記入のこと

No.	借方 記号	借方 勘定科目	借方 金額	貸方 記号	貸方 勘定科目	貸方 金額
(例)	B	当座預金	100000	A	現金	100000
(1)	X	投資有価証券評価損	180000	F	投資有価証券	180000 ★
(2)	Q	繰越利益剰余金	4000000	J	未払配当金	2000000
				M	利益準備金	200000 ★
				N	別途積立金	1800000
(3)	S	修繕費	500000	E	建物	500000 ★
(4)	K	貸倒引当金	30000	D	完成工事未収入金	1500000 ★
	T	貸倒損失	1470000			
(5)	G	工事未払金	3000000	A	現金	2985000 ★
				U	仕入割引	15000

ここに注意

(1) 実質価額が著しく低下したときは，実質価額により評価する。

(2) 利益処分の場合の配当財源は「繰越利益剰余金」となる。

(3) 現状回復のための支出は収益的支出となる。

(4) 貸倒引当金の残高を超えた分は「貸倒損失」で処理する。

(5) 割引額は「仕入割引（営業外収益）」で処理する。

予想採点基準

★…4 点×5＝20点

《解　説》

(1) 実質価額が著しく低下しているので，実質価額により評価します。

実質価額：@￥120×1,000株＝￥120,000

帳簿価額：@￥300×1,000株＝￥300,000

投資有価証券評価損：￥120,000－￥300,000＝△**￥180,000**

(2) 利益処分なので，配当財源は「繰越利益剰余金」となります。

繰越利益剰余金：￥2,000,000＋￥200,000＋￥1,800,000＝**￥4,000,000**

(3) 現状回復のための支出は収益的支出となるので，「建物」から「修繕費」に振り替えます。

(4) 貸倒引当金の残高を超えた金額の貸倒れは「貸倒損失」で処理します。

貸倒損失：￥1,500,000（完成工事未収入金）－￥30,000（貸倒引当金）＝**￥1,470,000**

(5) 割引額を「仕入割引（収益）」で処理します。

現金：￥3,000,000－￥15,000＝**￥2,985,000**

テキスト参照ページ

(1)⇒　P.1-115
(2)⇒　P.1-159
(3)⇒　P.1-136
(4)⇒　P.1-149
(5)⇒　P.1-106

第29回出題

《解　答》

仕訳　記号（A～X）も必ず記入のこと

No.	借方 記号	借方 勘定科目	借方 金額	貸方 記号	貸方 勘定科目	貸方 金額	
(例)	B	当座預金	100000	A	現金	100000	
(1)	J	工事未払金	8000000	B	当座預金	7985000	
				U	仕入割引	15000	★
(2)	B	当座預金	1400000	C	有価証券	1500000	
	X	有価証券売却損	100000				★
(3)	D	建物	5800000	B	当座預金	4600000	
				E	建設仮勘定	1200000	★
(4)	Q	繰越利益剰余金	330000	K	未払配当金	300000	
				N	利益準備金	30000	★
(5)	S	社債発行費償却	120000	F	社債発行費	120000	★

《解　説》

(1)　割引額を「仕入割引（営業外収益）」で処理します。
当座預金：￥8,000,000－￥15,000＝**￥7,985,000**

(2)　売却価額：@￥280×5,000株＝**￥1,400,000**
帳簿価額：@￥300×5,000株＝**￥1,500,000**
売却損益：￥1,400,000－￥1,500,000＝△**￥100,000** → 売却損

(3)　自社（新本社）の建物なので，手付金を支払ったときに「建設仮勘定」で処理しています。建物が完成し，引渡しを受けたときに「建物」に振り替えます。

(4)　利益剰余金（繰越利益剰余金）を財源とするので，利益準備金を積み立てることになります。

資本金の４分の１：￥1,000,000×$\frac{1}{4}$＝￥250,000

準備金の積立額の上限：￥250,000－￥150,000（資本準備金）－￥50,000（利益準備金）＝￥50,000 … ①

株主配当金の10分の１：￥300,000×$\frac{1}{10}$＝￥30,000 … ②

①＞②より，利益準備金の積立額は**￥30,000**となります。
繰越利益剰余金：￥300,000＋￥30,000＝**￥330,000**

(5)　社債発行費（繰延資産）は，社債の償還期限５年にわたって償却します。
社債発行費償却：￥600,000÷５年＝**￥120,000**

ここに注意

(1)　割引額は「仕入割引（営業外収益）」で処理する。

(2)　売却価額－帳簿価額
プラス⇒売却益
マイナス⇒売却損

(3)　手付金の支払時に「建設仮勘定」で処理している。

(4)　準備金の積立額の上限を先に計算する。

(5)　社債発行費（繰延資産）は，社債の償還期限５年にわたって償却する。

予想採点基準
★…４点×５＝20点

テキスト参照ページ

(1)⇒　P.1-106
(2)⇒　P.1-110
(3)⇒　P.1-136
(4)⇒　P.1-159
(5)⇒　P.1-141

第25回出題

《解　答》

(1)　¥ 25000 ★　　(2)　¥ 61000 ★

(3)　¥ 332000 ★　　(4)　¥ 371700 ★

《解　説》

(1)　会計基準が定める，のれん償却の最長期間は20年です。

買収額：¥5,000,000

受け入れた諸資産と諸負債の差額：¥7,250,000－¥2,750,000＝¥4,500,000

のれん：¥5,000,000－¥4,500,000＝¥500,000

のれんの１年分の償却額：¥500,000÷20年＝**¥25,000**

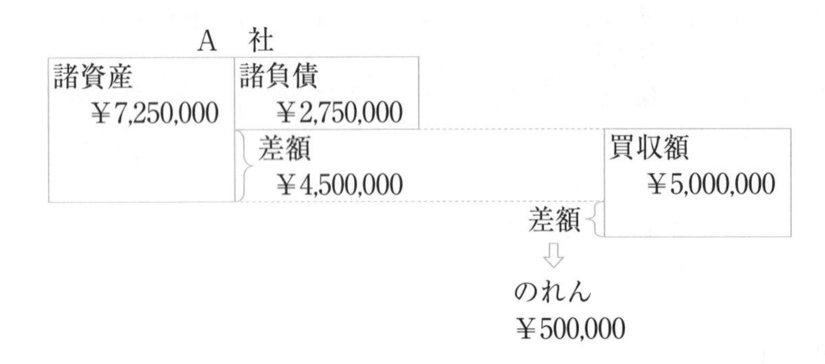

(2)　材料の評価替えは，実地棚卸の数量に対して行います。棚卸減耗の数量に評価替えを行わないことに注意しましょう。

実地棚卸の数量：650kg－40kg＝610kg

材料評価損：(@¥1,300－@¥1,200）×610kg＝**¥61,000**

(3)　銀行勘定調整表（両者区分調整法）を用いて，当座預金勘定残高と銀行の当座預金残高との差額を求めます。両者区分調整法では，調整後の残高が一致するので，調整後の残高を¥100,000（仮の金額）とおいて，逆算して当座預金勘定残高（仮の金額）と銀行の当座預金残高（仮の金額）を求め，調整前の残高の差額を計算します。

銀行勘定調整表（両者区分調整法）

当座預金勘定残高	（　?　）	銀行の当座預金残高	（　?　）
(加算)		**(加算)**	
③入金の連絡未達	¥158,000		
(減算)		**(減算)**	
①引落の連絡未達	¥ 96,000	②未取付小切手	¥283,000
④引落の未処理	¥ 13,000		
	¥100,000		¥100,000

＊　調整後の残高にどのような金額を用いても，当座預金勘定残高と銀行の当座預金残高との差額は同じになります。

ここに注意

(1)　のれん償却の最長期間は20年となる。

(2)　棚卸減耗の数量に評価替えはしない。

(3)　調整前の当座預金勘定残高と銀行の当座預金残高を比較する。

(4)　当期の利息の収入額は貸借差額で計算する。

予想採点基準

★…３点×４＝12点

当座預金勘定残高

（　？　）＋¥158,000－¥96,000－¥13,000＝¥100,000

（　？　）＝¥51,000

銀行の当座預金残高

（　？　）－¥283,000＝¥100,000

（　？　）＝¥383,000

当座預金勘定残高¥51,000 < 銀行の当座預金残高¥383,000

よって，銀行の当座預金残高は当座預金勘定残高より**¥332,000**（＝¥383,000－¥51,000）多い。

(4) 利息に関する仕訳を行い，受取利息勘定の貸借差額により当期の利息の収入額を計算します。

①期首再振替仕訳（未収利息の期首残高¥82,000）

（借）	受取利息	82,000	（貸）未収利息	82,000

②当期の利息の収入額

（借）	現金等	?	（貸）受取利息	?

③利息の見越計上（当期末の貸借対照表に記載される未収利息¥95,300）

（借）	未収利息	95,300	（貸）受取利息	95,300

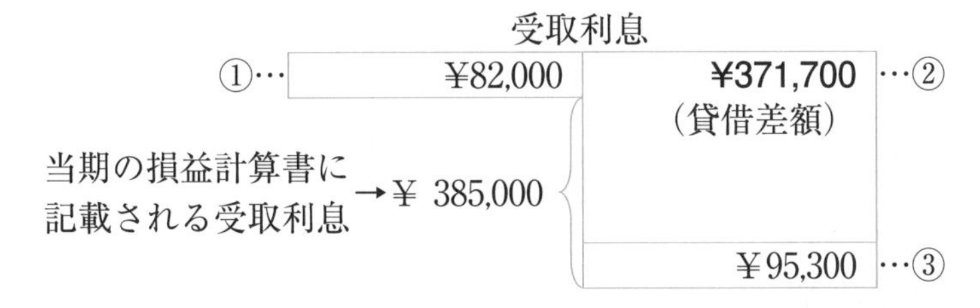

テキスト参照ページ

(1)⇒　P.1-140
(2)⇒　P.1-49
(3)⇒　P.1-102
(4)⇒　P.1-168

第27回出題

《解　答》

(1)　¥ 100000 ★　　(2)　¥ 300000 ★

(3)　¥ 18000 ★　　(4)　¥ 7500000 ★

《解　説》

(1) 当期に行われた仕訳を考え，貸借差額により，損益計算書上の支払利息の金額を推定します。

期首（再振替仕訳）

（借）	未払利息	80,000	（貸）支払利息	80,000

期中（支払時）

（借）	支払利息	120,000	（貸）現金など	120,000

期末（見越し）

（借）	支払利息	60,000	（貸）未払利息	60,000

ここに注意

(1) 未払利息／支払利息（期首）
支払利息／現金など（期中）
支払利息／未払利息（期末）

(2) 売却価額と売却時の帳簿価額との差額が売却損となる。

(3) 本店における名古屋支店勘定は，名古屋支店に対する投資額と考える。

(4) 見積りの変更は，変更した期の損益に反映させる。

予想採点基準

★…３点×４＝12点

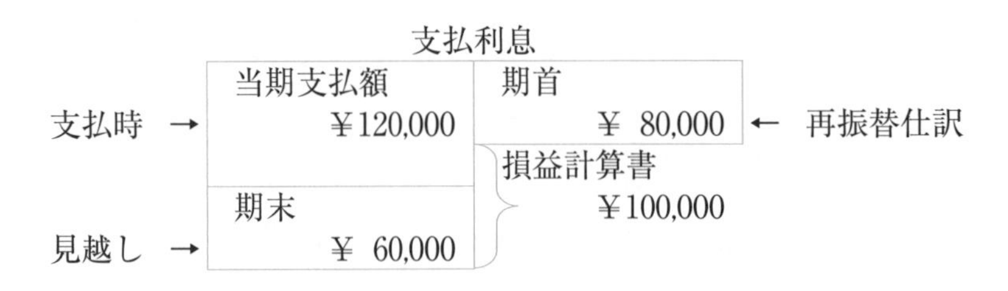

(2) 売却価額と売却時の帳簿価額との差額が売却損益となります。

1年間の償却額：¥3,600,000÷9年＝¥400,000

8年目の期首の減価償却累計額：¥400,000×7年＝¥2,800,000

売却時の帳簿価額：¥3,600,000（取得価額）－¥2,800,000（減価償却累計額）＝¥800,000

固定資産売却損：¥500,000（売却価額）－¥800,000（帳簿価額）＝△**¥300,000**

（借）	減価償却累計額	2,800,000	（貸）	機械	3,600,000
	現金など	500,000			
	固定資産売却損	300,000			

(3) 本店における名古屋支店勘定は，名古屋支店に対する投資額と考えます。

本店の仕訳

（借）	**名古屋支店**	**20,000**	（貸）	減価償却費	20,000

名古屋支店の仕訳

（借）	減価償却費	20,000	（貸）	本店	20,000

(4) 前期から工事進行基準を適用しているため，当期の完成工事高を計算するには，先に前期の完成工事高を計算する必要があります。また，見積額が変更された場合，変更された期の損益に反映させるため，前期の損益は変わりません。

前期

完成工事高：¥50,000,000×（¥4,000,000／¥40,000,000）＝¥5,000,000
（工事進捗度10%）

当期

完成工事高：¥50,000,000×（¥4,000,000＋¥6,500,000／¥42,000,000（変更後））＝¥12,500,000
（工事進捗度25%）

¥12,500,000－¥5,000,000（前期の完成工事高）＝**¥7,500,000**

テキスト参照ページ
(1)⇒ P.1-168
(2)⇒ P.1-134
(3)⇒ P.1-187
(4)⇒ P.1-94

第28回出題

《解　答》

(1)	¥ 5250 ★	(2)	6 年 ★
(3)	¥ 239000 ★	(4)	¥ 1030800 ★

《解　説》

(1)　支店の期末時点における「未成工事支出金に含まれている材料費」及び「材料棚卸高」の金額のうち，本店仕入分には内部利益が含まれているため，控除します。

未成工事支出金に含まれている材料費（本店仕入分）

$$¥154{,}500\times\frac{0.03}{1.03}=¥4{,}500$$

材料棚卸高（本店仕入分）

$$¥25{,}750\times\frac{0.03}{1.03}=¥750$$

内部利益：¥4,500＋¥750＝**¥5,250**

(2)　以下の表を作成することで，加重平均法における平均耐用年数を求めることができます。

	取得原価	耐用年数	残存価額	減価償却総額	年償却額
機械装置A	¥1,500,000	5年	ゼロ	¥1,500,000	¥ 300,000
機械装置B	¥5,800,000	8年	ゼロ	¥5,800,000	¥ 725,000
機械装置C	¥ 600,000	3年	ゼロ	¥ 600,000	¥ 200,000
				¥7,900,000	¥1,225,000

平均耐用年数：¥7,900,000÷¥1,225,000＝6.4…→**6年**（小数点以下切捨）

(3)　当月に行われた仕訳を考え，貸借差額により，当月の労務費を推定します。

月初（再振替仕訳）

（借）	未払賃金	863,000	（貸）	賃金	863,000

25日（支払時）

（借）	賃金	2,530,000	（貸）	所得税預り金	230,000
				社会保険料預り金	163,200
				現金	2,136,800

月末（未払計上）

（借）	賃金	723,000	（貸）	未払賃金	723,000

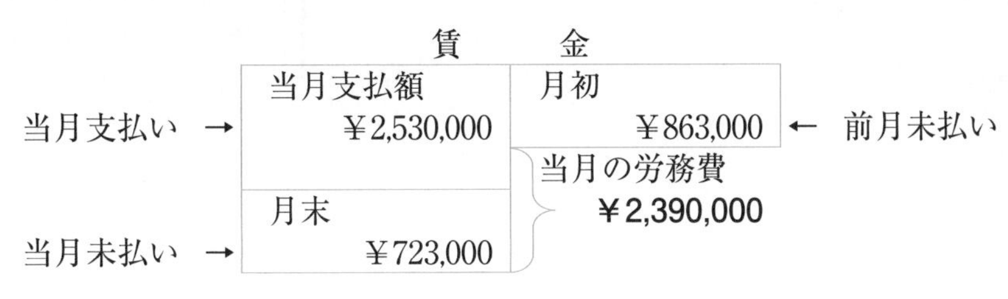

ここに注意

(1)　本店仕入分に内部利益が含まれている。

(2)　残存価額はゼロ

(3)　賃金支給総額を計上する。

(4)　②未取付小切手は仕訳しない。

予想採点基準
★…3点×4＝12点

(4) 簡単な銀行勘定調整表（両者区分調整法）を作成し，修正後の当座預金勘定の残高を計算します。

①連絡未通知

（借）当座預金	**28,000**	（貸）受取手形	28,000

②未取付小切手

（借）仕訳なし		（貸）	

③連絡未通知

（借）当座預金	**34,000**	（貸）完成工事未収入金	34,000

④未渡小切手

（借）当座預金	**4,800**	（貸）未払金	4,800

修正後の当座預金勘定の残高：¥964,000＋¥28,000＋¥34,000＋¥4,800
＝**¥1,030,800**

銀行勘定調整表（両者区分調整法）

当座預金勘定の残高	¥ 964,000	銀行の当座預金残高	¥1,042,800
（加算）		（加算）	
①連絡未通知	¥ 28,000		
③連絡未通知	¥ 34,000		
④未渡小切手	¥ 4,800		
（減算）		（減算）	
		②未取付小切手	¥ 12,000
	¥1,030,800		¥1,030,800

テキスト参照ページ

(1)⇒ P.2-12
(2)⇒ P.1-133
(3)⇒ P.1-53
(4)⇒ P.1-102

第29回出題

《解　答》

(1) ¥ 200000 ★　　(2) ¥ 2700000 ★

(3) ¥ 7900000 ★　　(4) ¥ 15000 ★

《解　説》

(1) 生産高比例法による場合の減価償却費

$$¥3,000,000 \times \frac{4,000単位}{15,000単位} = ¥800,000 \cdots ①$$

定額法による場合の減価償却費

¥3,000,000÷5年＝¥600,000 … ②

①と②の差額

¥800,000－¥600,000＝**¥200,000**

ここに注意

(1) 残存価額はゼロ

(2) 成果の確実性が認められる時点より工事進行基準を適用する。

(3) 貸付時から2年経過（貸付期間は4年間）している。

(4) 支払利息／前払利息(期首)
支払利息／現金など(期中)
前払利息／支払利息(期末)

予想採点基準

★…3点×4＝12点

(2) 成果の確実性を事後的に獲得した場合，成果の確実性が認められる時点より，工事進行基準を適用します。また，過去に遡った修正は必要ありません。

前期

完成工事高：￥０

当期

工事進捗度：$\dfrac{¥1{,}508{,}000 + ¥5{,}620{,}000}{15{,}840{,}000} = 0.45$（45％）

完成工事高：￥18,000,000×45％－￥０＝￥8,100,000

工事着手時に請負金額の30％を受領しているので，「未成工事受入金」で処理しています。そのため，当期の完成工事高から未成工事受入金の金額を差し引いた金額が，当期末の完成工事未収入金の残高となります。

未成工事受入金：￥18,000,000（請負金額）×30％＝￥5,400,000

完成工事未収入金の残高：￥8,100,000（完成工事高）－￥5,400,000（未成工事受入金）＝**￥2,700,000**

(3) 約束手形の額面と貸付額との差額を，貸付期間（４年間）にわたって，定額法により償却（貸付金に加算）していきます。20X3年３月31日時点で２年経過しているため，２年分の償却額を貸付金に加算することになります。

償却額（総額）：￥8,000,000（約束手形の額面）－￥7,800,000（貸付額）＝￥200,000

貸付金の貸借対照表価額：￥7,800,000（貸付額）＋ $¥200{,}000 \times \dfrac{2年}{4年}$（２年分の償却額）＝**￥7,900,000**

(4) 当期に行われた仕訳を考え，貸借差額により，当期末の貸借対照表に記載される前払利息を推定します。

期首（再振替仕訳）

(借)	支払利息	5,000	(貸) 前払利息	5,000

期中（支払時）

(借)	支払利息	350,000	(貸) 現金など	350,000

期末（前払計上）

(借)	前払利息	**15,000**	(貸) 支払利息	15,000

支払利息

	借方	貸方	
再振替仕訳 →	期首 ￥5,000	期末 **￥15,000**（貸借差額）	← 前払計上
支払時 →	当期支払額 ￥350,000	損益計算書上の支払利息 ￥340,000	

テキスト参照ページ

(1)⇒ P.1-132
(2)⇒ P.1-93
(3)⇒ P.1-127
(4)⇒ P.1-168

第24回出題

《解　答》

部門費配分表　　　　(単位：円)

費　　目	合計金額	A 部 門	B 部 門	C 部 門	D 部 門
部門個別費					
(細目省略)					
個別費計	667400	289300	153000	128600	96500
部門共通費					
労務管理費	116400	★ 46560	29100	23280	17460
建物関係費	258000	98040	★ 67080	49020	43860
電　力　費	186400	65240	55920	★ 37280	27960
福利厚生費	82000	31160	25420	14760	★ 10660
共通費計	642800	241000	177520	124340	99940
部門費合計	1310200	530300	☆ 330520	252940	196440

《解　説》

部門共通費の配賦基準にしたがって，各部門に配分します。

労務管理費

A部門：$¥116,400 \times \dfrac{16人}{16人+10人+8人+6人} = ¥46,560$

B部門：$¥116,400 \times \dfrac{10人}{16人+10人+8人+6人} = ¥29,100$

C部門：$¥116,400 \times \dfrac{8人}{16人+10人+8人+6人} = ¥23,280$

D部門：$¥116,400 \times \dfrac{6人}{16人+10人+8人+6人} = ¥17,460$

建物関係費

A部門：$¥258,000 \times \dfrac{311.6㎡}{311.6㎡+213.2㎡+155.8㎡+139.4㎡} = ¥98,040$

B部門：$¥258,000 \times \dfrac{213.2㎡}{311.6㎡+213.2㎡+155.8㎡+139.4㎡} = ¥67,080$

C部門：$¥258,000 \times \dfrac{155.8㎡}{311.6㎡+213.2㎡+155.8㎡+139.4㎡} = ¥49,020$

D部門：$¥258,000 \times \dfrac{139.4㎡}{311.6㎡+213.2㎡+155.8㎡+139.4㎡} = ¥43,860$

ここに注意

・配賦基準の選択を間違えないように注意する。

予想採点基準

★… 3点×4＝12点
☆… 2点×1＝ 2点
14点

電力費

A部門：$¥186{,}400\times\dfrac{385kw}{385kw+330kw+220kw+165kw}=$ **¥65,240**

B部門：$¥186{,}400\times\dfrac{330kw}{385kw+330kw+220kw+165kw}=$ **¥55,920**

C部門：$¥186{,}400\times\dfrac{220kw}{385kw+330kw+220kw+165kw}=$ **¥37,280**

D部門：$¥186{,}400\times\dfrac{165kw}{385kw+330kw+220kw+165kw}=$ **¥27,960**

福利厚生費

A部門：$¥82{,}000\times\dfrac{¥9{,}253{,}000}{¥9{,}253{,}000+¥7{,}548{,}500+¥4{,}383{,}000+¥3{,}165{,}500}$
＝ **¥31,160**

B部門：$¥82{,}000\times\dfrac{¥7{,}548{,}500}{¥9{,}253{,}000+¥7{,}548{,}500+¥4{,}383{,}000+¥3{,}165{,}500}$
＝ **¥25,420**

C部門：$¥82{,}000\times\dfrac{¥4{,}383{,}000}{¥9{,}253{,}000+¥7{,}548{,}500+¥4{,}383{,}000+¥3{,}165{,}500}$
＝ **¥14,760**

D部門：$¥82{,}000\times\dfrac{¥3{,}165{,}500}{¥9{,}253{,}000+¥7{,}548{,}500+¥4{,}383{,}000+¥3{,}165{,}500}$
＝ **¥10,660**

共通費計（労務管理費＋建物関係費＋電力費＋福利厚生費）

A部門：¥46,560＋¥98,040＋¥65,240＋¥31,160＝**¥241,000**
B部門：¥29,100＋¥67,080＋¥55,920＋¥25,420＝**¥177,520**
C部門：¥23,280＋¥49,020＋¥37,280＋¥14,760＝**¥124,340**
D部門：¥17,460＋¥43,860＋¥27,960＋¥10,660＝**¥　99,940**

部門費合計（個別費計＋共通費計）

A部門：¥289,300＋¥241,000＝**¥530,300**
B部門：¥153,000＋¥177,520＝**¥330,520**
C部門：¥128,600＋¥124,340＝**¥252,940**
D部門：¥　96,500＋¥　99,940＝**¥196,440**

テキスト参照ページ
⇒　P.1-73

第25回出題

《解　答》

部門費振替表　（単位：円）

摘　要	合　計	第１工事部	第２工事部	第３工事部	（材料管理部門）	（運搬部門）
部門費合計		785900	682400	937600	99000	186000
（**運搬部門費**）	186000	★ 55800	65100	★ 46500	18600	
（**材料管理部門費**）	117600	★ 34800	★ 50400	32400		
合　計		★ 876500	★ 797900	★ 1016500		

《解　説》

階梯式配賦法による部門費振替表の作成が問われています。問題文の指示により，補助部門費に関する配賦は第１順位を運搬部門とするので，部門費振替表の右端には**運搬部門**を記入することになります。

運搬部門の配賦基準にしたがって配分します。

第１工事部：$¥186{,}000 \times \dfrac{30\%}{30\% + 35\% + 25\% + 10\%} = \mathbf{¥55{,}800}$

第２工事部：$¥186{,}000 \times \dfrac{35\%}{30\% + 35\% + 25\% + 10\%} = \mathbf{¥65{,}100}$

第３工事部：$¥186{,}000 \times \dfrac{25\%}{30\% + 35\% + 25\% + 10\%} = \mathbf{¥46{,}500}$

材料管理部門：$¥186{,}000 \times \dfrac{10\%}{30\% + 35\% + 25\% + 10\%} = \mathbf{¥18{,}600}$

材料管理部門の配賦基準にしたがって配分します。なお，運搬部門から配分された金額を忘れないように注意しましょう。

材料管理部門費：¥99,000＋¥18,600＝¥117,600

第１工事部：$¥117{,}600 \times \dfrac{29\%}{29\% + 42\% + 27\%} = \mathbf{¥34{,}800}$

第２工事部：$¥117{,}600 \times \dfrac{42\%}{29\% + 42\% + 27\%} = \mathbf{¥50{,}400}$

第３工事部：$¥117{,}600 \times \dfrac{27\%}{29\% + 42\% + 27\%} = \mathbf{¥32{,}400}$

各工事部の合計（部門費合計＋運搬部門費＋材料管理部門費）
第１工事部：¥785,900＋¥55,800＋¥34,800＝**¥876,500**
第２工事部：¥682,400＋¥65,100＋¥50,400＝**¥797,900**
第３工事部：¥937,600＋¥46,500＋¥32,400＝**¥1,016,500**

ここに注意

・配賦基準の選択を間違えないように注意する。

予想採点基準
★…２点×７＝14点

テキスト参照ページ
⇒　P.1-78

第28回出題

《解　答》

問１　¥ 3270 ★

問２　¥ 915600 ★

問３　¥ 83000　記号（ＡまたはＢ）　Ｂ　両方できて ☆

ここに注意

・問３の予定配賦額の計算については，Ａ工事，Ｂ工事，その他の工事の実際作業時間の合計を用いる。

予想採点基準
★… 5 点× 2 ＝10点
☆… 4 点× 1 ＝ 4 点
14点

《解　説》

問１

当会計期間の人件費に関する予定配賦率は，当会計期間の人件費予算額（資料(1)の①～③の合計）を，当会計期間の現場管理延べ予定作業時間で割ることにより算定します。

予定配賦率：$\dfrac{¥64{,}350{,}000 + ¥7{,}326{,}000 + ¥3{,}524{,}000}{23{,}000\text{時間}}$
＝3269.5…→**@¥3,270**（円未満四捨五入）

問２

問１で算定した予定配賦率に，当月のＡ工事の実際作業時間を掛けて，配賦額を求めます。

当月のＡ工事への予定配賦額：@¥3,270×280時間＝**¥915,600**

問３

予定配賦額と実際発生額との差額が配賦差異となります。また，「予定配賦額＞実際発生額」の場合，貸方差異（有利差異）となります。

予定配賦額（総額）：@¥3,270×（280時間＋170時間＋1,450時間）＝¥6,213,000
実際発生額（総額）：¥6,130,000
配賦差異：¥6,213,000－¥6,130,000＝**¥83,000（貸方差異 → Ｂ）**

テキスト参照ページ
⇒　P.1-67

第29回出題

《解　答》

問１　¥ | 131 | ★

問２　¥ | 19650 | ★

問３　¥ | 17220 |　記号（ＡまたはＢ） | B |

※金額及び記号ともに正解で☆

ここに注意

・問１の予定配賦率は円未満を四捨五入する。

予想採点基準
★…５点×２＝10点
☆…４点×１＝４点
14点

《解　説》

問１

当会計期間の車両関係費予定配賦率は，当会計期間の車両関係費予算（資料(1)の合計）を，当会計期間の車両走行距離（予定）で割ることにより算定します。

予定配賦率：$\frac{¥860,000+¥540,000+¥1,085,000+¥642,000+¥137,000}{25,000km}$
＝130.56→**@¥131**（円未満四捨五入）

問２

問１で算定した予定配賦率に，当月の丙工事の車両利用実績を掛けて，配賦額を求めます。

当月の丙工事への予定配賦額：@¥131×150km＝**¥19,650**

問３

予定配賦額と実際発生額との差額が配賦差異となります。また，「予定配賦額＜実際発生額」の場合，不利差異となります。

予定配賦額（総額）：@¥131×（630km＋420km＋150km＋180km）＝¥180,780
実際発生額（総額）：¥198,000
配賦差異：¥180,780（予定配賦額）－¥198,000（実際発生額）＝**△¥17,220（不利差異 → B）**

テキスト参照ページ
⇒　P.1-67

第27回出題

《解　答》

問１　　記号（A～C）

1	2	3	4
A	B	C	A
☆	☆	☆	☆

問２

部門費振替表　　（単位：円）

摘　要	合　計	第１工事部	第２工事部	第３工事部	機械部門	仮設部門	材料管理部門
部門費合計	5613000	2500000	1750000	1250000	50000	★28000	35000
機械部門費	50000	30000	12500	7500			
仮設部門費	28000	14000	9800	★4200			
材料管理部門費	35000	14000	14000	7000			
合　計	5613000	★2558000	★1786300	1268700	0	0	0

《解　説》

問１

1．コンクリート工事外注費は，**プロダクト・コスト（工事原価）**となります。
2．本社経理部職員の人件費は，**ピリオド・コスト（期間原価）**となります。
3．社債発行費償却は，**非原価**となります。
4．仮設材料費は，**プロダクト・コスト（工事原価）**となります。

問２

直接配賦法により施工部門（第１工事部，第２工事部及び第３工事部）に配賦するため，補助部門（機械部門，仮設部門及び材料管理部門）間のサービスの提供は無視して計算します。

機械部門費の配賦

第１工事部への配賦額：￥50,000×60％＝**￥30,000**
第２工事部への配賦額：￥50,000×25％＝**￥12,500**
第３工事部への配賦額：￥50,000×15％＝**￥　7,500**

材料管理部門費の配賦

第１工事部への配賦額：￥35,000×40％＝**￥14,000**
第２工事部への配賦額：￥35,000×40％＝**￥14,000**
第３工事部への配賦額：￥35,000×20％＝**￥　7,000**

ここに注意

問２
・解答用紙の部門費振替表に記入済みの金額から，仮設部門の原価発生額と仮設部門の各工事部へのサービス提供度合を推定する。

予想採点基準
★…４点×４＝16点
☆…２点×４＝８点
24点

仮設部門の原価発生額

仮設部門の原価発生額は「？」となっていますが，解答用紙に仮設部門費の第1工事部への配賦額が与えられているので，「？」の金額を推定することができます。

「？」×50％＝¥14,000

「？」＝¥14,000÷50％＝**¥28,000（仮設部門の原価発生額）**

仮設部門費の配賦

仮設部門の第2工事部及び第3工事部へのサービス提供度合は「？」となっていますが，解答用紙に第3工事部の合計が与えられているので，「？」のサービス提供度合を推定することができます。

摘　要		第3工事部	
部門費合計		1,250,000	
機械部門費		7,500	
仮設部門費		**4,200**	← 差額により算定
材料管理部門費		7,000	
合　計		1,268,700	

¥28,000×「？」％＝¥4,200

「？」％＝¥4,200÷¥28,000＝0.15→**15％（第3工事部へのサービス提供度合）**

第3工事部へのサービス提供度合が判明したので，第2工事部へのサービス提供度合も分かります。

100％－50％－15％＝**35％（第2工事部へのサービス提供度合）**

仮設部門の各工事部へのサービス提供度合が判明したので，第2工事部への配賦額を計算します。

第2工事部への配賦額：¥28,000×35％＝**¥9,800**

テキスト参照ページ
⇒　P.1-30，P.1-33
P.1-76

第28回出題

《解　答》

問１　　記号（Ａ～Ｅ）

1	2	3	4
C	B	E	D
★	★	★	★

問２

工事別原価計算表　　（単位：円）

摘　　要	No.100	No.110	No.200	計
月初未成工事原価	1768000	3047000	—	4815000
当月発生工事原価				
材　料　費	238000	427000	543000	1208000
労　務　費	★165600	★259200	376800	801600
外　注　費	532000	758000	1325000	2615000
経　　　費	84400	95800	195200	375400
工事間接費	30600	★46200	★73200	150000
当月完成工事原価	★2818600	—	★2513200	5331800
月末未成工事原価	—	★4633200	—	4633200

工事間接費配賦差異月末残高　¥ 6500　記号（ＡまたはＢ）　A

※金額及び記号ともに正解で★

ここに注意

問２
・直接原価＝材料費＋労務費＋外注費＋経費

予想採点基準
★…２点×12＝24点

《解　説》

問１

1．工事原価を材料費，労務費，外注費，経費に区分して計算し，これにより制度的な財務諸表を作成するものは，**形態別原価計算**と関係の深い事柄となる。

2．工事原価と販売費及び一般管理費などの営業費まで含めて原価性を有するものと考えるものは，**総原価計算**と関係の深い事柄となる。

3．一定期間に発生した原価をその期間中の生産量で割って，製品の単位当たり原価を計算するものは，**総合原価計算**と関係の深い事柄となる。

4．１つの生産指図書に指示された生産活動について費消された原価を集計・計算する方法が採用されるものは，**個別原価計算**と関係の深い事柄となる。

問2

月初未成工事原価（材料費＋労務費＋外注費＋経費）

〈資料〉２．⑴の金額を工事別に集計します。

No.100工事：￥432,000＋￥352,000＋￥　840,000＋￥144,000＝ **￥1,768,000**

No.110工事：￥720,000＋￥563,000＋￥1,510,000＋￥254,000＝ **￥3,047,000**

計 **￥4,815,000**

当月発生工事原価（材料費＋労務費＋外注費＋経費＋工事間接費）

労務費・工事間接費以外については，〈資料〉４．の金額を工事別に記入するだけです。

労務費については，〈資料〉３．⑴～⑵のデータを用いて計算します。

労務費

No.100工事：@￥1,200×138時間＝ **￥165,600**

No.110工事：@￥1,200×216時間＝ **￥259,200**

No.200工事：@￥1,200×314時間＝ **￥376,800**

計 **￥801,600**

工事間接費については，〈資料〉５．⑴～⑶のデータを用いて計算します。

予定配賦率：$\dfrac{\text{￥2,169,000（工事間接費予算額）}}{\text{￥72,300,000（直接原価の総発生見込額）}}=0.03$

当月の直接原価（材料費＋労務費＋外注費＋経費）

No.100工事：￥238,000＋￥165,600＋￥　532,000＋￥　84,400＝￥1,020,000

No.110工事：￥427,000＋￥259,200＋￥　758,000＋￥　95,800＝￥1,540,000

No.200工事：￥543,000＋￥376,800＋￥1,325,000＋￥195,200＝￥2,440,000

当月の予定配賦額（工事間接費）

No.100工事：0.03×￥1,020,000＝ **￥　30,600**

No.110工事：0.03×￥1,540,000＝ **￥　46,200**

No.200工事：0.03×￥2,440,000＝ **￥　73,200**

計 **￥150,000**

当月完成工事原価（月初未成工事原価＋当月の直接原価＋工事間接費）

No.100工事：￥1,768,000＋￥1,020,000＋￥30,600＝ **￥2,818,600**

No.200工事：￥　　　0＋￥2,440,000＋￥73,200＝ **￥2,513,200**

計 **￥5,331,800**

月末未成工事原価（月初未成工事原価＋当月の直接原価＋工事間接費）

No.110工事：￥3,047,000＋￥1,540,000＋￥46,200＝ **￥4,633,200**

工事間接費配賦差異：¥150,000 − ¥160,000 = △¥10,000（借方差異）
予定配賦額　実際発生額

工事間接費配賦差異月末残高：¥6,500（借方残高）→ A

テキスト参照ページ
⇒ P.1-30, P.1-36
P.1-88

第29回出題

《解　答》

問１　　記号（A～E）

1	2	3	4
B	A	D	C
☆	☆	☆	☆

問２

1.

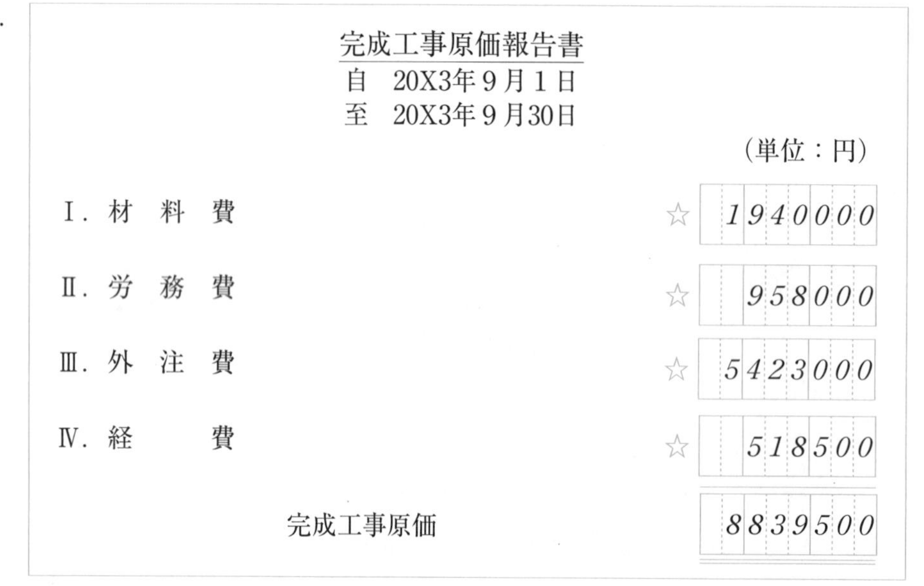

完成工事原価報告書

自　20X3年９月１日

至　20X3年９月30日

（単位：円）

Ⅰ．材　料　費	☆	1940000
Ⅱ．労　務　費	☆	958000
Ⅲ．外　注　費	☆	5423000
Ⅳ．経　　　費	☆	518500
完成工事原価		8839500

2.　¥ 2926000 ★

3.　現場共通費配賦差異月末残高　¥ 4180　記号（AまたはB）　A

※金額及び記号ともに正解で★

ここに注意

問２

・配賦基準の選択を間違えないように注意する。

予想採点基準

★… ４点×２＝８点

☆… ２点×８＝16点

24点

《解　説》

問１

1．労務作業量に比例して発生する費用なので，**直接作業時間**を配賦基準とすることが適切です。

2．タワークレーンの稼働時間に関連して発生する費用なので，**機械運転時間**を配賦基準とすることが適切です。

3．労務副費のような費用なので，**労務費額**を配賦基準とすることが適切です。

4．材料副費のような費用なので，**材料費額**を配賦基準とすることが適切です。

問２

９月に完成したNo.201･No.212･No.213の工事原価は，完成工事原価報告書に集計することになります。また，９月に未完成のNo.202の工事原価は，未成工事支出金勘定に残ることになります。

現場共通費の予定配賦

甲部門費　配賦基準：直接作業時間

No.201：@￥1,200×40時間＝　￥　48,000
No.202：@￥1,200×20時間＝　￥　24,000
No.212：@￥1,200×15時間＝　￥　18,000
No.213：@￥1,200×30時間＝　￥　36,000
　　　　　　　　　　　　　　　￥126,000

現場共通費配賦差異：￥126,000（予定配賦額）－￥119,400（実際発生額）＝￥6,600（貸方差異）

乙部門費　配賦基準：直接材料費

No.201：￥　30,000×15％＝　￥　4,500
No.202：￥120,000×15％＝　￥18,000
No.212：￥　50,000×15％＝　￥　7,500
No.213：￥250,000×15％＝　￥37,500
　　　　　　　　　　　　　　　￥67,500

現場共通費配賦差異：￥67,500（予定配賦額）－￥73,200（実際発生額）＝△￥5,700（借方差異）

現場共通費配賦差異（乙部門）

当月発生→　￥5,700 ｜ ￥8,320　←前月繰越
貸方残高
￥2,620

現場共通費配賦差異月末残高

甲部門費：△　￥6,800　（借方残高）
乙部門費：　　￥2,620　（貸方残高）
　　　　　△￥4,180　（借方残高）→ A

完成工事原価の集計

No.201の間接経費：￥48,000＋￥ 4,500＝￥52,500
No.212の間接経費：￥18,000＋￥ 7,500＝￥25,500
No.213の間接経費：￥36,000＋￥37,500＝￥73,500

費 目	No.201		No.212		No.213	合 計
	前月繰越額	当月発生額	前月繰越額	当月発生額	当月発生額	
材 料 費	1,230,000	30,000	380,000	50,000	250,000	**1,940,000**
労 務 費	560,000	81,000	143,000	40,000	134,000	**958,000**
外 注 費	3,800,000	382,000	520,000	69,000	652,000	**5,423,000**
経 費	231,000	直接 57,000 間接 52,500	39,000	直接 22,000 間接 25,500	直接 18,000 間接 73,500	**518,500**
合 計	5,821,000	602,500	1,082,000	206,500	1,127,500	**8,839,500**

未成工事支出金の集計

No.202の間接経費：￥24,000＋￥18,000＝￥42,000

費 目	No.202		合 計
	前月繰越額	当月発生額	
材 料 費	850,000	120,000	970,000
労 務 費	235,000	42,000	277,000
外 注 費	1,380,000	127,000	1,507,000
経 費	104,000	直接 26,000 間接 42,000	172,000
合 計	2,569,000	357,000	**2,926,000**

テキスト参照ページ
⇒ P.1-64
⇒ P.1-89

第27回出題《解　答》

精　算　表

（単位：円）

勘定科目	残高試算表		整理記入		損益計算書		貸借対照表	
	借方	貸方	借方	貸方	借方	貸方	借方	貸方
現金	33200		③ 800				34000	
当座預金	162000		② 8000	① 1500			★168500	
受取手形	459000						459000	
完成工事未収入金	1572000			② 8000 ⑥ 23000			★1541000	
貸倒引当金		28000		⑦ 2000				30000
未成工事支出金	8300		⑤ 19980 ⑧ 4260 ⑨ 32000 ⑩ 3000	⑪ 56900			10640	
材料貯蔵品	24000						24000	
仮払金	41000			③ 5000 ⑫ 36000				
建物	456000						456000	
建物減価償却累計額		240000		④ 12000				252000
機械装置	60000						60000	
支払手形		155000						155000
工事未払金		365400		⑩ 3000				★368400
借入金		260000						260000
未払金		55000						55000
未成工事受入金		118000						118000
仮受金		23000	⑥ 23000					
完成工事補償引当金		6500		⑧ 4260				★10760
退職給付引当金		450000		⑨ 40000				★490000
資本金		600000						600000
繰越利益剰余金		230000						230000
完成工事高		5380000			★	5380000		
完成工事原価	4805000		⑪ 56900		4861900			
販売費及び一般管理費	269000				269000			
受取利息配当金		7100				7100		
支払利息	28500				28500			
	7918000	7918000						
通信費			① 1500		1500			
旅費交通費			③ 4200		★4200			
建物減価償却費			④ 12000		12000			
機械装置減価償却累計額				⑤ 19980				★19980
貸倒引当金繰入額			⑦ 2000		★2000			
退職給付引当金繰入額			⑨ 8000		8000			
未払法人税等				⑫ 24000				★24000
法人税、住民税及び事業税			⑫ 60000		60000			
			235640	235640	5247100	5387100	2753140	2613140
当期（純利益）					140000			140000
					5387100	5387100	2753140	2753140

《解　説》

(1)　当座預金の修正

本社事務員の携帯電話代なので，「通信費」で処理します。

①（借）	通　信　費	1,500	（貸）	当　座　預　金	1,500

完成済の工事代金の入金なので，「完成工事未収入金」を減少させます。

②（借）	当　座　預　金	8,000	（貸）	完成工事未収入金	8,000

(2)　仮払金の処理

旅費交通費：¥5,000－¥800＝¥4,200

③（借）	旅費交通費	4,200	（貸）	仮　払　金	5,000
	現　　金	800			

¥36,000は法人税等の中間納付額なので，(10)において処理します。

(3)　減価償却費の計上

建物（本社用）定額法

¥456,000÷38年＝¥12,000

④（借）	建物減価償却費	12,000	（貸）	建物減価償却累計額	12,000

機械装置（工事現場用）定率法

¥60,000×0.333＝¥19,980

⑤（借）	未成工事支出金	19,980	（貸）	機械装置減価償却累計額	19,980

(4)　仮受金の処理

前期に完成した工事の未収代金なので，「完成工事未収入金」を減少させます。

⑥（借）	仮　受　金	23,000	（貸）	完成工事未収入金	23,000

(5)　貸倒引当金の計上（差額補充法）

設定額：（¥459,000＋¥1,572,000－¥8,000－¥23,000）×1.5％＝¥30,000

（¥459,000：受取手形　¥1,572,000－¥8,000－¥23,000：完成工事未収入金）

貸倒引当金の残高：¥28,000

設定額＞残高なので，差額を繰り入れます。

差額：¥30,000－¥28,000＝¥2,000

⑦（借）	貸倒引当金繰入額	2,000	（貸）	貸　倒　引　当　金	2,000

(6)　完成工事補償引当金の計上（差額補充法）

設定額：¥5,380,000×0.2％＝¥10,760

完成工事補償引当金の残高：¥6,500

差額：¥10,760－¥6,500＝¥4,260

⑧（借）	未成工事支出金	4,260	（貸）	完成工事補償引当金	4,260

(7)　退職給付引当金

本社事務員については「退職給付引当金繰入額」，現場作業員については「未成工事支出金」で処理します。

⑨（借）	退職給付引当金繰入額	8,000	（貸）	退職給付引当金	40,000
	未成工事支出金	32,000			

ここに注意

工事原価は未成工事支出金を経由して処理する方法（代表科目仕訳法）によるため，費目別（材料費，労務費など）の勘定は用いず，すべて未成工事支出金に集計する。

予想採点基準

★…3点×10＝30点

(8) 工事未払金の計上

完成工事に係る仮設撤去費の未払いなので，「工事未払金」で処理します。

	借方	金額		貸方	金額
⑩ (借)	未成工事支出金	3,000	(貸)	工事未払金	3,000

(9) 完成工事原価の算定

未成工事支出金

	借方	貸方	
残高試算表 →	¥ 8,300	¥ 56,900	完成工事原価
決算整理事項 →	⑤¥ 19,980		
	⑧¥ 4,260		
	⑨¥ 32,000		
	⑩¥ 3,000	¥ 10,640	← 次期繰越額

	借方	金額		貸方	金額
⑪ (借)	完成工事原価	56,900	(貸)	未成工事支出金	56,900

(10) 法人税，住民税及び事業税の計上（損益計算書欄より）

	費用	収益	
完成工事原価 →	¥4,861,900	¥5,380,000	← 完成工事高
販売費及び一般管理費 →	¥ 269,000	¥ 7,100	← 受取利息配当金
支払利息 →	¥ 28,500		
通信費 →	¥ 1,500		
旅費交通費 →	¥ 4,200		
建物減価償却費 →	¥ 12,000		
貸倒引当金繰入額 →	¥ 2,000		
退職給付引当金繰入額 →	¥ 8,000		
税引前当期純利益 →	**¥ 200,000**		

法人税，住民税及び事業税：¥200,000×30％＝¥60,000

未払法人税等：¥60,000－¥36,000＝¥24,000
（¥36,000：⑵の中間納付額）

	借方	金額		貸方	金額
⑫ (借)	法人税，住民税及び事業税	60,000	(貸)	仮払金	36,000
				未払法人税等	24,000

テキスト参照ページ

⇒ P.1-171，P.2-30

第28回出題《解　答》

精　算　表

（単位：円）

勘定科目	残高試算表		整理記入		損益計算書		貸借対照表	
	借方	貸方	借方	貸方	借方	貸方	借方	貸方
現金	52000			①7000			45000	
当座預金	375000						375000	
受取手形	198000						198000	
完成工事未収入金	508000			⑥6000			502000	
貸倒引当金		7000		⑦1400				8400
未成工事支出金	78000		⑧600 ⑨27000	②1500 ④2000 ⑪30000			72100	
材料貯蔵品	15000		②1500				★16500	
仮払金	34000			③6000 ⑫28000				
機械装置	360000						360000	
機械装置減価償却累計額		60000	④2000					58000
備品	36000						36000	
備品減価償却累計額		12000		⑤10000				22000
支払手形		85000						85000
工事未払金		105000						105000
借入金		160000						160000
未払金		61000						61000
未成工事受入金		110000		⑥4000				★114000
仮受金		10000	⑥10000					
完成工事補償引当金		7000		⑧600				★7600
退職給付引当金		158000		⑨32000				★190000
資本金		500000						500000
繰越利益剰余金		155600						155600
完成工事高		3800000			★	3800000		
完成工事原価	2582000		⑪30000		2612000			
販売費及び一般管理費	972000			⑩2000	970000			
受取利息配当金		6500				6500		
支払利息	27100		③4000		31100			
	5237100	5237100						
事務用品費			①3000		3000			
雑損失			①4000		★4000			
前払費用			③⑩4000				★4000	
備品減価償却費			⑤10000		★10000			
貸倒引当金繰入額			⑦1400		★1400			
退職給付引当金繰入額			⑨5000		5000			
未払法人税等				⑫23000				★23000
法人税、住民税及び事業税			⑫51000		51000			
			153500	153500	3687500	3806500	1608600	1489600
当期（純利益）					119000			119000
					3806500	3806500	1608600	1608600

《解　説》

(1)　現金過不足の処理

「帳簿残高￥52,000＞手許有高￥45,000」なので，現金が￥7,000不足しています。決算時の処理となるので，原因不明の金額￥4,000は「雑損失」で処理します。

	借方科目	金額		貸方科目	金額
①（借）	事務用品費	3,000	（貸）	現金	7,000
	雑損失	4,000			

(2)　仮設材料の評価額の処理

すくい出し方式を採用しているため，仮設材料の支出額を全額，「未成工事支出金」に計上しています。仮設材料の評価額があるため，その分を「材料貯蔵品」に振り替えます。

	借方科目	金額		貸方科目	金額
②（借）	材料貯蔵品	1,500	（貸）	未成工事支出金	1,500

(3)　仮払金の処理

３か月分の借入金利息￥6,000のうち，１か月分は翌期の費用とするために前払計上します。

１か月分：￥6,000÷３か月＝@￥2,000

	借方科目	金額		貸方科目	金額
③（借）	支払利息	4,000	（貸）	仮払金	6,000
	前払費用	2,000			

￥28,000は法人税等の中間納付額なので，⑾において処理します。

(4)　減価償却費の計上

機械装置（工事現場用）

予定計上額：￥5,000×12か月＝￥60,000

実際発生額：￥58,000

差額：￥60,000－￥58,000＝￥2,000（過剰）

	借方科目	金額		貸方科目	金額
④（借）	機械装置減価償却累計額	2,000	（貸）	未成工事支出金	2,000

備品（本社用）　定額法

既存分￥24,000（＝￥36,000－￥12,000）は１年分，期中取得分￥12,000は半年分（６か月）の減価償却費を計上します。

既　存　分：￥24,000÷３年＝￥8,000

期中取得分：$￥12{,}000 \div 3年 \times \frac{6か月}{12か月} = ￥2{,}000$

	借方科目	金額		貸方科目	金額
⑤（借）	備品減価償却費	10,000	（貸）	備品減価償却累計額	10,000

(5)　仮受金の処理

完成工事の未収代金回収分￥6,000は「完成工事未収入金」の減少，工事契約による前受金は「未成工事受入金」の増加として処理します。

	借方科目	金額		貸方科目	金額
⑥（借）	仮受金	10,000	（貸）	完成工事未収入金	6,000
				未成工事受入金	4,000

ここに注意

工事原価は未成工事支出金を経由して処理する方法（代表科目仕訳法）によるため，費目別（材料費，労務費など）の勘定は用いず，すべて未成工事支出金に集計する。

予想採点基準

★…３点×10＝30点

(6) 貸倒引当金の計上（差額補充法）

貸倒懸念債権￥5,000については，回収不能と見込まれる金額￥1,450を個別に計上します。

貸倒懸念債権の設定額：￥1,450

貸倒懸念債権を除く売上債権：￥198,000（受取手形）＋￥508,000－￥6,000⑥（完成工事未収入金）－￥5,000（貸倒懸念債権）

＝￥695,000

貸倒懸念債権を除く売上債権の設定額：￥695,000×1.0％＝￥6,950

設定額合計：￥1,450＋￥6,950＝￥8,400

貸倒引当金の残高：￥7,000

設定額＞残高なので，差額を繰り入れます。

差額：￥8,400－￥7,000＝￥1,400

⑦（借）	貸倒引当金繰入額	1,400	（貸）	貸倒引当金	1,400

(7) 完成工事補償引当金の計上（差額補充法）

設定額：￥3,800,000×0.2％＝￥7,600

完成工事補償引当金の残高：￥7,000

設定額＞残高なので，差額を繰り入れます。

差額：￥7,600－￥7,000＝￥600

⑧（借）	未成工事支出金	600	（貸）	完成工事補償引当金	600

(8) 退職給付引当金

本社事務員については「退職給付引当金繰入額」，現場作業員については「未成工事支出金」で処理します。

⑨（借）	退職給付引当金繰入額	5,000	（貸）	退職給付引当金	32,000
	未成工事支出金	27,000			

(9) 保険料の前払計上

保険料￥6,000（1年分）のうち，4か月分を前払計上します。

1か月分：￥6,000÷12か月＝@￥500

⑩（借）	前払費用	2,000	（貸）	販売費及び一般管理費	2,000

(10) 完成工事原価の算定

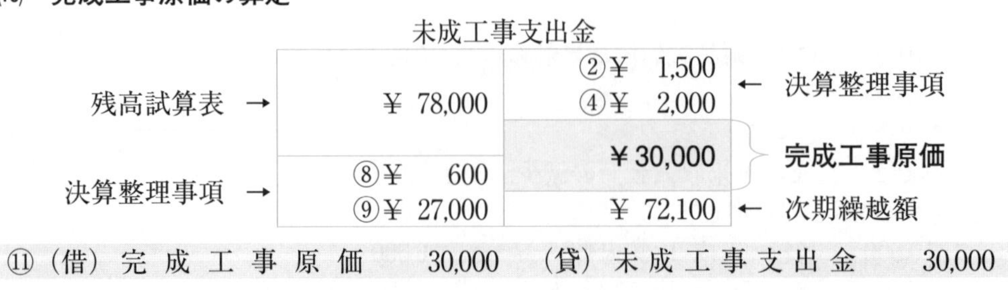

⑪（借）	完成工事原価	30,000	（貸）	未成工事支出金	30,000

⑾ 法人税，住民税及び事業税の計上（損益計算書欄より）

	費　用	収　益	
完成工事原価→	¥ 2,612,000	¥ 3,800,000	←完成工事高
販売費及び一般管理費→	¥ 970,000	¥ 6,500	←受取利息配当金
支払利息→	¥ 31,100		
事務用品費→	¥ 3,000		
雑損失→	¥ 4,000		
備品減価償却費→	¥ 10,000		
貸倒引当金繰入額→	¥ 1,400		
退職給付引当金繰入額→	¥ 5,000		
税引前当期純利益→	**¥ 170,000**		

法人税，住民税及び事業税：¥170,000×30％＝¥51,000
未払法人税等：¥51,000－¥28,000＝¥23,000
（¥28,000：⑶の中間納付額）

	借方科目	金額		貸方科目	金額
⑫（借）	法人税，住民税及び事業税	51,000	（貸）	仮払金	28,000
				未払法人税等	23,000

テキスト参照ページ
⇒　P.1-171，P.2-30

第５問対策

第29回出題《解　答》

精　算　表

（単位：円

勘定科目	残高試算表 借方	残高試算表 貸方	整理記入 借方	整理記入 貸方	損益計算書 借方	損益計算書 貸方	貸借対照表 借方	貸借対照表 貸方
現金	106400						106400	
当座預金	234000		① 1500				235500	
受取手形	68000						68000	
完成工事未収入金	721000			⑥ 14000			707000	
貸倒引当金		8400		⑦ 8220				★ 1662
未成工事支出金	84500		② 2500 ⑨ 18000	④ 6000 ⑧ 2400 ⑩ 33000			63600	
材料貯蔵品	7500			② 2500			★ 5000	
仮払金	38500			③ 6500 ⑪ 32000				
機械装置	250000						250000	
機械装置減価償却累計額		150000	④ 6000					★ 14400
備品	32000						32000	
備品減価償却累計額		14000		⑤ 4500				1850
支払手形		85000						8500
工事未払金		115000						11500
借入金		150000						15000
未払金		61000		① 1500 ③ 800				★ 6330
未成工事受入金		141000		⑥ 10000				★ 15100
仮受金		24000	⑥ 24000					
完成工事補償引当金		22000	⑧ 2400					★ 1960
退職給付引当金		321000		⑨ 25000				★ 34600
資本金		100000						10000
繰越利益剰余金		150480						15048
完成工事高		9800000				9800000		
完成工事原価	8594000		⑩ 33000		★ 8627000			
販売費及び一般管理費	975000				975000			
受取利息配当金		7400				7400		
支払利息	38380				38380			
	11149280	11149280						
旅費交通費			③ 7300		7300			
備品減価償却費			⑤ 4500		★ 4500			
貸倒引当金繰入額			⑦ 8220		8220			
退職給付引当金繰入額			⑨ 7000		7000			
未払法人税等				⑪ 10000				★ 1000
法人税、住民税及び事業税			⑪ 42000		42000			
			156420	156420	9709400	9807400	1467500	136950
当期（純利益）					98000			9800
					9807400	9807400	1467500	14675

《解　説》

(1) 当座預金の修正

未渡小切手となる場合，当座預金の減少の取消しを行い，備品購入代金の未払いとなるので「未払金」で処理します。

未取付小切手となる場合，修正仕訳は必要ありません。

①	(借) 当座預金	1,500	(貸) 未払金	1,500

(2) 棚卸減耗の処理

工事原価に算入するので，「未成工事支出金」に振り替えます。

②	(借) 未成工事支出金	2,500	(貸) 材料貯蔵品	2,500

(3) 仮払金の処理

出張旅費の仮払額と実費との差額は，従業員が立て替えているので，「未払金」で処理します。

旅費交通費：￥6,500＋￥800＝￥7,300

③	(借) 旅費交通費	7,300	(貸) 仮払金	6,500
			未払金	800

￥32,000は法人税等の中間納付額なので，⑽において処理します。

(4) 減価償却費の計上

機械装置（工事現場用）

予定計上額：￥7,500×12か月＝￥90,000

実際発生額：￥84,000

差額：￥90,000－￥84,000＝￥6,000（過剰）

④	(借) 機械装置減価償却累計額	6,000	(貸) 未成工事支出金	6,000

備品（本社用）定率法

（￥32,000－￥14,000）×0.250＝￥4,500

⑤	(借) 備品減価償却費	4,500	(貸) 備品減価償却累計額	4,500

(5) 仮受金の処理

完成した工事の未収代金の回収分は「完成工事未収入金」の減少，工事の手付金は「未成工事受入金」の増加として処理します。

⑥	(借) 仮受金	24,000	(貸) 完成工事未収入金	14,000
			未成工事受入金	10,000

(6) 貸倒引当金の計上（差額補充法）

貸倒懸念債権￥15,000については，回収不能と見込まれる金額を個別に計上します。

貸倒懸念債権に対する設定額：￥7,500

貸倒懸念債権を除く売上債権：￥68,000（受取手形）＋￥721,000－￥14,000⑥（完成工事未収入金）－￥15,000（貸倒懸念債権）

＝￥760,000

貸倒懸念債権を除く売上債権に対する設定額：￥760,000×1.2％＝￥9,120

設定額合計：￥7,500＋￥9,120＝￥16,620

貸倒引当金の残高：￥8,400

ここに注意

工事原価は未成工事支出金を経由して処理する方法（代表科目仕訳法）によるため，費目別（材料費，労務費など）の勘定は用いず，すべて未成工事支出金に集計する。

予想採点基準

★…３点×10＝30点

設定額＞残高なので，差額を繰り入れます。

差額：¥16,620－¥8,400＝¥8,220

⑦（借）	貸倒引当金繰入額	8,220	（貸）貸 倒 引 当 金	8,220

(7) 完成工事補償引当金の計上（差額補充法）

設定額：¥9,800,000×0.2%＝¥19,600

完成工事補償引当金の残高：¥22,000

設定額＜残高なので，差額を戻し入れます。

差額：¥22,000－¥19,600＝¥2,400

⑧（借）	完成工事補償引当金	2,400	（貸）未 成 工 事 支 出 金	2,400

(8) 退職給付引当金

本社事務員については「退職給付引当金繰入額」，現場作業員については「未成工事支出金」で処理します。

⑨（借）	退職給付引当金繰入額	7,000	（貸）退 職 給 付 引 当 金	25,000
	未 成 工 事 支 出 金	18,000		

(9) 完成工事原価の算定

未成工事支出金

	借方	貸方	
残高試算表 →	¥ 84,500	④¥ 6,000	← 決算整理事項
		⑧¥ 2,400	
		¥33,000（貸借差額）	完成工事原価
決算整理事項 →	②¥ 2,500		
	⑨¥ 18,000	¥ 63,600	← 次期繰越額

⑩（借）	完 成 工 事 原 価	33,000	（貸）未 成 工 事 支 出 金	33,000

(10) 法人税，住民税及び事業税の計上（損益計算書欄より）

	費 用	収 益	
完 成 工 事 原 価 →	¥8,627,000	¥9,800,000	← 完 成 工 事 高
販売費及び一般管理費 →	¥ 975,000	¥ 7,400	← 受取利息配当金
支 払 利 息 →	¥ 38,380		
旅 費 交 通 費 →	¥ 7,300		
備品減価償却費 →	¥ 4,500		
貸倒引当金繰入額 →	¥ 8,220		
退職給付引当金繰入額 →	¥ 7,000		
税引前当期純利益 →	**¥ 140,000**		

法人税，住民税及び事業税：¥140,000×30%＝¥42,000

未払法人税等：¥42,000－¥32,000＝¥10,000

（¥32,000：(3)の中間納付額）

⑪（借）	法人税，住民税及び事業税	42,000	（貸）仮 払 金	32,000
			未 払 法 人 税 等	10,000

テキスト参照ページ
⇒ P.1-171，P.2-30

第 3 部　最新問題編

建設業経理士試験

第 32 回～第 35 回

最新問題にチャレンジ

2級 建設業経理士 最新問題（第32回）

次の各取引について仕訳を示しなさい。使用する勘定科目は下記の〈勘定科目群〉から選び，その記号（A～X）と勘定科目を書くこと。なお，解答は次に掲げた（例）に対する解答例にならって記入しなさい。　　　（20点）

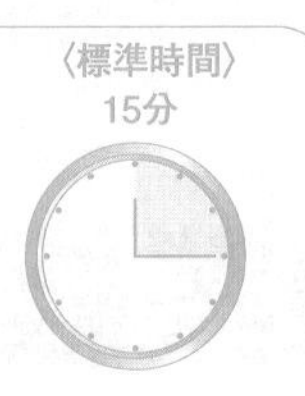

（例）現金￥100,000を当座預金に預け入れた。

(1) 甲社は株主総会の決議により，資本金￥12,000,000を減資した。

(2) 乙社は，確定申告時において法人税を現金で納付した。対象事業年度の法人税額は￥3,800,000であり，期中に中間申告として￥1,500,000を現金で納付済である。

(3) 丙工務店は，自己所有の中古のクレーン（簿価￥1,500,000）と交換に，他社のクレーンを取得し交換差金￥100,000を小切手を振り出して支払った。

(4) 前期に貸倒損失として処理済の完成工事未収入金￥520,000が現金で回収された。

(5) 前期に着工した請負金額￥28,000,000のA工事については，工事進行基準を適用して収益計上している。前期における工事原価発生額は￥1,666,000であり，当期は￥9,548,000であった。工事原価総額の見積額は当初￥23,800,000であったが，当期において見積額を￥24,920,000に変更した。工事進捗度の算定について原価比例法によっている場合，当期の完成工事高に関する仕訳を示しなさい。

〈勘定科目群〉

A 現金	B 当座預金	C 受取手形	D 完成工事未収入金
E 未成工事支出金	F 仮払法人税等	G 機械装置	H 工事未払金
J 貸倒引当金	K 未払法人税等	L 資本金	M その他資本剰余金
N 利益準備金	Q 完成工事高	R 完成工事原価	S 貸倒損失
T 貸倒引当金戻入益	U 償却債権取立益	W 固定資産売却益	X 法人税，住民税及び事業税

(1) 使用する勘定科目に着目する。

(2) 確定申告時の納付は，決算後に行われる。

(3) 固定資産と固定資産を交換して取得した場合，交換差金の処理は？

(4) 前期に償却済みの債権を回収したときの勘定科目は？

(5) 当期の完成工事高に関する仕訳のみ問われている。

Q 第2問　次の［　　］に入る正しい金額を計算しなさい。（12点）

(1)　当月の賃金支給総額は￥31,530,000であり，所得税￥1,600,000，社会保険料￥4,215,000を控除して現金にて支給される。前月末の未払賃金残高が￥9,356,000で，当月の労務費が￥32,210,000であったとすれば，当月末の未払賃金残高は￥［　　］である。

(2)　期末にX銀行の当座預金の残高証明書を入手したところ，￥1,280,000であり，当社の勘定残高とは￥［　　］の差異が生じていた。そこで，差異分析を行ったところ，次の事実が判明した。

①　決算日に現金￥5,000を預け入れたが，銀行の閉店後であったため，翌日の入金として取り扱われていた。

②　備品購入代金の決済のため振り出した小切手￥15,000が，相手先に未渡しであった。

③　借入金の利息￥2,000が引き落とされていたが，その通知が当社に未達であった。

④　材料の仕入先に対して振り出していた小切手￥18,000がまだ銀行に呈示されていなかった。

(3)　工事用機械（取得価額￥12,500,000，残存価額ゼロ，耐用年数8年）を20×1年期首に取得し定額法で償却してきたが，20×5年期末において￥5,000,000で売却した。このときの固定資産売却損益は￥［　　］である。

(4)　前期に倉庫（取得価額￥3,500,000，減価償却累計額￥2,500,000）を焼失した。同倉庫には火災保険が付してあり，査定中となっていたが，当期に保険会社から正式な査定を受け，現金￥［　　］を受け取ったため，保険差益￥200,000を計上した。

(1)　未払賃金／賃　金（月初）
賃　金／現金など（月中）
賃　金／未払賃金（月末）

(2)　①時間外預入れ
②未渡小切手
③連絡未通知
④未取付小切手

(3)　償却年数を数える時は，タイムテーブルを描いて考えると良い。

(4)　保険金－火災未決算
＝保険差益

Q 第3問

現場技術者に対する従業員給料手当（工事間接費）に関する次の〈資料〉に基づいて，下記の問に解答しなさい。（14点）

〈資料〉

(1)	当会計期間の従業員給料手当予算額		¥78,660,000
(2)	当会計期間の現場管理延べ予定作業時間		34,200 時間
(3)	当月の工事現場管理実際作業時間	No.101工事	350 時間
		No.201工事	240 時間
		その他の工事	2,100 時間
(4)	当月の従業員給料手当実際発生額	総額	¥6,200,000

問1　当会計期間の予定配賦率を計算しなさい。なお，計算過程において端数が生じた場合は，円未満を四捨五入すること。

問2　当月のNo.201工事への予定配賦額を計算しなさい。

問3　当月の配賦差異を計算しなさい。なお，配賦差異については，借方差異の場合は「A」，貸方差異の場合は「B」を解答用紙の所定の欄に記入しなさい。

問1

従業員給料手当に関する予定配賦率

$$=\frac{\text{従業員給料手当予算額}}{\text{予定作業時間}}$$

問2

No.201工事の予定配賦額の計算には，No.201工事の実際作業時間を用いる。

問3

配賦差異の計算は，すべての工事の予定配賦額の合計額と実際発生額の総額を比較する。

Q 第4問 以下の問に解答しなさい。 （24点）

〈標準時間〉20分

問1　以下の文章の □ に入れるべき最も適当な用語を下記の〈用語群〉の中から選び，記号（A～G）で解答しなさい。

部門共通費の配賦基準は，その性質によって，[1] 配賦基準（動力使用量など），[2] 配賦基準（作業時間など），[3] 配賦基準（建物専有面積など）に分類することができる。また，その単一性によって，単一配賦基準，複合配賦基準に分類することができ，複合配賦基準の具体的な例としては，[4] などがある。

〈用語群〉

A　規模　　B　運搬回数　　C　サービス量　　D　重量×運搬回数
E　費目一括　　F　従業員数　　G　活動量

問2　20×2年９月の工事原価に関する次の〈資料〉に基づいて，当月（９月）の完成工事原価報告書を完成しなさい。また，工事間接費配賦差異勘定の月末残高を計算しなさい。なお，その残高が借方の場合は「A」，貸方の場合は「B」を解答用紙の所定の欄に記入しなさい。

問２
工事間接費の配賦基準は，部門によって異なるので注意する。
甲部門：直接材料費基準
乙部門：直接作業時間基準

〈資料〉

１．当月の工事状況（収益の認識は工事完成基準による）

工事番号	No.701	No.801	No.901	No.902
着工	７月	８月	９月	９月
竣工	９月	９月	９月	12月（予定）

２．前月から繰り越した工事原価に関する各勘定残高

(1)　未成工事支出金　　（単位：円）

工事番号	No.701	No.801
材料費	218,000	171,000
労務費	482,000	591,000
外注費	790,000	621,000
経費	192,000	132,000
合計	1,682,000	1,515,000

(2)　工事間接費配賦差異　　甲部門　¥5,600　（借方残高）
　　　　　　　　　　　　　乙部門　¥2,300　（貸方残高）

（注）　工事間接費配賦差異は月次においては繰り越すこととしている。

3．当月における材料の棚卸・受払に関するデータ（材料消費単価の決定方法は先入先出法による）

日付	摘要	数量（Kg）	単価（円）
9月1日	前月繰越	800	220
9月2日	No.801工事に払出	400	
9月5日	X建材より仕入	1,600	250
9月9日	No.901工事に払出	1,200	
9月15日	No.701工事に払出	600	
9月22日	Y建材より仕入	1,200	180
9月26日	No.901工事に払出	400	
9月27日	No.902工事に払出	500	

4．当月に発生した工事直接費　（単位：円）

工事番号	No.701	No.801	No.901	No.902
材料費	（各自計算）	（各自計算）	（各自計算）	（各自計算）
労務費	450,000	513,000	819,000	621,000
外注費	1,120,000	2,321,000	1,523,000	820,000
直接経費	290,000	385,000	302,000	212,000

5．当月の甲部門および乙部門において発生した工事間接費の配賦（予定配賦法）

(1)　甲部門の配賦基準は直接材料費基準であり，当会計期間の予定配賦率は3％である。

(2)　乙部門の配賦基準は直接作業時間基準であり，当会計期間の予定配賦率は1時間当たり￥2,200である。

当月の工事別直接作業時間　（単位：時間）

工事番号	No.701	No.801	No.901	No.902
作業時間	15	32	124	29

(3)　工事間接費の当月実際発生額　甲部門　￥20,000　乙部門　￥441,000

(4)　工事間接費は経費として処理している。

Q 第5問

次の〈決算整理事項等〉に基づき，解答用紙の精算表を完成しなさい。なお，工事原価は未成工事支出金を経由して処理する方法によっている。会計期間は１年である。また，決算整理の過程で新たに生じる勘定科目で，精算表上に指定されている科目はそこに記入すること。なお，計算過程において端数が生じた場合には円未満を切り捨てること。（30点）

〈標準時間〉25分

〈決算整理事項等〉

(1)　期末における現金帳簿残高は￥23,500であるが，実際の手元有高は￥22,800であった。原因は不明である。

(2)　仮設材料費の把握はすくい出し方式を採用しているが，現場から撤去されて倉庫に戻された評価額￥1,200について未処理である。

(3)　仮払金の期末残高は，以下の内容であることが判明した。
　①　￥900は借入金利息の３か月分であり，うち１か月は前払いである。
　②　￥31,700は法人税等の中間納付額である。

(4)　減価償却については，以下のとおりである。なお，当期中の固定資産の増減取引は③のみである。
　①　機械装置（工事現場用）　実際発生額　￥45,000
　　なお，月次原価計算において，月額￥3,500を未成工事支出金に予定計上している。当期の予定計上額と実際発生額との差額は当期の工事原価（未成工事支出金）に加減する。
　②　備品（本社用）　以下の事項により減価償却費を計上する。
　　取得原価　￥60,000　残存価額　ゼロ
　　耐用年数　３年　減価償却方法　定額法
　③　建設仮勘定　適切な科目に振替えた上で，以下の事項により減価償却費を計上する。
　　当期首に完成した本社事務所
　　取得原価　￥48,000　残存価額　ゼロ
　　耐用年数　24年　減価償却方法　定額法

(5)　仮受金の期末残高￥12,000は，前期に完成した工事の未収代金回収分であることが判明した。

(6)　売上債権の期末残高に対して1.2％の貸倒引当金を計上する（差額補充法）。

(7)　完成工事高に対して0.2％の完成工事補償引当金を計上する（差額補充法）。

(8)　賞与引当金の当期繰入額は本社事務員について￥5,000，現場作業員について￥13,500である。

(9)　退職給付引当金の当期繰入額は本社事務員について￥3,200，現場作業員について￥9,300である。

(10)　上記の各調整を行った後の未成工事支出金の次期繰越額は￥112,300である。

(11)　当期の法人税，住民税及び事業税として税引前当期純利益の30％を計上する。

マーカーの持ち込みが認められているので，精算表の項目の整理や貸借の記入ミスの防止に使いましょう。

(1)　原因不明の場合，「雑損失」または「雑収入」で処理する。

(3)①　３か月分の利息のうち，１か月分は翌期分となる。

(5)　完成工事未収入金の残高が変動するので，貸倒引当金の設定額に注意する。

(6)　売上債権＝受取手形＋完成工事未収入金

(8)，(9)　現場作業員に係る金額は「未成工事支出金」で処理する。

(10)

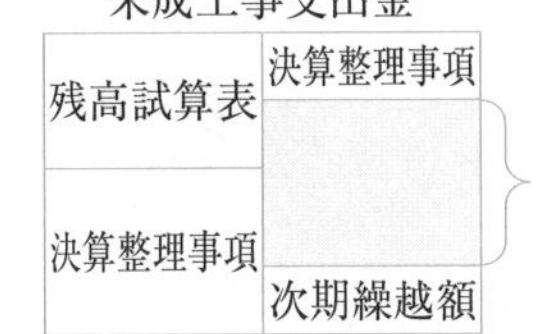

2級　建設業経理士　最新問題（第33回）

次の各取引について仕訳を示しなさい。使用する勘定科目は下記の〈勘定科目群〉の中から選び，その記号（A～X）と勘定科目を書くこと。なお，解答は次に掲げた（例）に対する解答例にならって記入しなさい。　（20点）

（例）現金￥100,000を当座預金に預け入れた。

(1)　株主総会において，別途積立金￥1,800,000を取り崩すことが決議された。

(2)　本社事務所の新築工事が完成し引渡しを受けた。契約代金￥21,000,000のうち，契約時に￥7,000,000を現金で支払っており，残額は小切手を振り出して支払った。

(3)　社債（額面総額：￥5,000,000，償還期間：５年，年利：1.825％，利払日：毎年９月と３月の末日）を￥100につき￥98で５月１日に買入れ，端数利息とともに小切手を振り出して支払った。

(4)　機械（取得原価：￥8,200,000，減価償却累計額：￥4,920,000）を焼失した。同機械には火災保険が付してあり査定中である。

(5)　前期に完成し引き渡した建物に欠陥があったため，当該補修工事に係る外注工事代￥500,000（代金は未払い）が生じた。なお，完成工事補償引当金の残高は￥1,500,000である。

〈勘定科目群〉

A　現金	B　当座預金	C　投資有価証券	D　建物
E　建設仮勘定	F　工事未払金	G　機械装置減価償却累計額	H　完成工事補償引当金
J　機械装置	K　別途積立金	L　繰越利益剰余金	M　社債
N　社債利息	Q　外注費	R　完成工事補償引当金繰入	S　有価証券利息
T　支払利息	U　火災未決算	W　保険差益	X　火災損失

(1)　別途積立金を取り崩したときに増加する勘定科目は？

(2)　完成・引渡しを受ける前に支払ったときの処理は？

(3)　社債の購入側の処理となる。

(4)　査定中なので，損失（または利益）は確定していない。

(5)　前期に引当金を計上している。

次の［　　］に入る正しい数値を計算しなさい。（12点）

〈標準時間〉20分

(1) 材料元帳の期末残高は数量が3,200個であり，単価は￥150であった。実地棚卸の結果，棚卸減耗50個が判明した。この材料の期末における取引価格が単価￥［　　］である場合，材料評価損は￥25,200である。

(2) 前期に請負金額￥80,000,000のA工事（工期は5年）を受注し，収益の認識については前期より工事進行基準を適用している。当該工事の前期における総見積原価は￥60,000,000であったが，当期末において，総見積原価を￥56,000,000に変更した。前期における工事原価の発生額は￥9,000,000であり，当期は￥10,600,000である。工事進捗度の算定を原価比例法によっている場合，当期の完成工事高は￥［　　］である。

(3) 次の4つの機械装置を償却単位とする総合償却を実施する。

機械装置A（取得原価：￥2,500,000，耐用年数：5年，残存価額：￥250,000）
機械装置B（取得原価：￥5,200,000，耐用年数：9年，残存価額：￥250,000）
機械装置C（取得原価：￥600,000，耐用年数：3年，残存価額：￥90,000）
機械装置D（取得原価：￥300,000，耐用年数：3年，残存価額：￥30,000）

この償却単位に定額法を適用し，加重平均法で計算した平均耐用年数は［　　］年である。なお，小数点以下は切り捨てるものとする。

(4) 甲社（決算日は3月31日）は，就業規則において，賞与の支給月を6月と12月の年2回，支給対象期間をそれぞれ12月1日から翌5月末日，6月1日から11月末日と定めている。当期末において，翌6月の賞与支給額を￥12,000,000と見込み，賞与引当金を￥［　　］計上する。

(1) 材料の評価は，実地棚卸数量に対して行う。

(2) 先に前期の完成工事高を求める。

(3) 平均耐用年数
$$=\frac{\text{減価償却総額の合計}}{\text{年償却額の合計}}$$

(4) 決算日は3月31日なので，12月1日から翌5月末日の支給対象期間について考える。

Q 第3問

次の〈資料〉に基づき，適切な部門および金額を記入し，解答用紙の「部門費振替表」を作成しなさい。配賦方法は「階梯式配賦法」とし，補助部門費に関する配賦は第１順位を運搬部門，第２順位を機械部門，第３順位を仮設部門とする。また，計算の過程において端数が生じた場合には，円未満を四捨五入すること。　（14点）

〈資料〉

(1)　各部門費の合計額

工事第１部　¥5,435,000　工事第２部　¥8,980,000　工事第３部　¥2,340,000
運搬部門　¥185,000　機械部門　¥425,300　仮設部門　¥253,430

(2)　各補助部門の他部門へのサービス提供度合

（単位：%）

	工事第１部	工事第２部	工事第３部	仮設部門	機械部門	運搬部門
運搬部門	25	40	28	5	2	—
機械部門	32	35	25	8	—	—
仮設部門	30	40	30	—	—	—

階梯式配賦法の場合，優先順位の高い部門を表の右から記入する。

Q 第4問 **以下の問に解答しなさい。** **（24点）**

問1　次の費用あるいは損失は，原価計算制度によれば，下記の<区分>のいずれに属するものか，記号（A～C）で解答しなさい。

1．鉄骨資材の購入と現場搬入費
2．本社経理部職員の出張旅費
3．銀行借入金利子
4．資材盗難による損失
5．工事現場監督者の人件費

<区分>
A　プロダクト・コスト（工事原価）
B　ピリオド・コスト（期間原価）
C　非原価

問2
工事間接費の予定配賦率
$=\dfrac{\text{工事間接費予算額}}{\text{直接原価の総発生見込額}}$

問2　次の〈資料〉により，解答用紙の「工事別原価計算表」を完成しなさい。また，工事間接費配賦差異の月末残高を計算しなさい。なお，その残高が借方の場合は「A」，貸方の場合は「B」を，解答用紙の所定の欄に記入しなさい。

〈資料〉
1．当月は，繰越工事であるNo.501工事とNo.502工事，当月に着工したNo.601工事とNo.602工事を施工し，月末にはNo.501工事とNo.601工事が完成した。

2．前月から繰り越した工事原価に関する各勘定の前月繰越高は，次のとおりである。

(1)　未成工事支出金　（単位：円）

工事番号	No.501	No.502
材料費	235,000	580,000
労務費	329,000	652,000
外注費	650,000	1,328,000
経　費	115,000	218,400

(2)　工事間接費配賦差異　　¥3,500（借方残高）
(注)　工事間接費配賦差異は月次においては繰り越すこととしている。

3．労務費に関するデータ

⑴　労務費計算は予定賃率を用いており，当会計期間の予定賃率は1時間当たり¥2,100である。

⑵　当月の直接作業時間

No.501　153時間　　No.502　253時間

No.601　374時間　　No.602　192時間

4．当月の工事別直接原価額　（単位：円）

工事番号	No.501	No.502	No.601	No.602
材料費	258,000	427,000	544,000	175,000
労務費	（資料により各自計算）			
外注費	765,000	958,000	2,525,000	419,000
経　費	95,700	113,700	195,600	62,800

5．工事間接費の配賦方法と実際発生額

⑴　工事間接費については直接原価基準による予定配賦法を採用している。

⑵　当会計期間の直接原価の総発生見込額は¥56,300,000である。

⑶　当会計期間の工事間接費予算額は¥2,252,000である。

⑷　工事間接費の当月実際発生額は¥341,000である。

⑸　工事間接費はすべて経費である。

Q 第5問

次の〈決算整理事項等〉に基づき，解答用紙の精算表を完成しなさい。なお，工事原価は未成工事支出金を経由して処理する方法によっている。会計期間は１年である。また，決算整理の過程で新たに生じる勘定科目で，精算表上に指定されている科目はそこに記入すること。

（30点）

〈決算整理事項等〉

(1)　期末における現金の帳簿残高は￥19,800であるが，実際の手許有高は￥18,400であった。原因を調査したところ，本社において事務用文房具￥800を現金購入していたが未処理であることが判明した。それ以外の原因は不明である。

(2)　材料貯蔵品の期末実地棚卸により，棚卸減耗損￥1,000が発生していることが判明した。棚卸減耗損については全額工事原価として処理する。

(3)　仮払金の期末残高は，以下の内容であることが判明した。
　①　￥3,000は本社事務員の出張仮払金であった。精算の結果，実費との差額￥500が本社事務員より現金にて返金された。
　②　￥25,000は法人税等の中間納付額である。

(4)　減価償却については，以下のとおりである。なお，当期中に固定資産の増減取引はない。
　①　機械装置（工事現場用）　　実際発生額　￥56,000
　　なお，月次原価計算において，月額￥4,500を未成工事支出金に予定計上している。当期の予定計上額と実際発生額との差額は当期の工事原価に加減する。
　②　備品（本社用）　　以下の事項により減価償却費を計上する。
　　取得原価　￥90,000　　残存価額　ゼロ
　　耐用年数　３年　　減価償却方法　定額法

(5)　有価証券（売買目的で所有）の期末時価は￥153,000である。

(6)　仮受金の期末残高は，以下の内容であることが判明した。
　①　￥7,000は前期に完成した工事の未収代金回収分である。
　②　￥21,000は当期末において着工前の工事に係る前受金である。

(7)　売上債権の期末残高に対して1.2％の貸倒引当金を計上する（差額補充法）。

(8)　完成工事高に対して0.2％の完成工事補償引当金を計上する（差額補充法）。

(9)　退職給付引当金の当期繰入額は本社事務員について￥2,800，現場作業員について￥8,600である。

(10)　上記の各調整を行った後の未成工事支出金の次期繰越額は￥132,000である。

(11)　当期の法人税，住民税及び事業税として税引前当期純利益の30％を計上する。

マーカーの持ち込みが認められているので，精算表の項目の整理や貸借の記入ミスの防止に使いましょう。

本問では，解答が変わってしまいますので，必ず(1)を処理した後で(3)の処理をしてください（実務上は，通常，仮払金の精算をした後に現金の実査を行います）。

(1)　原因不明の場合,「雑損失」または「雑収入」で処理する。

(6)　完成工事未収入金の残高が変動するので，貸倒引当金の設定額に注意する。

(7)　売上債権＝受取手形＋完成工事未収入金

(9)　現場作業員に係る金額は「未成工事支出金」で処理する。

(10)

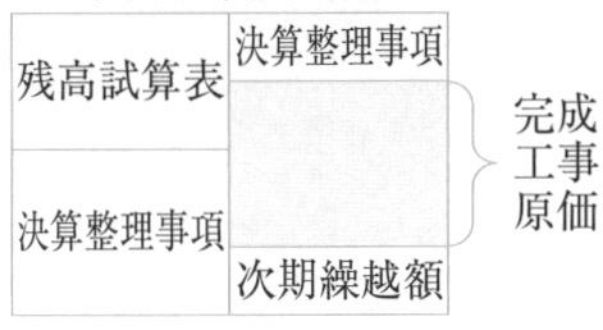

2級　建設業経理士　最新問題（第34回）

次の各取引について仕訳を示しなさい。使用する勘定科目は下記の〈勘定科目群〉から選び，その記号（A～X）と勘定科目を書くこと。なお，解答は次に掲げた（例）に対する解答例にならって記入しなさい。（20点）

〈標準時間〉15分

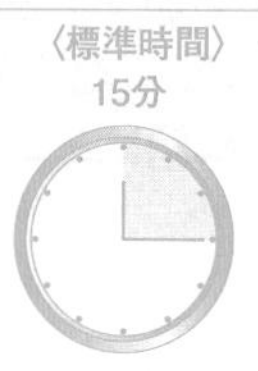

（例）現金￥100,000を当座預金に預け入れた。

⑴　当期に売買目的で所有していたA社株式12,000株（売却時の１株当たり帳簿価額￥500）のうち，3,000株を１株当たり￥520で売却し，代金は当座預金に預け入れた。

⑵　本社事務所の新築のため外注工事を契約し，契約代金￥20,000,000のうち￥5,000,000を前払いするため約束手形を振り出した。

⑶　前期の決算で，滞留していた完成工事未収入金￥1,600,000に対して50％の貸倒引当金を設定していたが，当期において全額貸倒れとなった。

⑷　株主総会の決議により資本準備金￥12,000,000を資本金に組み入れ，株式500株を交付した。

⑸　前期に着工したP工事は，工期４年，請負金額￥35,000,000，総工事原価見積額￥28,700,000であり，工事進行基準を適用している。当期において，資材高騰の影響等により，総工事原価見積額を￥2,000,000増額したことに伴い，同額の追加請負金を発注者より獲得することとなった。前期の工事原価発生額￥4,592,000，当期の工事原価発生額￥6,153,000であるとき，当期の完成工事高に関する仕訳を示しなさい。

〈勘定科目群〉

A　現金	B　当座預金	C　有価証券	D　完成工事未収入金
E　受取手形	F　前払費用	G　建設仮勘定	H　建物
J　貸倒引当金	K　未払金	L　営業外支払手形	M　資本金
N　資本準備金	Q　完成工事高	R　完成工事原価	S　貸倒損失
T　貸倒引当金繰入額	U　貸倒引当金戻入	W　有価証券売却益	X　有価証券売却損

⑴　所有する株式のすべてを売却するわけではない。

⑵　本社事務所の新築のための前払代金の処理は？

⑶　貸倒引当金の設定額を超えた金額の貸倒れの処理は？

⑷　無償増資となる。

⑸　当期中に総工事原価見積額と請負金額が増額されているが，前期の損益には影響しない。

Q 第2問 次の [　　] に入る正しい金額を計算しなさい。（12点）

〈標準時間〉
20分

(1) 当月の賃金について，支給総額￥4,260,000から源泉所得税等￥538,000を控除し，現金にて支給した。前月賃金未払高が￥723,000で，当月賃金未払高が￥821,000であったとすれば，当月の労務費は￥[　　] である。

(2) 本店における支店勘定は期首に￥152,000の借方残高であった。期中に，本店から支店に備品￥85,000を発送し，支店から本店に￥85,000の送金があり，支店が負担すべき交際費￥15,000を本店が立替払いしたとすれば，本店の支店勘定は期末に￥[　　] の借方残高となる。

(3) 期末に当座預金勘定残高と銀行の当座預金残高の差異分析を行ったところ，次の事実が判明した。①銀行閉店後に現金￥10,000を預け入れたが，翌日の入金として取り扱われていた。②工事代金の未収分￥32,000の振込みがあったが，その通知が当社に届いていなかった，③銀行に取立依頼した小切手￥43,000の取立てが未完了であった，④通信代￥9,000が引き落とされていたが，その通知が当社に未達であった。このとき，当座預金勘定残高は，銀行の当座預金残高より￥[　　] 多い。

(4) Ａ社を￥5,000,000で買収した。買収直前のＡ社の資産・負債の簿価は，材料￥800,000，建物￥2,200,000，土地￥500,000，工事未払金￥1,200,000，借入金￥1,800,000であり，土地については時価が￥1,200,000であった。この取引により発生したのれんについて，会計基準が定める最長期間で償却した場合の１年分の償却額は￥[　　] である。

(1) 未払賃金／賃　　金（月初）
賃　　金／預 り 金
　　　　　現金など（月中）
賃　　金／未払賃金（月末）

(2) 本店が行う仕訳を考える。

(3) 当座預金勘定残高と銀行の当座預金残高との差額を解答する。

(4) のれんは20年以内に償却する。

Q 第3問

次の〈資料〉に基づき，解答用紙に示す各勘定口座に適切な勘定科目あるいは金額を記入し，完成工事原価報告書を作成しなさい。なお，記入すべき勘定科目については，下記の〈勘定科目群〉から選び，その記号（A～G）で解答しなさい。（14点）

〈資料〉

（単位：円）

	材料費	労務費	外注費	経費（うち，人件費）
工事原価期首残高	186,000	765,000	1,735,000	94,000　(9,000)
工事原価次期繰越額	292,000	831,000	2,326,000	111,000　(12,000)
当期の工事原価発生額	863,000	3,397,000	9,595,000	595,000　(68,000)

〈勘定科目群〉

A 完成工事高　B 未成工事受入金　C 支払利息　D 未成工事支出金
E 完成工事原価　F 損益　G 販売費及び一般管理費

収益および費用の各勘定の残高を，損益勘定に振り替える。

当期に完成した工事原価は，未成工事支出金勘定から完成工事原価勘定へ振り替えることに注意する。

Q 第4問　次の各問に解答しなさい。　（24点）

〈標準時間〉20分

問１　当月に，次のような費用が発生した。No.101工事の工事原価に算入すべき項目については「A」，工事原価に算入すべきでない項目については「B」を解答用紙の所定の欄に記入しなさい。

1．No.101工事現場の安全管理講習会費用
2．No.101工事を管轄する支店の総務課員給与
3．本社営業部員との懇親会費用
4．No.101工事現場での資材盗難による損失
5．No.101工事の外注契約書印紙代

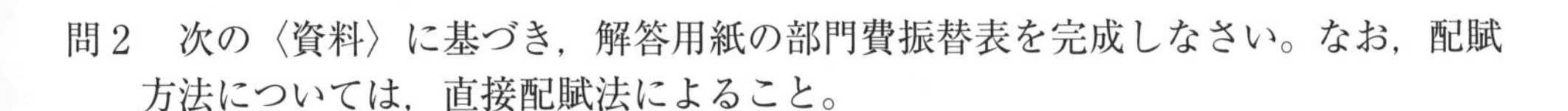

問２　次の〈資料〉に基づき，解答用紙の部門費振替表を完成しなさい。なお，配賦方法については，直接配賦法によること。

〈資料〉

1．補助部門費の配賦基準と配賦データ

補助部門	配賦基準	A工事	B工事	C工事
仮設部門	セット×日数	?	?	?
車両部門	運搬量	135t/km	?	115t/km
機械部門	馬力数×時間	10×40時間	12×50時間	?

2．各補助部門の原価発生額は次のとおりである。

（単位：円）

仮設部門	車両部門	機械部門
?	1,200,000	1,440,000

問１
No.101工事に割り振られるか，原価性のあるものかどうかを考える。

問２
解答用紙の部門費振替表に記入済みの金額に着目する。

Q 第5問

次の〈決算整理事項等〉に基づき，解答用紙の精算表を完成しなさい。なお，工事原価は未成工事支出金を経由して処理する方法によっている。会計期間は１年である。また，決算整理の過程で新たに生じる勘定科目で，精算表上に指定されている科目はそこに記入すること。

（30点）

〈標準時間〉
25分

〈決算整理事項等〉

(1) 期末における現金帳簿残高は￥17,500であるが，実際の手元有高は￥10,500であった。調査の結果，不足額のうち￥5,500は郵便切手の購入代金の記帳漏れであった。それ以外の原因は不明である。

(2) 仮設材料費の把握はすくい出し方式を採用しているが，現場から撤去されて倉庫に戻された評価額￥1,500について未処理であった。

(3) 仮払金の期末残高は，次の内容であることが判明した。
　① ￥5,000は過年度の完成工事に関する補修費であった。
　② ￥23,000は法人税等の中間納付額である。

(4) 減価償却については，次のとおりである。なお，当期中の固定資産の増減取引は③のみである。
　① 機械装置（工事現場用）　実際発生額　￥60,000
　　なお，月次原価計算において，月額￥5,500を未成工事支出金に予定計上している。当期の予定計上額と実際発生額との差額は当期の工事原価（未成工事支出金）に加減する。
　② 備品（本社用）　次の事項により減価償却費を計上する。
　　取得原価　￥45,000　残存価額　ゼロ
　　耐用年数　３年　減価償却方法　定額法
　③ 建設仮勘定　適切な科目に振り替えた上で，次の事項により減価償却費を計上する。
　　当期首に完成した本社事務所（取得原価　￥36,000　残存価額　ゼロ　耐用年数　24年　減価償却方法　定額法）

(5) 仮受金の期末残高は，次の内容であることが判明した。
　① ￥9,000は前期に完成した工事の未収代金回収分である。
　② ￥16,000は当期末において未着手の工事に係る前受金である。

(6) 売上債権の期末残高に対して1.2％の貸倒引当金を計上する（差額補充法）。

(7) 完成工事高に対して0.2％の完成工事補償引当金を計上する（差額補充法）。

(8) 退職給付引当金の当期繰入額は，本社事務員について￥3,200，現場作業員について￥8,400である。

(9) 上記の各調整を行った後の未成工事支出金の次期繰越額は￥102,100である。

(10) 当期の法人税，住民税及び事業税として，税引前当期純利益の30％を計上する。

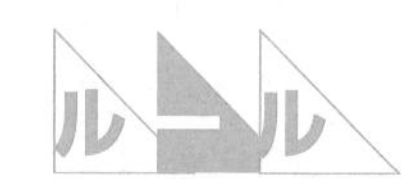

マーカーの持ち込みが認められているので，精算表の項目の整理や貸借の記入ミスの防止に使いましょう。

(1) 未処理分を計上した後に，帳簿残高と実際の手元有高を比較する。

(3)① 完成工事補償引当金を取り崩す。

(5)① 完成工事未収入金の残高が変動するので貸倒引当金の設定金額に注意。

(6) 売上債権＝受取手形＋完成工事未収入金

(7) (3)①で完成工事補償引当金の残高が変動しているので設定時に注意。

(8) 現場作業員に係る金額は「未成工事支出金」で処理する。

(9)
未成工事支出金

借方	貸方
残高試算表	決算整理事項
	完成工事原価
決算整理事項	
	次期繰越額

2級　建設業経理士　最新問題（第35回）

Q 第1問

次の各取引について仕訳を示しなさい。使用する勘定科目は下記の〈勘定科目群〉から選び，その記号（A～Y）と勘定科目を書くこと。なお，解答は次に掲げた（例）に対する解答例にならって記入しなさい。　（20点）

〈標準時間〉15分

（例）現金￥100,000を当座預金に預け入れた。

(1)　甲社は，株主総会において，繰越利益剰余金を財源として，株主配当金￥3,000,000を支払うことを決議した。なお，同社の資本金は￥100,000,000で，資本準備金は￥15,000,000であり，利益準備金は￥8,000,000である。

(2)　当期首に社債（額面総額￥20,000,000　償還期限５年　利率年５％　利払日９月30日　３月31日の年２回）を額面￥100につき￥98.5で発行し，全額の払込みを受け，当座預金とした。この社債発行に際して生じた社債募集広告費などの支出￥150,000は，小切手を振り出して支払い，繰延経理することとしている。この社債発行に係る仕訳を示しなさい。

(3)　前々期首に取得した機械装置（取得価額￥5,000,000　耐用年数５年　残存価額ゼロ　定額法）を当期首において￥3,500,000で売却し，代金は小切手で受け取った。

(4)　夏季賞与の支給に備えて，￥10,000,000を前期末に引当計上していたが，当期において￥11,000,000を当座預金にて支給した。

(5)　材料費については購入時材料費処理法を採用し，仮設材料の消費分の把握については，すくい出し方式によっている。工事が完了し倉庫に返却された仮設材料の評価額は￥180,000であった。

〈勘定科目群〉

A　現金	B　当座預金	C　材料貯蔵品	D　未成工事支出金
E　投資有価証券	F　賞与引当金	G　機械装置	H　社債
J　未払配当金	K　資本金	L　資本準備金	M　利益準備金
N　繰越利益剰余金	Q　完成工事高	R　賞与	S　社債発行費
T　受取配当金	U　減価償却費	W　固定資産売却益	X　固定資産売却損
Y　賞与引当金繰入額			

(1)　準備金の積立額には上限がある。

(2)　社債発行費は，原則は費用計上されるが，繰延資産に計上することも出来る。

(3)　減価償却の記帳方法は？

(4)　賞与の計算期間の途中で決算となった場合，賞与の当期負担分を引当金として見積計上する。

(5)　倉庫に返却された仮設材料の評価額は資産計上する。

Q 第2問

次の　　　に入る正しい数値を計算しなさい。（12点）

〈標準時間〉20分

⑴　前々期に着工したＡ工事（工期７年　請負金額￥50,000,000　総工事原価見積額￥40,500,000）について，工事進行基準を適用している。前期において，労務費高騰等の影響から￥2,000,000を総工事原価見積額に反映させている。また，当期において，発注者との交渉により追加請負金￥5,000,000を獲得することとなった。前期までの工事原価発生額￥8,500,000で，当期の工事原価発生額￥7,650,000であるとき，当期の完成工事高は￥　　　である。

⑵　前払利息の期首残高が￥3,000で当期の損益計算書に記載された支払利息が￥148,000であり，当期における利息の支払額が￥150,000であれば，当期末の貸借対照表に記載される前払利息は￥　　　となる。

⑶　Ｂ社は数年前にＣ社株式5,000株を経済関係を良好にする目的で１株￥300で買い入れ，手数料￥13,000とともに小切手を振り出して支払った。当期においてこのうち2,000株を１株￥420で売却し，これに伴う手数料￥6,000を差引後の手取額を当座預金に預け入れた。この取引に伴う損益は￥　　　である。

⑷　以下の３つの機械装置を償却単位とする総合償却を実施する。
　機械装置Ａ（取得原価￥6,300,000　耐用年数７年　残存価額ゼロ）
　機械装置Ｂ（取得原価￥3,800,000　耐用年数５年　残存価額ゼロ）
　機械装置Ｃ（取得原価￥1,500,000　耐用年数３年　残存価額ゼロ）
　この償却単位に定額法を適用し，加重平均法で計算した平均耐用年数は　　　年である。なお，小数点以下は切り捨てるものとする。

ヒント

⑴　前期において総工事原価見積額，当期において請負金額が追加となっている点に注意。

⑵　期首　支払利息／前払利息
　　期中　支払利息／現金など
　　期末　前払利息／支払利息

⑶　取得時と売却時の手数料の扱いに注意。

⑷　平均耐用年数(加重平均法)＝要償却額合計÷年償却額合計

P社は，複数の工事現場を監督するために２名（甲及び乙）の専任要員を雇用している。このコストについては，現場監督作業時間を基準とした予定配賦法を採用している。現場監督者に係る給与手当に関する次の〈資料〉に基づいて，下記の問に解答しなさい。（14点）

〈標準時間〉
20分

〈資料〉

(1)	当会計期間（１年）の現場監督者給与手当予算額	監督者甲	¥8,650,000
		監督者乙	¥6,575,000
(2)	当会計期間（１年）の現場監督延べ予定作業時間		3,500時間
(3)	当月の工事現場別現場監督実際作業時間	No.350工事	75時間
		No.351工事	93時間
		その他の工事	124時間
(4)	当月の現場監督者給与手当実際発生額	総額	¥1,268,000

問１　当会計期間の予定配賦率を計算しなさい。なお，計算過程において端数が生じた場合は，円未満を四捨五入すること。

問２　当月のNo.351工事への予定配賦額を計算しなさい。

問３　当月の現場監督者給料手当に関する配賦差異を計算しなさい。なお，配賦差異については，借方差異の場合は「A」，貸方差異の場合は「B」を解答用紙の所定の欄に記入しなさい。

問１
予定配賦率
$$= \frac{\text{現場監督者給与手当予算額 合計}}{\text{延べ予定作業時間}}$$

問２
予定配賦額
＝予定配賦率×実際作業時間

問３
配賦差異
＝予定配賦額－実際発生額

Q 第4問

次の問に解答しなさい。　**（24点）**

〈標準時間〉
20分

問１　20×1年４月の工事原価に関する次の〈資料〉に基づいて，解答用紙に示す月次の工事原価明細表を完成しなさい。

ヒント
問１
経費のうち人件費となるものはどれかをおさえておくこと。

〈資料〉　（単位：円）

１．月初及び月末の各勘定残高

	（月初）	（月末）
(1)　材料	56,000	63,000
(2)　未成工事支出金		
材料費	152,000	183,000
労務費	224,000	209,000
外注費	1,232,000	1,105,000
経費	117,000	185,000
（経費のうち人件費）	17,000	18,000
(3)　工事未払金		
賃金	236,000	218,000
外注費	289,000	247,000
事務用品費	7,500	8,000
(4)　前払費用		
保険料	8,000	12,500
地代家賃	17,000	18,000

２．当月材料仕入高

(1)　総仕入高	845,000
(2)　値引・返品高	32,000
(3)　仕入割引高	15,000

３．当月工事関係費用支払高（材料費を除く）

(1)　賃金	542,000
(2)　外注費	765,000
(3)　動力用水光熱費	62,000
(4)　地代家賃	31,000
(5)　保険料	9,000
(6)　従業員給料手当	132,000
(7)　法定福利費	39,000
(8)　福利厚生費	12,000
(9)　通信交通費	19,000
(10)　事務用品費	38,000

問２　次の各文章は，下記の〈工事原価計算の種類〉のいずれと最も関係の深い事柄か，記号（Ａ～Ｄ）で解答しなさい。

1．建設資材を量産している企業では，一定期間に発生した原価をその期間中の生産量で割って，製品の単位当たり原価を計算する。
2．１つの生産指図書に指示された生産活動について費消された原価を集計・計算する方法である。建設会社が請け負う工事については，一般的にこの方法が採用される。
3．建設業では，工事原価を材料費，労務費，外注費，経費に区分して計算し，制度的な財務諸表を作成している。
4．建設業において，指名獲得あるいは受注活動で重視され，見積原価，予算原価などを算定する原価計算である。

〈工事原価計算の種類〉
Ａ　形態別原価計算　Ｂ　事前原価計算　Ｃ　総合原価計算　Ｄ　個別原価計算

Q 第5問

次の〈決算整理事項等〉に基づき，解答用紙の精算表を完成しなさい。なお，工事原価は未成工事支出金を経由して処理する方法によっている。会計期間は１年（４月１日から３月31日）である。また，決算整理の過程で新たに生じる勘定科目で，精算表上に指定されている科目はそこに記入すること。（30点）

〈決算整理事項等〉

⑴　当座預金の期末残高証明書を入手したところ，期末帳簿残高と差異があった。差額原因を調査したところ次の内容であることが判明した。

①　事務用品の購入代金の決済のために振り出した小切手￥2,300が相手先に未渡しであった。

②　完成済の工事代金￥12,000が期末日に振り込まれていたが，発注者より連絡がなく，当社で未記帳であった。

⑵　材料貯蔵品の期末棚卸により棚卸減耗￥500が判明した。

⑶　仮払金の期末残高は，次の内容であることが判明した。

①　￥4,000は本社事務員の出張仮払金であった。精算の結果，実費との差額￥300が事務員より現金にて返金された。

②　￥28,000は法人税等の中間納付額である。

⑷　固定資産は，次の事項により減価償却費を計上する。なお，当期中に固定資産の増減取引は②の一部のみである。

①　機械装置（工事現場用）　実際使用量　6,150単位
取得原価　￥600,000　耐用年数　５年　残存価額　ゼロ
減価償却方法　生産高比例法　見積総使用量　30,000単位
なお，月次原価計算において，毎月500単位を未成工事支出金に予定計上している。当期の予定計上額と実際発生額との差額は当期の工事原価（未成工事支出金）に加減する。

②　備品（本社用）
取得原価　￥120,000　耐用年数　４年　残存価額　ゼロ
減価償却方法　定額法
なお，このうち￥20,000は当期10月１日に取得したものである。

⑸　仮受金の期末残高は，次の内容であることが判明した。

①　￥9,000は前期に完成した工事の未収代金回収分である。

②　￥10,000は当期中の工事契約による前受金である。なお，当該工事は当期において完成し，引き渡しているが未処理となっている。

⑹　売上債権の期末残高に対して1.2％の貸倒引当金を計上する（差額補充法）。

⑺　完成工事高に対して0.2％の完成工事補償引当金を計上する（差額補充法）。

⑻　退職給付引当金の当期繰入額は本社事務員について￥2,800で，現場作業員について￥7,600である。

⑼　販売費及び一般管理費の中に保険料￥12,000（１年分）があり，うち３か月分は未経過分である。

⑽　上記の各調整を行った後の未成工事支出金の次期繰越額は￥126,100である。

⑾　当期の法人税，住民税及び事業税として税引前当期純利益の30％を計上する。

マーカーの持ち込みが認められているので，精算表の項目の整理や貸借の記入ミスの防止に使いましょう。

⑴①　小切手の未渡しの修正では勘定科目に注意。

⑶①　旅費交通費＝仮払額－返金額

⑷①　生産高比例法で処理する。

②　期中取得の分を分けて計算する。

⑸②　本問は工事が完成し，引渡しの処理が未処理となっているものとして処理する。

⑹　売上債権＝受取手形＋完成工事未収入金

⑺　⑸②で，完成工事高が変動しているので完成工事補償引当金の設定時に注意。

⑻　現場作業員に係る金額は「未成工事支出金」で処理する。

⑽
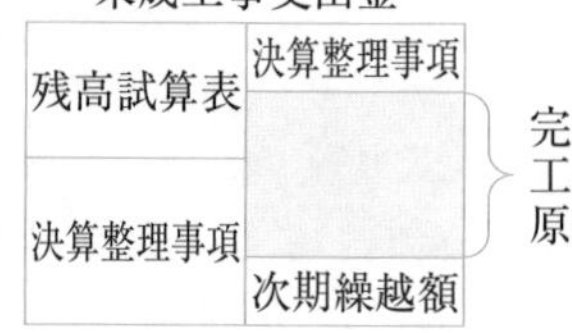

第3部 解答・解説

この解答例は，ネットスクールで作成したものです。

解答・解説（建設業経理士 第32回）

第1問

《解　説》

仕訳　記号（A～X）も必ず記入のこと

No.	借方 記号	借方 勘定科目	借方 金額	貸方 記号	貸方 勘定科目	貸方 金額	
(例)	B	当座預金	100000	A	現金	100000	
(1)	L	資本金	12000000	M	その他資本剰余金	12000000	★
(2)	K	未払法人税等	2300000	A	現金	2300000	★
(3)	G	機械装置	1600000	G	機械装置	1500000	★
				B	当座預金	100000	
(4)	A	現金	520000	U	償却債権取立益	520000	★
(5)	D	完成工事未収入金	10640000	Q	完成工事高	10640000	★

ここに注意

(1)　指定された勘定科目に注意する。

(2)　決算時に計上した未払法人税等の額を納付する。

(3)　交換差金を支払っている。

(4)　前期に償却済みの債権を回収している。

(5)　工事原価総額の見積額の変更は，変更した期の損益に反映させる。

予想採点基準
★… 4 点× 5 ＝20点

《解　説》

(1)　資本金を減資する目的としては，欠損填補（利益剰余金のマイナスの填補）などがあります。問題文に具体的な指示が無いため，「資本金」から「その他資本剰余金」に振り替えるのみとなります。勘定科目に指定が無ければ，「その他資本剰余金」は「資本金減少差益（減資差益）」とする場合もあります。

(2)　**確定申告時**なので，対象事業年度の法人税額から中間申告時の納付額を差し引いた未払額（決算時に計上済）を納付することになります。

　未払法人税等：￥3,800,000－￥1,500,000＝**￥2,300,000**

(3)　自己所有の固定資産との交換により同じ用途の固定資産を取得し，交換差金を支払っているので，自己所有の固定資産の簿価に交換差金を加えた金額を取得原価とします。

　機械装置（借方）：￥1,500,000（簿価）＋￥100,000（交換差金）＝**￥1,600,000**

(4)　過年度に償却済みの債権を回収したときは，「償却債権取立益（収益）」で処理します。

(5)　前期より工事進行基準を適用しているため，当期の完成工事高を計算するには，先に前期の完成工事高を計算する必要があります。また，工事原価総額の見積額が変更された場合，変更された期の損益に反映させるため，前期の損益は変わりません。

前期：完成工事高：￥28,000,000×$\frac{￥1,666,000}{￥23,800,000}$＝￥1,960,000

（工事進捗度７％）

当期：完成工事高：$¥28,000,000 \times \dfrac{¥1,666,000 + ¥9,548,000}{¥24,920,000（見積額変更後）} = ¥12,600,000$

工事進捗度45％

$¥12,600,000 - ¥1,960,000 =$ **¥10,640,000**

前期の完成工事高

テキスト参照ページ

(1)⇒　P.1-164
(2)⇒　P.1-152
(3)⇒　P.1-131
(4)⇒　P.1-150
(5)⇒　P.1-93

第2問

《解 答》

(1)	¥ 10036000	★		(2)	¥ 26000	★
(3)	¥ 312500	★		(4)	¥ 1200000	★

《解 説》

(1) 当月中の処理を考え，賃金勘定の貸借差額により，当月末の未払賃金残高を推定します。

月初（再振替仕訳）

(借)	未払賃金	9,356,000	(貸) 賃金	9,356,000

賃金支給時

(借)	賃金	31,530,000	(貸) 所得税預り金	1,600,000
			社会保険料預り金	4,215,000
			現金	25,715,000

月末（未払計上）

(借)	賃金	10,036,000	(貸) 未払賃金	**10,036,000**

賃　　金

当月の支給総額 ¥31,530,000	前月末の未払額 ¥9,356,000
当月末の未払額 **¥10,036,000** (貸借差額)	当月の労務費 ¥32,210,000

(2) 簡単な銀行勘定調整表（両者区分調整法）を作成し，当社の勘定残高を推定して残高証明書の残高との差異を求めます。

①時間外預入れ

(借)	仕訳なし		(貸)	

②未渡小切手

(借)	当座預金	15,000	(貸) 未払金	15,000

③連絡未通知

(借)	支払利息	2,000	(貸) 当座預金	2,000

④未取付小切手

(借)	仕訳なし		(貸)	

ここに注意

(1) 賃金勘定には当月の賃金支給総額を記入する。

(2) 当社の勘定残高を解答するのではない。

(3) 20X5年「期末」に売却している。

(4) 火災未決算＜保険金

→差額は保険差益（収益）

火災未決算＞保険金

→差額は火災損失（費用）

予想採点基準

★… 3 点× 4 =12点

銀行勘定調整表（両者区分調整法）

当社の勘定残高	¥（ ? ）	残高証明書の残高	¥1,280,000
（加算）⇒減算する		（加算）	
②未渡小切手	¥ 15,000	①時間外預入れ	¥ 5,000
（減算）⇒加算する		（減算）	
③連絡未通知	¥ 2,000	④未取付小切手	¥ 18,000
	¥1,267,000		¥1,267,000

当社の勘定残高：¥1,280,000＋¥5,000－¥18,000＋¥2,000－¥15,000
＝¥1,254,000

差　　　異：¥1,280,000（残高証明書の残高）－¥1,254,000（当社の勘定残高）＝**¥26,000**

⑶　20X1年**期首**から20X5年**期末**まで，５年経過していることに注意しましょう。

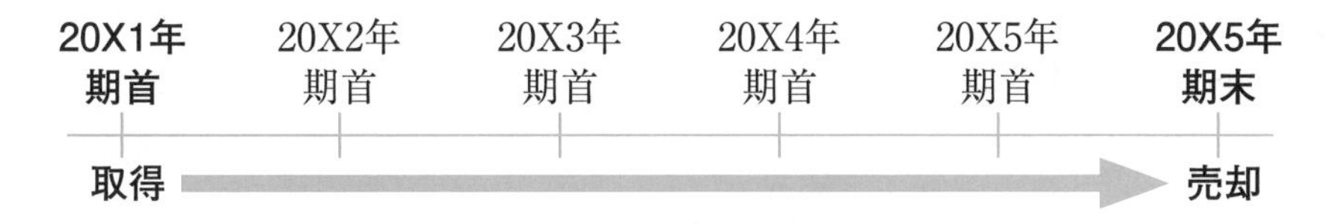

減価償却の累計額：¥12,500,000×$\frac{5年}{8年}$＝¥7,812,500

売却時の帳簿価額：¥12,500,000（取得価額）－¥7,812,500（減価償却の累計額）＝¥4,687,500

固定資産売却損益：¥5,000,000（売却価額）－¥4,687,500（売却時の帳簿価額）＝**¥312,500**（売却益）

⑷　焼失時の倉庫の帳簿価額を「火災未決算」に振り替えています。

火災未決算：¥3,500,000（取得価額）－¥2,500,000（減価償却累計額）＝¥1,000,000

保険差益を計上しているので，「火災未決算」の金額に「保険差益」の金額を加えた保険金を現金で受け取ったことになります。

現金（保険金）：¥1,000,000（火災未決算）＋¥200,000（保険差益）＝**¥1,200,000**

テキスト参照ページ
⑴⇒　P.1-53
⑵⇒　P.1-102
⑶⇒　P.1-134
⑷⇒　P.1-135

第3問

《解　答》

問１　¥ 2,300 ★

問２　¥ 552,000 ★

問３　¥ 13,000　記号（AまたはB）A　両方できて ☆

《解　説》

問１

「当会計期間の従業員給料手当予算額」を「当会計期間の現場管理延べ予定作業時間」で割ることにより，当会計期間の予定配賦率を算定します。

$$当会計期間の予定配賦率 = \frac{当会計期間の従業員給料手当予算額}{当会計期間の現場管理延べ予定作業時間}$$

$$= \frac{¥78,660,000}{34,200時間} = @¥2,300$$

問２

問１で算定した予定配賦率に，当月のNo.201工事の実際作業時間を掛けて，予定配賦額を求めます。

当月のNo.201工事への予定配賦額：@¥2,300×240時間＝**¥552,000**

問３

予定配賦額と実際発生額との差額が配賦差異となります。

予定配賦額（総額）：@¥2,300×（350時間＋240時間＋2,100時間）＝¥6,187,000

実際発生額（総額）：¥6,200,000

当月の配賦差異：¥6,187,000（予定配賦額）－¥6,200,000（実際発生額）＝△**¥13,000**（借方差異 → **A**）

ここに注意

・問３の予定配賦額の計算については，No. 101工事，No. 201工事，その他の工事の実際作業時間の合計を用いる。

予想採点基準

★…５点×２＝10点

☆…４点×１＝４点

14点

テキスト参照ページ

⇒　P.1-67

第4問

《解　答》

問1　　記号（A～G）

1	2	3	4
C	G	A	D
☆	☆	☆	☆

問2

完成工事原価報告書
自　20X2年9月1日
至　20X2年9月30日

（単位：円）

Ⅰ．材　料　費	★	1001000
Ⅱ．労　務　費	★	2855000
Ⅲ．外　注　費	★	6375000
Ⅳ．経　　　費	★	1695560
完成工事原価		11926560

工事間接費配賦差異月末残高　3240 円　記号（AまたはB）　A

※金額及び記号ともに正解で★

《解　説》

問1

部門共通費の配賦基準は，その性質によって，**サービス量**配賦基準（動力使用量など），**活動量**配賦基準（作業時間など），**規模**配賦基準（建物専有面積など）に分類することができる。また，その単一性によって，単一配賦基準，複合配賦基準に分類することができ，複合配賦基準の具体的な例としては，**重量×運搬回数**などがある。

問2

当月（9月）に竣工した**No.701・No.801・No.901の工事原価**を集計し，完成工事原価報告書に記入します。

ここに注意

問1
・配賦基準の具体例，配賦基準の名称から用語を類推する。

問2
・計算に必要な原価の選択を間違えないように注意する。

予想採点基準
★…4点×5＝20点
☆…1点×4＝4点
24点

当月に発生した材料費の計算（先入先出法）

資料３．より，各工事の消費額を計算します。

No.701：@¥250×600kg＝**¥150,000**
　　15日払出

No.801：@¥220×400kg＝**¥　88,000**
　　2日払出

No.901：@¥220×400kg＋@¥250×800kg＋@¥250×200kg＋@¥180×200kg
　　（@¥220×400kg＋@¥250×800kg：9日払出／@¥250×200kg＋@¥180×200kg：26日払出）

＝**¥374,000**

No.902：@¥180×500kg＝¥90,000
　　27日払出

材　　料

	受入		払出		
前月繰越	800kg　@¥220	→	400kg　@¥220		2日払出（No.801工事）
		→	400kg　@¥220		9日払出（No.901工事）
5日仕入	1,600kg　@¥250	→	800kg　@¥250		9日払出（No.901工事）
		→	600kg　@¥250		15日払出（No.701工事）
		→	200kg　@¥250		26日払出（No.901工事）
22日仕入	1,200kg　@¥180	→	200kg　@¥180		26日払出（No.901工事）
		→	500kg　@¥180		27日払出（No.902工事）
		→	500kg　@¥180		帳簿棚卸高

工事間接費の予定配賦額および配賦差異の計算

甲部門　配賦基準：直接材料費基準

No.701：¥150,000×３％＝¥　4,500
No.801：¥　88,000×３％＝¥　2,640
No.901：¥374,000×３％＝¥11,220
No.902：¥　90,000×３％＝¥　2,700
　　　　　　　　　　　　¥21,060

工事間接費配賦差異：¥21,060－¥20,000＝¥1,060（貸方差異）
　　　　　　　　　（予定配賦額）（実際発生額）

工事間接費配賦差異（甲部門）

借方	貸方
前月繰越 → ¥5,600	¥1,060 ← 当月発生
	借方残高 ¥4,540

乙部門　配賦基準：直接作業時間基準

No.701：@¥2,200× 15時間＝¥ 33,000
No.801：@¥2,200× 32時間＝¥ 70,400
No.901：@¥2,200×124時間＝¥272,800
No.902：@¥2,200× 29時間＝¥ 63,800
¥440,000

工事間接費配賦差異：¥440,000－¥441,000＝△¥1,000（借方差異）
（予定配賦額　実際発生額）

工事間接費配賦差異（乙部門）

当月発生 → ¥1,000	¥2,300 ← 前月繰越
貸方残高 ¥1,300	

工事間接費配賦差異月末残高の計算

甲部門：△¥4,540（借方残高）
乙部門：＋¥1,300（貸方残高）
△¥3,240（借方残高）→ **A**

完成工事原価の集計

以上の計算結果と資料2．(1)，資料4．の金額を用いて集計します。

費目	No.701		No.801		No.901	合計
	前月繰越	当月発生	前月繰越	当月発生	当月発生	
材料費	218,000	150,000	171,000	88,000	374,000	**1,001,000**
労務費	482,000	450,000	591,000	513,000	819,000	**2,855,000**
外注費	790,000	1,120,000	621,000	2,321,000	1,523,000	**6,375,000**
経費	192,000	直接 290,000 間接 37,500	132,000	直接 385,000 間接 73,040	直接 302,000 間接 284,020	**1,695,560**
合計	1,682,000	2,047,500	1,515,000	3,380,040	3,302,020	**11,926,560**

No.701の間接経費：¥ 4,500＋¥ 33,000＝¥ 37,500
No.801の間接経費：¥ 2,640＋¥ 70,400＝¥ 73,040
No.901の間接経費：¥11,220＋¥272,800＝¥284,020

テキスト参照ページ
⇒ P.1-64
P.1-67
P.1-89

第5問 《解　答》

精　算　表

(単位：円)

勘定科目	残高試算表		整理記入		損益計算書		貸借対照表	
	借方	貸方	借方	貸方	借方	貸方	借方	貸方
現金	23500			① 700			★ 22800	
当座預金	152900						152900	
受取手形	255000						255000	
完成工事未収入金	457000			⑧ 12000			445000	
貸倒引当金		8000		⑨ 400				★ 8400
未成工事支出金	151900		④ 3000 ⑩ 166 ⑪ 13500 ⑫ 9300	② 1200 ⑬ 64366			112300	
材料貯蔵品	3300		② 1200				★ 4500	
仮払金	32600			③ 900 ⑭ 31700				
機械装置	250000						250000	
機械装置減価償却累計額		150000		④ 3000				★ 153000
備品	60000						60000	
備品減価償却累計額		20000		⑤ 20000				★ 40000
建設仮勘定	48000			⑥ 48000				
支払手形		32500						32500
工事未払金		95000						95000
借入金		196000						196000
未払金		48100						48100
未成工事受入金		233000						233000
仮受金		12000	⑧ 12000					
完成工事補償引当金		19000		⑩ 166				★ 19166
退職給付引当金		187000		⑫ 12500				★ 199500
資本金		100000						100000
繰越利益剰余金		117320						117320
完成工事高		9583000				9583000		
完成工事原価	7566000		⑬ 64366		★ 7630366			
販売費及び一般管理費	1782000				1782000			
受取利息配当金		17280				17280		
支払利息	36000		③ 600		36600			
	10818200	10818200						
雑損失			① 700		★ 700			
前払費用			③ 300				★ 300	
備品減価償却費			⑤ 20000		20000			
建物			⑥ 48000				★ 48000	
建物減価償却費			⑦ 2000		2000			
建物減価償却累計額				⑦ 2000				★ 2000
貸倒引当金繰入額			⑨ 400		400			
賞与引当金繰入額			⑪ 5000		★ 5000			
賞与引当金				⑪ 18500				18500
退職給付引当金繰入額			⑫ 3200		3200			
未払法人税等				⑭ 4304				★ 4304
法人税，住民税及び事業税			⑭ 36004		★ 36004			
			219736	219736	9516270	9600280	1350800	1266790
当期（純利益）					84010			84010
					9600280	9600280	1350800	1350800

《解　説》

(1)　現金過不足の処理

「帳簿残高￥23,500＞手元有高￥22,800」なので，現金が￥700不足しています。決算時の処理となるので，原因不明の金額￥700は「雑損失」で処理します。

①（借）	雑　損　失	700	（貸）	現　　金	700

(2)　仮設材料の評価額の処理

すくい出し方式を採用しているため，仮設材料の支出額を全額，「未成工事支出金」に計上しています。仮設材料の評価額があるため，その分を「材料貯蔵品」に振り替えます。

②（借）	材料貯蔵品	1,200	（貸）	未成工事支出金	1,200

(3)　仮払金の処理

３か月分の借入金利息￥900のうち，１か月分は翌期の費用とするために前払計上します。

１か月分：￥900÷３か月＝@￥300

③（借）	支払利息	600	（貸）	仮　払　金	900
	前払費用	300			

￥31,700は法人税等の中間納付額なので，(11)において処理します。

(4)　減価償却費の計上

機械装置（工事現場用）

予定計上額：￥3,500×12か月＝￥42,000　　実際発生額：￥45,000

差額：￥42,000－￥45,000＝￥3,000（不足）

④（借）	未成工事支出金	3,000	（貸）	機械装置減価償却累計額	3,000

備品（本社用）　定額法

￥60,000÷３年＝￥20,000

⑤（借）	備品減価償却費	20,000	（貸）	備品減価償却累計額	20,000

建設仮勘定

当期首に完成したので，「建設仮勘定」から「建物」に振り替えます。

⑥（借）	建　　物	48,000	（貸）	建設仮勘定	48,000

建物（本社事務所）　定額法

￥48,000÷24年＝￥2,000

⑦（借）	建物減価償却費	2,000	（貸）	建物減価償却累計額	2,000

(5)　仮受金の処理

⑧（借）	仮　受　金	12,000	（貸）	完成工事未収入金	12,000

ここに注意

工事原価は未成工事支出金を経由して処理する方法（代表科目仕訳法）によるため，費目別（材料費，労務費など）の勘定は用いず，すべて未成工事支出金に集計する。

予想採点基準

★…２点×15＝30点

⑹ **貸倒引当金の計上（差額補充法）**

売上債権：￥255,000＋￥457,000－￥12,000⑧＝￥700,000
（￥255,000：受取手形　￥457,000－￥12,000：完成工事未収入金）

設定額：￥700,000×1.2％＝￥8,400　　貸倒引当金の残高：￥8,000

設定額＞残高なので，差額を繰り入れます。

差　額：￥8,400－￥8,000＝￥400

⑨	（借）貸倒引当金繰入額	400	（貸）貸倒引当金	400

⑺ **完成工事補償引当金の計上（差額補充法）**

設定額：￥9,583,000×0.2％＝￥19,166　　完成工事補償引当金の残高：￥19,000

設定額＞残高なので，差額を繰り入れます。

差　額：￥19,166－￥19,000＝￥166

⑩	（借）未成工事支出金	166	（貸）完成工事補償引当金	166

⑻ **賞与引当金**

本社事務員については「賞与引当金繰入額」，現場作業員については「未成工事支出金」で処理します。

⑪	（借）賞与引当金繰入額	5,000	（貸）賞与引当金	18,500
	未成工事支出金	13,500		

⑼ **退職給付引当金**

本社事務員については「退職給付引当金繰入額」，現場作業員については「未成工事支出金」で処理します。

⑫	（借）退職給付引当金繰入額	3,200	（貸）退職給付引当金	12,500
	未成工事支出金	9,300		

⑽ **完成工事原価の算定**

⑬	（借）完成工事原価	64,366	（貸）未成工事支出金	64,366

⑾ 法人税，住民税及び事業税の計上（損益計算書欄より）

		費　用	収　益		
完成工事原価	→	￥7,630,366	￥9,583,000	←	完成工事高
販売費及び一般管理費	→	￥1,782,000	￥　17,280	←	受取利息配当金
支払利息	→	￥　36,600			
雑損失	→	￥　700			
備品減価償却費	→	￥　20,000			
建物減価償却費	→	￥　2,000			
貸倒引当金繰入額	→	￥　400			
賞与引当金繰入額	→	￥　5,000			
退職給付引当金繰入額	→	￥　3,200			
税引前当期純利益	→	**￥ 120,014**			

法人税，住民税及び事業税：￥120,014×30％＝￥36,004.2

→￥36,004（円未満切捨）

未払法人税等：￥36,004－￥31,700＝￥4,304

（￥31,700：⑶の中間納付額）

	借方	金額		貸方	金額
⑭（借）	法人税，住民税及び事業税	36,004	（貸）	仮払金	31,700
				未払法人税等	4,304

テキスト参照ページ
⇒　P.1-171，P.2-30

解答・解説（建設業経理士 第33回）

第1問

《解　説》

仕訳　記号（A～X）も必ず記入のこと

No.	借方			貸方			
	記号	勘定科目	金額	記号	勘定科目	金額	
(例)	B	当座預金	100000	A	現金	100000	
(1)	K	別途積立金	1800000	L	繰越利益剰余金	1800000	★
(2)	D	建物	21000000	E	建設仮勘定	7000000	★
				B	当座預金	14000000	
(3)	C	投資有価証券	4900000	B	当座預金	4907750	★
	S	有価証券利息	7750				
(4)	G	機械装置減価償却累計額	4920000	J	機械装置	8200000	★
	U	火災未決算	3280000				
(5)	H	完成工事補償引当金	500000	F	工事未払金	500000	★

《解　説》

(1)　別途積立金を取り崩したときは，繰越利益剰余金に振り替えます。そのため，「別途積立金」を減少させ，「繰越利益剰余金」を増加させます。

(2)　契約時に支払った金額は「建設仮勘定」で処理しています。工事が完成し引渡しを受けたときに，建設仮勘定に計上した額と小切手による支払額の合計（契約代金）を「建物」に振り替えます。

当座預金：¥21,000,000－¥7,000,000＝¥14,000,000

(3)　経過日数は前回の利払日の翌日（4月1日）から買入日（5月1日）までの31日となります。明確な指示はありませんが，1年を365日として端数利息を日割計算します。

投資有価証券：$¥5,000,000 \times \frac{@¥98}{@¥100} = ¥4,900,000$

有価証券利息：$¥5,000,000 \times 1.825\% \times \frac{31日}{365日} = ¥7,750$

当座預金：¥4,900,000＋¥7,750＝¥4,907,750

(4)　焼失した機械に保険が付されているので，査定が確定するまで帳簿価額（＝取得原価－減価償却累計額）を「火災未決算」に振り替えておきます。

火災未決算：¥8,200,000－¥4,920,000＝¥3,280,000

(5)　前期に完成し引き渡した建物の欠陥なので，完成工事補償引当金を取り崩します。なお，外注工事代の未払いは「工事未払金」で処理します。

ここに注意

(1)　資本（純資産）の増加は貸方，減少は借方に計上する。

(2)　契約時の支払額は建設仮勘定で処理している。

(3)　経過日数は，前回の利払日の翌日から買入日までの期間となる。

(4)　査定が確定するまで帳簿価額を火災未決算に振り替える。

(5)　引当金を全額，取り崩すのではない。

予想採点基準

★…4点×5＝20点

テキスト参照ページ

(1)⇒　P.1-158
(2)⇒　P.1-136
(3)⇒　P.1-111
(4)⇒　P.1-135
(5)⇒　P.1-150

第2問

《解　答》

(1)	¥ 142	★	(2)	¥ 16000000	★
(3)	6 年	★	(4)	¥ 8000000	★

《解　説》

(1) 棚卸減耗が発生しているため，実地棚卸数量は3,150個（＝3,200個－50個）となります。そこで，材料評価損の金額を実地棚卸数量で割ることにより，１個あたりの簿価切下げ額は@￥８（＝￥25,200÷3,150個）と判明します。

期末における取引価格（単価）：@￥150－@￥８＝**@￥142**

参考

材料評価損：(@￥150－@￥142)（1個あたりの簿価切下げ額）×3,150個（実地棚卸数量）＝￥25,200

(2) 前期より工事進行基準を適用しているため，当期の完成工事高を計算するには，先に前期の完成工事高を計算する必要があります。また，総見積原価が変更された場合，変更された期の損益に反映させるため，前期の損益は変わりません。

前期

完成工事高：￥80,000,000×$\frac{￥9,000,000}{￥60,000,000}$（工事進捗度15%）＝￥12,000,000

当期

完成工事高：￥80,000,000×$\frac{￥9,000,000＋￥10,600,000}{￥56,000,000（見積額変更後）}$（工事進捗度35%）＝￥28,000,000

￥28,000,000－￥12,000,000（前期の完成工事高）＝**￥16,000,000**

(3) 以下の表を作成することで，加重平均法で計算した平均耐用年数を求めることができます。

	取得原価	耐用年数	残存価額	減価償却総額	年償却額
機械装置A	￥2,500,000	５年	￥250,000	￥2,250,000	￥ 450,000
機械装置B	￥5,200,000	９年	￥250,000	￥4,950,000	￥ 550,000
機械装置C	￥ 600,000	３年	￥ 90,000	￥ 510,000	￥ 170,000
機械装置D	￥ 300,000	３年	￥ 30,000	￥ 270,000	￥ 90,000
				￥7,980,000	￥1,260,000

平均耐用年数：￥7,980,000÷￥1,260,000＝6.3…　→ **６年**（小数点以下切捨）

(4) 支給対象期間（12月１日から翌５月末日）のうち，当期に係る４か月分（12月１日から翌３月末日）の賞与引当金を計上します。

賞与引当金：￥12,000,000×$\frac{4か月}{6か月}$＝**￥8,000,000**

ここに注意

(1) 期末における取引価格(単価) を求めることに注意する。

(2) 総見積原価の変更は，変更した期の損益に反映させる。

(3) 残存価額に注意する。

(4) 翌６月の賞与支給額は６か月分となる。

予想採点基準
★…３点×４＝12点

テキスト参照ページ

(1)⇒ P.1-49
(2)⇒ P.1-94
(3)⇒ P.1-133
(4)⇒ P.1-151

第3問

《解　答》

部門費振替表　(単位：円)

摘　要	合　計	施工部門			補助部門		
		工事第1部	工事第2部	工事第3部	(仮設)部門	(機械)部門	(運搬)部門
部門費合計	17618730	5435000	8980000	2340000	253430	425300	185000
(運搬)部門	185000	46250	74000	★51800	9250	3700	—
(機械)部門	429000	137280	★150150	107250	34320	429000	—
(仮設)部門	297000	★89100	118800	89100	297000	—	—
合　計	17618730	★5707630	★9322950	★2588150	—	—	—
(配賦金額)	—	272630	★342950	248150	—	—	—

《解　説》

配賦方法は「**階梯式配賦法**」なので，部門費振替表の補助部門の記入順に注意しましょう。優先順位の高い部門を表の**右から記入**します。

ここに注意

・配賦金額の箇所には，補助部門費配賦額の合計金額を記入する。

予想採点基準
★…2点×7＝14点

運搬部門費の配賦

工事第1部への配賦額：¥185,000×25%＝**¥46,250**
工事第2部への配賦額：¥185,000×40%＝**¥74,000**
工事第3部への配賦額：¥185,000×28%＝**¥51,800**
仮設部門への配賦額：¥185,000×5%＝**¥9,250**
機械部門への配賦額：¥185,000×2%＝**¥3,700**

機械部門費の配賦

機械部門費の合計：¥425,300＋¥3,700＝**¥429,000**
工事第1部への配賦額：¥429,000×32%＝**¥137,280**
工事第2部への配賦額：¥429,000×35%＝**¥150,150**
工事第3部への配賦額：¥429,000×25%＝**¥107,250**
仮設部門への配賦額：¥429,000×8%＝**¥34,320**

仮設部門費の配賦

仮設部門費の合計：¥253,430＋¥9,250＋¥34,320＝**¥297,000**
工事第1部への配賦額：¥297,000×30%＝**¥89,100**
工事第2部への配賦額：¥297,000×40%＝**¥118,800**
工事第3部への配賦額：¥297,000×30%＝**¥89,100**

施工部門への配賦金額の集計

	運搬部門費		機械部門費		仮設部門費		配賦金額
工事第1部：	¥46,250	＋	¥137,280	＋	¥89,100	＝	**¥272,630**
工事第2部：	¥74,000	＋	¥150,150	＋	¥118,800	＝	**¥342,950**
工事第3部：	¥51,800	＋	¥107,250	＋	¥89,100	＝	**¥248,150**

補助部門費配賦後の施工部門費の集計

工事第１部費　：￥5,435,000＋￥272,630＝ **￥5,707,630**
工事第２部費　：￥8,980,000＋￥342,950＝ **￥9,322,950**
工事第３部費　：￥2,340,000＋￥248,150＝ **￥2,588,150**

テキスト参照ページ
⇒　P.1-78

第4問

《解　答》

問1　　記号（A～C）

1	2	3	4	5
A	B	C	C	A
★	★	★	★	★

問2

工事別原価計算表　　（単位：円）

摘　　要	No.501	No.502	No.601	No.602	計
月初未成工事原価	★1329000	2778400	—	—	4107400
当月発生工事原価					
材　料　費	258000	427000	544000	175000	1404000
労　務　費	321300	531300	★785400	403200	2041200
外　注　費	765000	958000	2525000	419000	4667000
直接経費	95700	113700	195600	62800	467800
工事間接費	57600	81200	★162000	42400	343200
当月完成工事原価	★2826600	—	4212000	—	7038600
月末未成工事原価	—	★4889600	—	★1102400	5992000

工事間接費配賦差異月末残高　1300 円　　記号（AまたはB）　A

※金額及び記号ともに正解で★

《解　説》

問1

1．鉄骨資材の購入と現場搬入費は，**プロダクト・コスト（工事原価）**に属します。
2．本社経理部職員の出張旅費は，**ピリオド・コスト（期間原価）**に属します。
3．銀行借入金利子は，**非原価**に属します。
4．資材盗難による損失は，**非原価**に属します。
5．工事現場監督者の人件費は，**プロダクト・コスト（工事原価）**に属します。

問2

月初未成工事原価（材料費＋労務費＋外注費＋経費）

〈資料〉 2．(1)の金額を工事別に集計します。

No.501工事：￥235,000＋￥329,000＋￥　650,000＋￥115,000＝ **￥1,329,000**
No.502工事：￥580,000＋￥652,000＋￥1,328,000＋￥218,400＝ **￥2,778,400**
計 **￥4,107,400**

当月発生工事原価（材料費＋労務費＋外注費＋直接経費＋工事間接費）

労務費・工事間接費以外については，〈資料〉 4．の金額を工事別に記入するだけです。

労務費については，〈資料〉 3．(1)〜(2)のデータを用いて計算します。

労務費

No.501工事：@￥2,100×153時間＝ **￥　321,300**
No.502工事：@￥2,100×253時間＝ **￥　531,300**
No.601工事：@￥2,100×374時間＝ **￥　785,400**
No.602工事：@￥2,100×192時間＝ **￥　403,200**
計 **￥2,041,200**

工事間接費については，〈資料〉 5．(1)〜(3)のデータを用いて計算します。

予定配賦率：$\frac{￥2,252,000（工事間接費予算額）}{￥56,300,000（直接原価の総発生見込額）}=0.04$

当月の直接原価（材料費＋労務費＋外注費＋直接経費）
No.501工事：￥258,000＋￥321,300＋￥　765,000＋￥　95,700＝￥1,440,000
No.502工事：￥427,000＋￥531,300＋￥　958,000＋￥113,700＝￥2,030,000
No.601工事：￥544,000＋￥785,400＋￥2,525,000＋￥195,600＝￥4,050,000
No.602工事：￥175,000＋￥403,200＋￥　419,000＋￥　62,800＝￥1,060,000

当月の予定配賦額（工事間接費）
No.501工事：0.04×￥1,440,000＝ **￥　57,600**
No.502工事：0.04×￥2,030,000＝ **￥　81,200**
No.601工事：0.04×￥4,050,000＝ **￥162,000**
No.602工事：0.04×￥1,060,000＝ **￥　42,400**
計 **￥343,200**

当月完成工事原価（月初未成工事原価＋当月の直接原価＋工事間接費）

No.501工事：￥1,329,000＋￥1,440,000＋￥　57,600＝ **￥2,826,600**
No.601工事：￥　　　　0＋￥4,050,000＋￥162,000＝ **￥4,212,000**
計 **￥7,038,600**

ここに注意

問2
・直接原価＝材料費＋労務費＋外注費＋直接経費

予想採点基準
★… 2点×12＝24点

月末未成工事原価（月初未成工事原価＋当月の直接原価＋工事間接費）

No.502工事：￥2,778,400＋￥2,030,000＋￥81,200＝ **￥4,889,600**

No.602工事：￥　　　　0＋￥1,060,000＋￥42,400＝ **￥1,102,400**

計 **￥5,992,000**

工事間接費配賦差異：￥343,200－￥341,000＝￥2,200（貸方差異）

（￥343,200：予定配賦額、￥341,000：実際発生額）

工事間接費配賦差異

借方	貸方
前月繰越→ ￥3,500	￥2,200 ←当月発生
	借方残高 **￥1,300**

工事間接費配賦差異月末残高：￥1,300（借方残高）→ A

テキスト参照ページ
⇒　P.1-30，P.1-33
P.1-88

第5問 《解　答》

精　算　表

（単位：円）

勘定科目	残高試算表		整理記入		損益計算書		貸借対照表	
	借方	貸方	借方	貸方	借方	貸方	借方	貸方
現金	19800		③ 500	① 800 ① 600			★ 18900	
当座預金	214500						214500	
受取手形	112000						112000	
完成工事未収入金	565000			⑦ 7000			558000	
貸倒引当金		7800		⑧ 240				★ 8040
有価証券	171000			⑥ 18000			153000	
未成工事支出金	213500		② 1000 ④ 2000 ⑨ 500 ⑩ 8600	⑪ 93600			132000	
材料貯蔵品	2800			② 1000			1800	
仮払金	28000			③ 3000 ⑫ 25000				
機械装置	300000						300000	
機械装置減価償却累計額		162000		④ 2000				164000
備品	90000						90000	
備品減価償却累計額		30000		⑤ 30000				★ 60000
支払手形		43200						43200
工事未払金		102500						102500
借入金		238000						238000
未払金		124000						124000
未成工事受入金		89000		⑦ 21000				110000
仮受金		28000	⑦ 7000 ⑦ 21000					
完成工事補償引当金		24100		⑨ 500				24600
退職給付引当金		113900		⑩ 11400				★ 125300
資本金		100000						100000
繰越利益剰余金		185560						185560
完成工事高		12300000			★	12300000		
完成工事原価	10670800		⑪ 93600		10764400			
販売費及び一般管理費	1167000				1167000			
受取利息配当金		23400				23400		
支払利息	17060				17060			
	13571460	13571460						
事務用消耗品費			① 800		800			
旅費交通費			③ 2500		★ 2500			
雑損失			① 600		★ 600			
備品減価償却費			⑤ 30000		30000			
有価証券評価損			⑥ 18000		★ 18000			
貸倒引当金繰入額			⑧ 240		240			
退職給付引当金繰入額			⑩ 2800		2800			
未払法人税等				⑫ 71000				71000
法人税、住民税及び事業税			⑫ 96000		★ 96000			
			285140	285140	12099400	12323400	1580200	1356200
当期（純利益）					★ 224000			224000
					12323400	12323400	1580200	1580200

《解　説》

(1)　現金過不足の処理

「帳簿残高￥19,800＞手許有高￥18,400」なので，現金が￥1,400不足しています。原因が判明した￥800は「事務用消耗品費」で処理しますが，残りの￥600（＝￥1,400－￥800）は原因が不明なので，「雑損失」で処理します。

①（借）	事務用消耗品費	800	（貸）	現　金	1,400
	雑　損　失	600			

(2)　材料貯蔵品の棚卸減耗の処理

材料貯蔵品の棚卸減耗損￥1,000は全額工事原価として処理するため，「未成工事支出金」に振り替えます。

②（借）	未成工事支出金	1,000	（貸）	材料貯蔵品	1,000

(3)　仮払金の処理

出張仮払金と返金との差額￥2,500（＝￥3,000－￥500）は，「旅費交通費」で処理します。

③（借）	旅費交通費	2,500	（貸）	仮　払　金	3,000
	現　金	500			

￥25,000は法人税等の中間納付額なので，⑾において処理します。

(4)　減価償却費の計上

機械装置（工事現場用）

予定計上額：￥4,500×12か月＝￥54,000　　実際発生額：￥56,000

差額：￥54,000－￥56,000＝△￥2,000（不足）

④（借）	未成工事支出金	2,000	（貸）	機械装置減価償却累計額	2,000

備品（本社用）　定額法

￥90,000÷３年＝￥30,000

⑤（借）	備品減価償却費	30,000	（貸）	備品減価償却累計額	30,000

(5)　有価証券の期末評価

「帳簿価額￥171,000＞期末時価￥153,000」なので，差額￥18,000（＝￥171,000－￥153,000）を「有価証券評価損」で処理します。

⑥（借）	有価証券評価損	18,000	（貸）	有価証券	18,000

(6)　仮受金の処理

￥7,000は「完成工事未収入金」，￥21,000は「未成工事受入金」に振り替えます。

⑦（借）	仮　受　金	28,000	（貸）	完成工事未収入金	7,000
				未成工事受入金	21,000

ここに注意

工事原価は未成工事支出金を経由して処理する方法（代表科目仕訳法）によるため，費目別（材料費，労務費など）の勘定は用いず，すべて未成工事支出金に集計する。

予想採点基準

★… 3 点×10＝30点

(7) 貸倒引当金の計上（差額補充法）

売上債権：¥112,000（受取手形）＋¥565,000－¥7,000⑦（完成工事未収入金）＝¥670,000

設定額：¥670,000×1.2％＝¥8,040　　貸倒引当金の残高：¥7,800

設定額＞残高なので，差額を繰り入れます。

差　額：¥8,040－¥7,800＝¥240

⑧（借）	貸倒引当金繰入額	240	（貸）貸倒引当金	240

(8) 完成工事補償引当金の計上（差額補充法）

設定額：¥12,300,000×0.2％＝¥24,600　　完成工事補償引当金の残高：¥24,100

設定額＞残高なので，差額を繰り入れます。

差　額：¥24,600－¥24,100＝¥500

⑨（借）	未成工事支出金	500	（貸）完成工事補償引当金	500

(9) 退職給付引当金

本社事務員については「退職給付引当金繰入額」，現場作業員については「未成工事支出金」で処理します。

⑩（借）	退職給付引当金繰入額	2,800	（貸）退職給付引当金	11,400
	未成工事支出金	8,600		

(10) 完成工事原価の算定

⑪（借）	完成工事原価	93,600	（貸）未成工事支出金	93,600

⑾ 法人税，住民税及び事業税の計上（損益計算書欄より）

		費　用	収　益		
完成工事原価	→	￥10,764,400	￥12,300,000	←	完成工事高
販売費及び一般管理費	→	￥1,167,000	￥23,400	←	受取利息配当金
支払利息	→	￥17,060			
事務用消耗品費	→	￥800			
旅費交通費	→	￥2,500			
雑損失	→	￥600			
備品減価償却費	→	￥30,000			
有価証券評価損	→	￥18,000			
貸倒引当金繰入額	→	￥240			
退職給付引当金繰入額	→	￥2,800			
税引前当期純利益	→	**￥320,000**			

法人税，住民税及び事業税：￥320,000×30％＝￥96,000

未払法人税等：￥96,000－￥25,000＝￥71,000
（￥25,000：⑶の中間納付額）

⑫（借）	法人税，住民税及び事業税	96,000	（貸）	仮払金	25,000
				未払法人税等	71,000

テキスト参照ページ
⇒ P.1-171，P.2-30

解答・解説（建設業経理士　第34回）

第1問

《解　答》

仕訳　記号（A～X）も必ず記入のこと

No.	借方			貸方			
	記号	勘定科目	金額	記号	勘定科目	金額	
(例)	B	当座預金	100000	A	現金	100000	
(1)	B	当座預金	1560000	C	有価証券	1500000	
				W	有価証券売却益	60000	★
(2)	G	建設仮勘定	5000000	L	営業外支払手形	5000000	★
(3)	J	貸倒引当金	800000	D	完成工事未収入金	1600000	★
	S	貸倒損失	800000				
(4)	N	資本準備金	12000000	M	資本金	12000000	★
(5)	D	完成工事未収入金	7350000	Q	完成工事高	7350000	★

《解　説》

(1)　売却価額：@￥520×3,000株＝￥1,560,000
　帳簿価額：@￥500×3,000株＝￥1,500,000
　売却損益：￥1,560,000－￥1,500,000＝￥60,000 → 売却益

(2)　自社（本社事務所）の建物なので，契約代金の一部を支払ったら「建設仮勘定」で処理します。また，営業外取引における約束手形の振出しは「営業外支払手形」で処理します。

(3)　貸倒引当金の設定額を超えた金額の貸倒れは「貸倒損失」で処理します。
　貸倒引当金：￥1,600,000×50％＝**￥800,000**
　貸倒損失：￥1,600,000（完成工事未収入金）－￥800,000（貸倒引当金）＝**￥800,000**

(4)　無償増資の処理となり，「資本準備金」から「資本金」に振り替えます。

(5)　前期より工事進行基準を適用しているため，当期の完成工事高を計算するには，先に前期の完成工事高を計算する必要があります。また，総工事原価見積額や請負金額が変更された場合，変更された期の損益に反映させるため，前期の損益は変わりません。

前期：完成工事高：￥35,000,000×（￥4,592,000／￥28,700,000）＝￥5,600,000
　（工事進捗度16％）

当期：請負金額：￥35,000,000＋￥2,000,000＝￥37,000,000
　完成工事高：￥37,000,000×（（￥4,592,000＋￥6,153,000）／（￥28,700,000＋￥2,000,000））＝￥12,950,000
　（工事進捗度35％）

　￥12,950,000－￥5,600,000（前期の完成工事高）＝**￥7,350,000**

ここに注意

(1)　売却価額－帳簿価額
　プラス⇒売却益
　マイナス⇒売却損

(2)　完成前の自社の建物の契約代金の一部を支払ったら「建設仮勘定」で処理する。

(3)　貸倒引当金の設定額を超えた金額の貸倒れは「貸倒損失」で処理する。

(4)　株主資本の計数の変動の処理となる。

(5)　総工事原価見積額と請負金額の変更は，変更した期の損益に反映させる。

予想採点基準
★… 4点×5＝20点

テキスト参照ページ
(1)⇒　P.1-110
(2)⇒　P.1-125, P.1-136
(3)⇒　P.1-149, P.2-38
(4)⇒　P.1-163
(5)⇒　P.1-93

第2問

《解　答》

(1)　¥ 4358000 ★　　(2)　¥ 167000 ★

(3)　¥ 30000 ★　　(4)　¥ 190000 ★

《解　説》

(1)　当月中の処理を考え，賃金勘定の貸借差額により，当月の労務費を算定します。

月初（再振替仕訳）

(借) 未払賃金	723,000	(貸) 賃金	723,000

賃金支払時

(借) 賃金	4,260,000	(貸) 所得税預り金 等	538,000
		現金	3,722,000

月末（未払計上）

(借) 賃金	821,000	(貸) 未払賃金	821,000

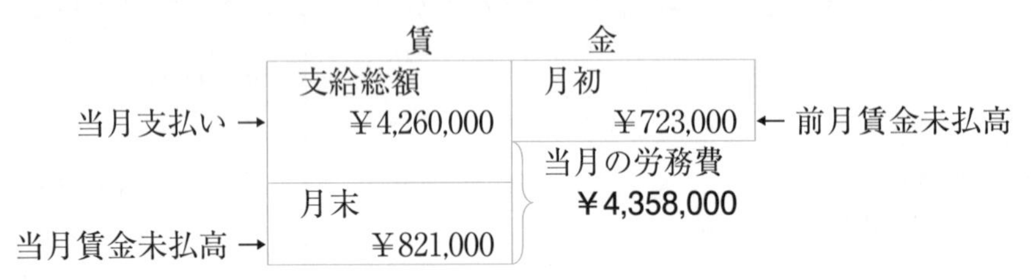

(2)　本店における仕訳を考え，支店勘定の残高を計算します。

本店の仕訳

①備品の発送

(借) 支店	85,000	(貸) 備品	85,000

②支店からの送金

(借) 現金など	85,000	(貸) 支店	85,000

③支店の交際費の立替払い

(借) 支店	15,000	(貸) 現金など	15,000

本店　　支　店

借方	貸方
残高 ¥152,000	② ¥85,000
① ¥85,000	
③ ¥15,000	

借方残高 ¥167,000

ここに注意

(1)　賃金勘定には当月の賃金支給総額を記入する。

(2)　本店で変動する勘定科目を計上し，仕訳の相手科目は「支店」で処理する。

(3)　当社の勘定残高を解答するのではない。

(4)　のれん償却の最長期間は20年となる。

予想採点基準

★… 3 点× 4 =12点

(3) 簡単な銀行勘定調整表（両者区分調整法）を作成し，銀行の当座預金残高と当座預金勘定残高との差額を求めます。仮の銀行の当座預金残高を￥100,000として，当座預金勘定残高を求めると，以下のようになります。

①時間外預入

(借) 仕訳なし		(貸)	

②連絡未通知

(借) 当座預金	32,000	(貸) 完成工事未収入金	32,000

③未取立小切手

(借) 仕訳なし		(貸)	

④連絡未通知

(借) 通信費	9,000	(貸) 当座預金	9,000

銀行勘定調整表（両者区分調整法）

当座預金勘定の残高	￥ 130,000	銀行の当座預金残高	￥ 100,000
（加算）		**（加算）**	
②連絡未通知	⊖ ￥ 32,000	①時間外預入	⊕ ￥ 10,000
（減算）		③未取立小切手	⊕ ￥ 43,000
④連絡未通知	⊕ ￥ 9,000	**（減算）**	
	￥ 153,000		￥ 153,000

当社の当座預金勘定の残高：

￥100,000＋￥10,000＋￥43,000＋￥9,000－￥32,000＝￥130,000

差額：￥130,000－￥100,000＝**￥30,000**

＊ 仮の銀行の当座預金残高にどのような金額を用いても，銀行の当座預金残高と当座預金勘定残高との差額は同じになります。

(4) 買収とは，他社または他社の事業部門などを買い取り，対価として現金などを支払うことです。買収した企業の資産・負債は時価で受け入れます。また，会計基準が定める，のれん償却の最長期間は20年です。

買収額：￥5,000,000

受け入れた資産・負債の差額：￥4,200,000－￥3,000,000＝￥1,200,000

資産：￥800,000（材料）＋￥2,200,000（建物）＋￥1,200,000（土地(時価)）＝￥4,200,000

負債：￥1,200,000（工事未払金）＋￥1,800,000（借入金）＝￥3,000,000

のれん：￥5,000,000－￥1,200,000＝￥3,800,000

のれんの１年分の償却額：￥3,800,000÷20年＝**￥190,000**

テキスト参照ページ
(1)⇒ P.1-52
(2)⇒ P.1-184
(3)⇒ P.1-102
(4)⇒ P.1-140

第3問

《解　答》

未成工事支出金

借方	金額	貸方	金額
前期繰越	2780000	E	★13670000
材料費	863000	次期繰越	3560000
労務費	3397000		
外注費	9595000		
経費	595000		
	17230000		17230000

完成工事原価

借方	金額	貸方	金額
D	13670000	F	13670000

完成工事高

借方	金額	貸方	金額
F	17,500,000	完成工事未収入金	15,500,000
		B	2000000
	17,500,000		17,500,000

販売費及び一般管理費

借方	金額	貸方	金額
××××	529,000	F	529000

支払利息

借方	金額	貸方	金額
当座預金	21,000	F	21000

損　益

借方	金額	貸方	金額
E	13670000	A	17500000
G	529000		
C	21000		
繰越利益剰余金★	3280000		
	17500000		17500000

ここに注意

・未成工事支出金勘定から直接，損益勘定へ振り替えないように注意する。

予想採点基準

★… 2 点× 7 ＝14点

完成工事原価報告書
自　20X1年４月１日
至　20X2年３月31日
（単位：円）

Ⅰ．材　料　費	★	757000
Ⅱ．労　務　費	★	3331000
Ⅲ．外　注　費	★	9004000
Ⅳ．経　　　費	★	578000
（うち人件費 ★ 65000）		
完成工事原価		13670000

《解　説》
勘定の流れを把握して，各勘定口座に適切な勘定科目あるいは金額を記入します。

未成工事支出金勘定
工事原価期首残高の合計が前期繰越額となります。
前期繰越：￥186,000（材料費）+￥765,000（労務費）+￥1,735,000（外注費）+￥94,000（経費）= **￥2,780,000**
工事原価次期繰越額の合計が次期繰越額となります。
次期繰越：￥292,000（材料費）+￥831,000（労務費）+￥2,326,000（外注費）+￥111,000（経費）= **￥3,560,000**
費目ごとの「当期の工事原価発生額」を未成工事支出金勘定に記入していきます。
材料費：**￥863,000**　**労務費**：**￥3,397,000**
外注費：**￥9,595,000**　**経　費**：**￥595,000**
貸借差額により，完成工事原価勘定への振替額（貸方１行目）を求めます。
完成工事原価：**￥13,670,000**

損益勘定
貸借差額により，繰越利益剰余金勘定への振替額を求めます。
繰越利益剰余金：**￥3,280,000**

完成工事原価報告書

	期首残高		当期発生額		次期繰越額		
材料費：	￥186,000	+	￥863,000	−	￥292,000	=	**￥757,000**
労務費：	￥765,000	+	￥3,397,000	−	￥831,000	=	**￥3,331,000**
外注費：	￥1,735,000	+	￥9,595,000	−	￥2,326,000	=	**￥9,004,000**
経　費：	￥94,000	+	￥595,000	−	￥111,000	=	**￥578,000**
					完成工事原価		**￥13,670,000**
人件費：	￥9,000	+	￥68,000	−	￥12,000	=	**￥65,000**

テキスト参照ページ
⇒　P.1-89，P.1-169

第4問

《解　答》

問１　　記号（ＡまたはＢ）

1	2	3	4	5
A	B	B	B	A
★	★	★	★	★

問２

部門費振替表　　　　　　　　　　（単位：円）

摘　　要	工事現場			補助部門		
	Ａ工事	Ｂ工事	Ｃ工事	仮設部門	車両部門	機械部門
部門費合計	8,530,000	4,290,000	2,640,000	★1680000	1200000	1440000
仮設部門費	336,000	924,000	420,000			
車両部門費	324000	600,000	276000			
機械部門費	480000	720000	240,000			
補助部門費配賦額合計	★1140000	★2244000	★936000			
工事原価	★9670000	★6534000	★3576000			

《解　説》

問１

1．No.101工事現場の安全管理講習会費用　→　A
2．No.101工事を管轄する支店の総務課員給与　→　B
3．本社営業部員との懇親会費用　→　B
4．No.101工事での資材盗難による損失　→　B
5．No.101工事の外注契約書印紙代　→　A

1．と5．は特定の工事に係る費用なので工事原価に算入すべき項目です。
2．は支店の総務課員の給与なので，工事原価とはならず販売費及び一般管理費として処理します。よって，工事原価にはなりません。
3．は工事現場との関係性が不明なので工事原価にはなりません。
4．は盗難という特殊な事情による損失であるため，非原価として処理します。

問２

直接配賦法により各工事現場（Ａ工事，Ｂ工事及びＣ工事）に配賦するため，補助部門（仮設部門，車両部門及び機械部門）間のサービスの提供は無視して計算します。なお，仮設部門の原価発生額は，部門費振替表より計算します。

仮設部門費：￥336,000＋￥924,000＋￥420,000＝**￥1,680,000**

ここに注意

問1
原価を下記に分類して考える
・工事原価
・一般管理費
（原価計算制度にかなうが，工事原価ではない）
・非原価（原価外項目）

問2
工事原価＝部門費合計＋補助部門費配賦額合計

予想採点基準
★…２点×12＝24点

車両部門費の配賦

車両部門費のB工事への配賦データは「？」となっていますが，解答用紙にB工事への配賦額（¥600,000）が与えられているので，車両部門費の残額¥600,000（＝¥1,200,000－¥600,000）をA工事とC工事に配賦すればよいことになります。

A工事への配賦額

$$¥600,000 \times \frac{135t/km}{135t/km + 115t/km} = ¥324,000$$

C工事への配賦額

$$¥600,000 \times \frac{115t/km}{135t/km + 115t/km} = ¥276,000$$

機械部門費の配賦

機械部門費のC工事への配賦データは「？」となっていますが，解答用紙にC工事への配賦額（¥240,000）が与えられているので，機械部門費の残額¥1,200,000（＝¥1,440,000－¥240,000）をA工事とB工事に配賦すればよいことになります。

A工事への配賦額

$$¥1,200,000 \times \frac{10 \times 40\text{時間}}{10 \times 40\text{時間} + 12 \times 50\text{時間}} = ¥480,000$$

B工事への配賦額

$$¥1,200,000 \times \frac{12 \times 50\text{時間}}{10 \times 40\text{時間} + 12 \times 50\text{時間}} = ¥720,000$$

補助部門費配賦額合計

	A 工 事	B 工 事	C 工 事
仮設部門費	¥ 336,000	¥ 924,000	¥ 420,000
車両部門費	+ ¥ 324,000	+ ¥ 600,000	+ ¥ 276,000
機械部門費	+ ¥ 480,000	+ ¥ 720,000	+ ¥ 240,000
補助部門費配賦額合計	¥ 1,140,000	¥ 2,244,000	¥ 936,000

工事原価

	A 工 事	B 工 事	C 工 事
部門費合計	¥ 8,530,000	¥ 4,290,000	¥ 2,640,000
補助部門費配賦額合計	+ ¥ 1,140,000	+ ¥ 2,244,000	+ ¥ 936,000
工事原価	¥ 9,670,000	¥ 6,534,000	¥ 3,576,000

テキスト参照ページ

⇒ P.1-76

第5問《解　答》

精　算　表

（単位：円）

勘定科目	残高試算表		整理記入		損益計算書		貸借対照表	
	借方	貸方	借方	貸方	借方	貸方	借方	貸方
現金	17500			① 7000			10500	
当座預金	283000						283000	
受取手形	54000						54000	
完成工事未収入金	497500			⑧ 9000			★ 488500	
貸倒引当金		6800	⑨ 290					6510
未成工事支出金	212000		⑩ 1600 ⑪ 8400	② 1500 ④ 6000 ⑫ 112400			102100	
材料貯蔵品	2800		② 1500				★ 4300	
仮払金	28000			③ 5000 ⑬ 23000				
機械装置	500000						500000	
機械装置減価償却累計額		122000	④ 6000					★ 116000
備品	45000						45000	
備品減価償却累計額		15000		⑤ 15000				★ 30000
建設仮勘定	36000			⑥ 36000				
支払手形		72200						72200
工事未払金		122500						122500
借入金		318000						318000
未払金		129000						129000
未成工事受入金		65000		⑧ 16000				★ 81000
仮受金		25000	⑧ 25000					
完成工事補償引当金		33800	③ 5000	⑩ 1600				★ 30400
退職給付引当金		182600		⑪ 11600				★ 194200
資本金		100000						100000
繰越利益剰余金		156090						156090
完成工事高		15200000			★	15200000		
完成工事原価	13429000		⑫ 112400		13541400			
販売費及び一般管理費	1449000				1449000			
受取利息配当金		25410				25410		
支払利息	19600				19600			
	16573400	16573400						
通信費			① 5500		★ 5500			
雑損失			① 1500		★ 1500			
備品減価償却費			⑤ 15000		15000			
建物			⑥ 36000				★ 36000	
建物減価償却費			⑦ 1500		★ 1500			
建物減価償却累計額				⑦ 1500				1500
貸倒引当金戻入				⑨ 290		★ 290		
退職給付引当金繰入額			⑪ 3200		3200			
未払法人税等				⑬ 33700				33700
法人税、住民税及び事業税			⑬ 56700		★ 56700			
			279590	279590	15093400	15225700	1523400	1391100
当期（純利益）					★ 132300			132300
					15225700	15225700	1523400	1523400

《解　説》

(1)　**現金過不足の処理**

「帳簿残高￥17,500＞手元有高￥10,500」なので，現金が￥7,000不足しています。原因が判明した￥5,500は「通信費」で処理しますが，残りの￥1,500（＝￥7,000－￥5,500）は原因が不明なので，「雑損失」で処理します。

①	（借） 通信費	5,500	（貸） 現金	7,000
	雑損失	1,500		

(2)　**仮設材料の評価額の処理**

すくい出し方式を採用しているため，仮設材料の支出額を全額，「未成工事支出金」に計上しています。現場から撤去されて倉庫に戻された仮設材料の評価額を「材料貯蔵品」に振り替えます。

②	（借） 材料貯蔵品	1,500	（貸） 未成工事支出金	1,500

(3)　**仮払金の処理**

過年度の完成工事に関する補修費は，「完成工事補償引当金」を充当します。

③	（借） 完成工事補償引当金	5,000	（貸） 仮払金	5,000

￥23,000は法人税等の中間納付額なので，⑽において処理します。

(4)　**減価償却費の計上**

機械装置（工事現場用）

予定計上額：￥5,500×12か月＝￥66,000　　実際発生額：￥60,000

差額：￥66,000－￥60,000＝￥6,000（過剰）

④	（借） 機械装置減価償却累計額	6,000	（貸） 未成工事支出金	6,000

備品（本社用）　定額法

￥45,000÷３年＝￥15,000

⑤	（借） 備品減価償却費	15,000	（貸） 備品減価償却累計額	15,000

建設仮勘定

当期首に完成した本社事務所なので建設仮勘定から建物勘定に振り替えます。

⑥	（借） 建物	36,000	（貸） 建設仮勘定	36,000

建物（本社用）　定額法

￥36,000÷24年＝￥1,500

⑦	（借） 建物減価償却費	1,500	（貸） 建物減価償却累計額	1,500

(5)　**仮受金の処理**

￥9,000は「完成工事未収入金」，￥16,000は「未成工事受入金」に振り替えます。

⑧	（借） 仮受金	25,000	（貸） 完成工事未収入金	9,000
			未成工事受入金	16,000

(6)　**貸倒引当金の計上（差額補充法）**

売上債権：￥54,000（受取手形）＋￥497,500（完成工事未収入金）－￥9,000⑧＝￥542,500

ここに注意

工事原価は未成工事支出金を経由して処理する方法（代表科目仕訳法）によるため，費目別（材料費，労務費など）の勘定は用いず，すべて未成工事支出金に集計する。

予想採点基準

★…２点×15＝30点

設定額：¥542,500×1.2％＝¥6,510　　貸倒引当金の残高：¥6,800
設定額＜残高なので，差額を戻し入れます。
差額：¥6,800－¥6,510＝¥290

⑨	(借) 貸倒引当金	290	(貸) 貸倒引当金戻入	290

(7)　完成工事補償引当金の計上（差額補充法）

設定額：¥15,200,000×0.2％＝¥30,400
完成工事補償引当金の残高：¥33,800－¥5,000③＝¥28,800
設定額＞残高なので，差額を繰り入れます。
差額：¥30,400－¥28,800＝¥1,600

⑩	(借) 未成工事支出金	1,600	(貸) 完成工事補償引当金	1,600

(8)　退職給付引当金

本社事務員については「退職給付引当金繰入額」，現場作業員については「未成工事支出金」で処理します。

⑪	(借) 退職給付引当金繰入額	3,200	(貸) 退職給付引当金	11,600
	未成工事支出金	8,400		

(9)　完成工事原価の算定

⑫	(借) 完成工事原価	112,400	(貸) 未成工事支出金	112,400

(10)　法人税，住民税及び事業税の計上（損益計算書欄より）

	費用	収益	
完成工事原価 →	¥13,541,400	¥15,200,000	← 完成工事高
販売費及び一般管理費 →	¥1,449,000	¥25,410	← 受取利息配当金
支払利息 →	¥19,600	¥290	← 貸倒引当金戻入
通信費 →	¥5,500		
雑損失 →	¥1,500		
備品減価償却費 →	¥15,000		
建物減価償却費 →	¥1,500		
退職給付引当金繰入額 →	¥3,200		
税引前当期純利益 →	**¥189,000**		

法人税，住民税及び事業税：¥189,000×30％＝¥56,700
未払法人税等：¥56,700－¥23,000＝¥33,700
（(3)の中間納付額）

⑬	(借) 法人税，住民税及び事業税	56,700	(貸) 仮払金	23,000
			未払法人税等	33,700

テキスト参照ページ
⇒　P.1-171，P.2-30

解答・解説（建設業経理士　第35回）

第1問

《解　答》

仕訳　記号（A～Y）も必ず記入のこと

No.	借方 記号	借方 勘定科目	借方 金額	貸方 記号	貸方 勘定科目	貸方 金額	
(例)	B	当座預金	100000	A	現金	100000	
(1)	N	繰越利益剰余金	3300000	J	未払配当金	3000000	★
				M	利益準備金	300000	
(2)	B	当座預金	19700000	H	社債	19700000	★
	S	社債発行費	150000	B	当座預金	150000	
(3)	A	現金	3500000	G	機械装置	3000000	★
				W	固定資産売却益	500000	
(4)	F	賞与引当金	10000000	B	当座預金	11000000	★
	R	賞与	1000000				
(5)	C	材料貯蔵品	180000	D	未成工事支出金	180000	★

ここに注意

(1)　準備金の積立額の上限を先に計算する。

(2)　社債による入金と小切手の振り出しによる支出は，別の取引として相殺せずに仕訳する。

(3)　語群に減価償却累計額が与えられていないため，直接法で処理していると判断する。

(4)　前期末決算において，賞与の前期負担分を賞与引当金に計上している。

(5)　材料費が選択肢で与えられていないため，未成工事支出金を用いて処理する。

予想採点基準
★…4点×5＝20点

《解　説》

(1)　利益剰余金（繰越利益剰余金）を財源とするので，利益準備金を積み立てることになります。

資本金の4分の1：¥100,000,000×$\frac{1}{4}$＝¥25,000,000

準備金の積立額の上限：

¥25,000,000－（¥15,000,000（資本準備金）＋¥8,000,000（利益準備金））＝¥2,000,000…①

株主配当金の10分の1：¥3,000,000×$\frac{1}{10}$＝¥300,000…②

①＞②より，利益準備金の積立額は**¥300,000**となります。

繰越利益剰余金：¥3,000,000＋¥300,000＝**¥3,300,000**

(2)　社債の発行による入金と，社債募集広告費などの支出は，別の取引として記帳するため相殺しません。また，社債発行費を繰延資産として処理する場合，社債の償還期限に渡って償却していきます（本問では不問）。

社債：¥20,000,000×$\frac{@¥98.5}{@¥100}$＝**¥19,700,000**

(3)　機械装置は前々期首に取得しているので，当期首までに2年分の減価償却が済んでいることになります。

減価償却費：¥5,000,000÷5年＝¥1,000,000（1年分）

売却時の帳簿価額：¥5,000,000－¥1,000,000×2年＝¥3,000,000

売却損益：¥3,500,000－¥3,000,000＝**¥500,000**→売却益

(4) 賞与の支給時に，前期負担分は賞与引当金を取り崩し，残額の当期負担分は賞与勘定で処理します。

賞与：¥11,000,000 − ¥10,000,000 = **¥1,000,000**
（夏季賞与支給額）（賞与引当金）

(5) 材料は購入時に材料費で処理していますが，語群にないため，現場へ払出時に未成工事支出金に振り替えられていると考えられます。工事完了後に倉庫に戻された仮設材料に評価額がある場合，その金額は「材料貯蔵品」に振り替えられます。

テキスト参照ページ

(1) ⇒ P.1-159
(2) ⇒ P.1-141，P.1-144
(3) ⇒ P.1-134
(4) ⇒ P.1-151
(5) ⇒ P.1-50

第2問

《解　答》

(1)　¥ 10900000 ★　　(2)　¥ 5000 ★

(3)　¥ 228800 ★　　(4)　5 年 ★

《解　説》

(1)　工事進行基準を適用しているため，当期の完成工事高を計算するには，先に前期までの完成工事高を計算する必要があります。また，総工事原価見積額や請負金額が変更された場合，変更された期の損益に反映させるため，前期の損益は変わりません。

前期：総工事原価見積額：¥40,500,000＋¥2,000,000＝¥42,500,000

前期までの完成工事高（合計）：¥50,000,000×$\frac{¥8,500,000}{¥42,500,000}$＝¥10,000,000

工事進捗度20％

当期：請負金額：¥50,000,000＋¥5,000,000＝¥55,000,000

完成工事高：¥55,000,000×$\frac{¥8,500,000＋¥7,650,000}{¥42,500,000}$＝¥20,900,000

工事進捗度38％

¥20,900,000－¥10,000,000＝**¥10,900,000**

前期までの完成工事高

(2)　支払利息に関する仕訳を考え，支払利息勘定の貸借差額により当期末における前払利息の金額を求めます。

期首　再振替仕訳（前払利息の期首残高¥3,000）

①	（借）支払利息	3,000	（貸）前払利息	3,000

当期中の支払い

②	（借）支払利息	150,000	（貸）現金など	150,000

期末（前払計上）

③	（借）前払利息	？	（貸）支払利息	？

支　払　利　息

借方	貸方
①→ 期首 ¥3,000	¥148,000 ← 当期の損益計算書に記載される支払利息
②→ 当期支払い ¥150,000	期末 **¥5,000** ← ③（貸借差額で求める）

ここに注意

(1)　総工事原価見積額と請負金額の変更は，変更した期の損益に反映させる。

(2)　費用や収益の見越し・繰延べの問題は，T勘定を作成し，貸借差額で必要な金額を計算する。

(3)　取得時の手数料は付随費用として取得原価に含め，売却時の手数料は，売却代金から控除する。

(4)　残存価額がゼロの場合，取得原価が要償却額となる。

予想採点基準

★…3点×4＝12点

(3)　C社株式5,000株の購入時（投資有価証券として取得）
取得原価：@¥300×5,000株＋¥13,000＝¥1,513,000
（¥13,000：手数料）

1株当たり原価：¥1,513,000÷5,000株＝@¥302.6
C社株式2,000株の売却時
売却分の帳簿価額：@¥302.6×2,000株＝¥605,200
売却による入金額：@¥420×2,000株－¥6,000＝¥834,000
（¥6,000：手数料）

売却損益：¥834,000－¥605,200＝**¥228,800** → 売却益

(4)　加重平均法で計算した平均耐用年数は，次の計算式によって求めます。
平均耐用年数＝要償却額合計÷年償却額合計

	取得原価	耐用年数	残存価額	要償却額	年償却額
機械装置A	¥6,300,000	7年	ゼロ	¥ 6,300,000	¥ 900,000
機械装置B	¥3,800,000	5年	ゼロ	¥ 3,800,000	¥ 760,000
機械装置C	¥1,500,000	3年	ゼロ	¥ 1,500,000	¥ 500,000
				¥ 11,600,000	¥ 2,160,000

平均耐用年数：¥11,600,000÷¥2,160,000＝5.3…→ **5** 年（小数点以下切捨）

テキスト参照ページ
(1) ⇒　P.1-93
(2) ⇒　P.1-168
(3) ⇒　P.1-110
(4) ⇒　P.1-133

第3問

《解　答》

問１　¥ 4350 ★

問２　¥ 404550 ★

問３　¥ 2200　記号（AまたはB）　B　両方できて ☆

《解　説》

問 1

当会計期間の予定配賦率を計算するには，当会計期間の現場監督者給与手当予算額（資料(1)）の合計を，当会計期間の現場監督延べ予定作業時間で割り，算定します。

予定配賦率：$\dfrac{¥8,650,000 + ¥6,575,000}{3,500時間}$ = **@¥4,350**

問 2

問１で算定した予定配賦率に，当月のNo.351工事の工事現場別現場監督実際作業時間を掛けて，配賦額を求めます。

当月のNo.351工事への予定配賦額：@¥4,350×93時間＝**¥404,550**

問 3

予定配賦額と実際発生額との差額が配賦差異となります。また，「予定配賦額＞実際発生額」の場合，貸方差異（有利差異）となります。

予定配賦額（総額）：@¥4,350×（75時間＋93時間＋124時間）＝¥1,270,200

実際発生額（総額）：¥1,268,000

配賦差異：¥1,270,200－¥1,268,000＝**¥2,200**（貸方差異 → B）

ここに注意

・配賦差異の計算には，すべての工事への予定配賦額の合計を用いる。

予想採点基準

★…５点×２＝10点

☆…４点×１＝ ４点

14点

テキスト参照ページ

⇒　P.1-67

第4問

《解　答》

問1

工事原価明細表
20×1年4月

（単位：円）

		当月発生工事原価		当月完成工事原価
Ⅰ．材料費	★	806000	★	775000
Ⅱ．労務費	★	524000		539000
Ⅲ．外注費		723000	★	850000
Ⅳ．経　費	★	337000	★	269000
（うち人件費）	★	（183000）		（182000）
完成工事原価		2390000	★	2433000

問2　　記号（A～D）

1	2	3	4
C	D	A	B
★	★	★	★

《解　説》

問1

月次の工事原価明細表の作成が問われています。当月発生工事原価と当月完成工事原価の集計が必要となるため，原価の集計方法を工夫しましょう。

また，1．(3)工事未払金，(4)前払費用の月初残高の再振替仕訳および月末の見越し・繰延べの処理に注意しましょう。

前払費用の月初残高の**再振替仕訳**

（借）	保　険　料	8,000	（貸）	前払保険料	8,000
（借）	地代家賃	17,000	（貸）	前払地代家賃	17,000

月末の繰延べ（前払費用の月末残高の処理）

（借）	前払保険料	12,500	（貸）	保　険　料	12,500
（借）	前払地代家賃	18,000	（貸）	地代家賃	18,000

ここに注意

問1

- 当月発生工事原価と当月完成工事原価の違いに注意する。
- （うち人件費）の金額は経費の内訳の一部であり，完成工事原価の集計のさいには含めない。

予想採点基準
★… 2点×12＝24点

材　料

借方	貸方
月初 ¥ 56,000	当月消費高 ¥ 806,000 （貸借差額）
当月材料仕入高 総仕入高 ¥ 845,000 値引・返品高 △¥ 32,000 ¥ 813,000	月末 ¥ 63,000

→

未成工事支出金（材料費）

借方	貸方
月初 ¥ 152,000	**当月完成工事原価 ¥ 775,000** （貸借差額）
当月発生工事原価 ¥ 806,000	月末 ¥ 183,000

＊　仕入割引高は，工事未払金の早期決済によって，その期間の利息が免除されたものと考えるため，仕入原価の控除項目とはならないことに注意。

工事未払金（賃金）

借方	貸方
当月支払高 ¥ 542,000	月初 ¥ 236,000
月末 ¥ 218,000	当月消費高 ¥ 524,000 （貸借差額）

→

未成工事支出金（労務費）

借方	貸方
月初 ¥ 224,000	**当月完成工事原価 ¥ 539,000** （貸借差額）
当月発生工事原価 ¥ 524,000	月末 ¥ 209,000

工事未払金（外注費）

借方	貸方
当月支払高 ¥ 765,000	月初 ¥ 289,000
月末 ¥ 247,000	当月消費高 ¥ 723,000 （貸借差額）

→

未成工事支出金（外注費）

借方	貸方
月初 ¥1,232,000	**当月完成工事原価 ¥ 850,000** （貸借差額）
当月発生工事原価 ¥ 723,000	月末 ¥1,105,000

工事未払金（事務用品費）

借方	貸方
当月支払高 ¥ 38,000	月初 ¥ 7,500
	当月消費高 ¥ 38,500（貸借差額）
月末 ¥ 8,000	

保険料

借方	貸方
月初 ¥ 8,000	当月消費高 ¥ 4,500（貸借差額）
当月支払高 ¥ 9,000	月末 ¥ 12,500

地代家賃

借方	貸方
月初 ¥ 17,000	当月消費高 ¥ 30,000（貸借差額）
当月支払高 ¥ 31,000	月末 ¥ 18,000

その他

借方	貸方
当月支払高	当月消費高 ¥264,000（¥183,000）
動力用水光熱費 ¥ 62,000	
従業員給料手当 ¥132,000	
法定福利費 ¥ 39,000	
福利厚生費 ¥ 12,000	
通信交通費 ¥ 19,000	

未成工事支出金（経費）

借方	貸方
月初 ¥117,000（¥ 17,000）	**当月完成工事原価 ¥269,000（¥182,000）**（貸借差額）
当月発生工事原価 ¥337,000（¥183,000）	月末 ¥185,000（¥ 18,000）

（　　）内の金額は経費のうち人件費

＊ 従業員給料手当，法定福利費，福利厚生費は経費のうち人件費となるので，別途集計が必要なので注意。

問2

1．建設資材を量産している企業では，一定期間に発生した原価をその期間中の生産量で割って，製品の単位当たり原価を計算する。⇒ **総合原価計算　C**

2．１つの生産指図書に指示された生産活動について費消された原価を集計・計算する方法である。建設会社が請け負う工事については，一般的にこの方法が採用される。⇒ **個別原価計算　D**

3．建設業では，工事原価を材料費，労務費，外注費，経費に区分して計算し，制度的な財務諸表を作成している。⇒ **形態別原価計算　A**

4．建設業において，指名獲得あるいは受注活動で重視され，見積原価，予算原価などを算定する原価計算である。⇒ **事前原価計算　B**

テキスト参照ページ
⇒ P.1-30, P.1-35
P.1-44, P.1-52
P.1-56, P.1-58
P.1-88

第5問《解　答》

精　算　表

（単位：円）

勘定科目	残高試算表		整理記入		損益計算書		貸借対照表	
	借方	貸方	借方	貸方	借方	貸方	借方	貸方
現金	51500		④300				★51800	
当座預金	263000		①2300 ②12000				★277300	
受取手形	25000						25000	
完成工事未収入金	376000			②12000 ⑦9000			355000	
貸倒引当金		4200		⑨360				4560
未成工事支出金	186500		③500 ⑤3000 ⑩680 ⑪7600	⑬72180			126100	
材料貯蔵品	1800			③500			★1300	
仮払金	32000			④4000 ⑭28000				
機械装置	600000						600000	
機械装置減価償却累計額		236000		⑤3000				★239000
備品	120000						120000	
備品減価償却累計額		25000		⑥27500				★52500
支払手形		58900						58900
工事未払金		184500						184500
借入金		143000						143000
未払金		163000		①2300				★165300
未成工事受入金		72000						72000
仮受金		19000	⑦9000 ⑧10000					
完成工事補償引当金		46500		⑩680				47180
退職給付引当金		119000		⑪10400				★129400
資本金		100000						100000
繰越利益剰余金		123160						123160
完成工事高		23580000		⑧10000		23590000		
完成工事原価	20534000		⑬72180		20606180			
販売費及び一般管理費	2690000			⑫3000	★2687000			
受取利息配当金		30960				30960		
支払利息	25420				25420			
	24905220	24905220						
旅費交通費			④3700		★3700			
備品減価償却費			⑥27500		27500			
貸倒引当金繰入額			⑨360		360			
退職給付引当金繰入額			⑪2800		2800			
前払費用			⑫3000				★3000	
未払法人税等				⑭52400				52400
法人税、住民税及び事業税			⑭80400		80400			
			235320	235320	23433360	23620960	1559500	1371900
当期（純利益）					187600			187600
					23620960	23620960	1559500	1559500

《解　説》

⑴　当座預金の修正

小切手の未渡し

小切手振出時の処理（事務用品の購入代金，処理済み）

（借）販売費及び一般管理費　2,300　（貸）当座預金　2,300

修正仕訳では，「販売費及び一般管理費」が未払いとなるため，貸方が「未払金」となることに注意しましょう。

①（借）当座預金　2,300　（貸）未払金　2,300

未記帳（工事代金の振込み）

②（借）当座預金　12,000　（貸）完成工事未収入金　12,000

⑵　棚卸減耗の処理

期末材料貯蔵品が棚卸減耗によって￥500減少しています。棚卸減耗は未成工事支出金に計上します。

③（借）未成工事支出金　500　（貸）材料貯蔵品　500

⑶　仮払金の処理

旅費交通費：￥4,000－￥300＝￥3,700

④（借）現金　300　（貸）仮払金　4,000
　　　　旅費交通費　3,700

￥28,000は法人税等の中間納付額なので，⑾において処理します。

⑷　減価償却費の計上

機械装置（工事現場用）　残存価額ゼロ　生産高比例法

予定計上額：￥600,000×$\frac{500単位}{30,000単位}$×12か月＝￥120,000

実際発生額：￥600,000×$\frac{6,150単位}{30,000単位}$＝￥123,000

差額：￥120,000－￥123,000＝△￥3,000（不足）

⑤（借）未成工事支出金　3,000　（貸）機械装置減価償却累計額　3,000

備品（本社用）　残存価額ゼロ　定額法

既存分：（￥120,000－￥20,000）÷４年＝￥25,000

当期取得：￥20,000÷４年×$\frac{6か月}{12か月}$＝￥2,500

減価償却費：￥25,000＋￥2,500＝￥27,500

⑥（借）備品減価償却費　27,500　（貸）備品減価償却累計額　27,500

ここに注意

工事原価は未成工事支出金を経由して処理する方法（代表科目仕訳法）によるため，費目別（材料費，労務費など）の勘定は用いず，すべて未成工事支出金に集計する。

予想採点基準

★…３点×10＝30点

(5) 仮受金の処理

¥9,000は「完成工事未収入金」，¥10,000は当期中の工事契約による前受金であったが，工事が完成し，引渡し済みとなっているため「完成工事高」に振り替えます。

⑦（借）	仮受金	9,000	（貸）完成工事未収入金	9,000
⑧（借）	仮受金	10,000	（貸）完成工事高	10,000

(6) 貸倒引当金の計上（差額補充法）

売上債権：¥25,000（受取手形）＋¥376,000－¥12,000②－¥9,000⑦（完成工事未収入金）＝¥380,000

設定額：¥380,000×1.2％＝¥4,560　　貸倒引当金の残高：¥4,200

設定額＞残高なので，差額を繰り入れます。

差額：¥4,560－¥4,200＝¥360

⑨（借）	貸倒引当金繰入額	360	（貸）貸倒引当金	360

(7) 完成工事補償引当金の計上（差額補充法）

設定額：（¥23,580,000＋¥10,000⑧）×0.2％＝¥47,180

完成工事補償引当金の残高：¥46,500

設定額＞残高なので，差額を繰り入れます。

差額：¥47,180－¥46,500＝¥680

⑩（借）	未成工事支出金	680	（貸）完成工事補償引当金	680

(8) 退職給付引当金

本社事務員については「退職給付引当金繰入額」，現場作業員については「未成工事支出金」で処理します。

⑪（借）	退職給付引当金繰入額	2,800	（貸）退職給付引当金	10,400
	未成工事支出金	7,600		

(9) 前払費用の計上

「販売費及び一般管理費」に計上されている保険料のうち，未経過分を「前払費用」に振り替えます。

前払費用：$¥12,000 \times \frac{3\text{か月}}{12\text{か月}} = ¥3,000$

⑫（借）	前払費用	3,000	（貸）販売費及び一般管理費	3,000

最新35回

⑽ 完成工事原価の算定

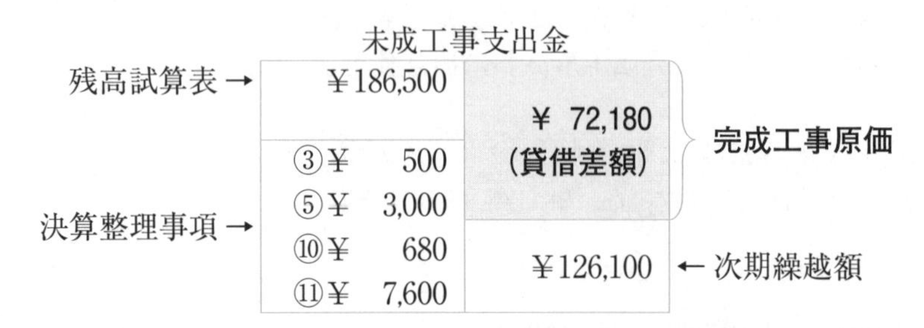

	借方	金額		貸方	金額
⑬	(借) 完成工事原価	72,180		(貸) 未成工事支出金	72,180

⑾ 法人税，住民税及び事業税の計上（損益計算書欄より）

	費用	収益	
完成工事原価 →	¥20,606,180	¥23,590,000	← 完成工事高
販売費及び一般管理費 →	¥ 2,687,000	¥ 30,960	← 受取利息配当金
支払利息 →	¥ 25,420		
旅費交通費 →	¥ 3,700		
備品減価償却費 →	¥ 27,500		
貸倒引当金繰入額 →	¥ 360		
退職給付引当金繰入額 →	¥ 2,800		
税引前当期純利益 →	**¥ 268,000**		

法人税，住民税及び事業税：¥268,000×30％＝¥80,400

未払法人税等：¥80,400－¥28,000＝¥52,400
（¥28,000：⑶の中間納付額）

	借方	金額	貸方	金額
⑭	(借) 法人税，住民税及び事業税	80,400	(貸) 仮払金	28,000
			未払法人税等	52,400

テキスト参照ページ
⇒ P.1-171，P.2-30

１級を受けよう！

建設業経理士試験の１級は，財務諸表・原価計算・財務分析と３科目すべてに合格してはじめて合格したことになります。

一方，検定試験は１年に２回しかないので１科目を残したために半年待たなければならなくなってしまうこともあります。したがって，この試験に臨むにあたっては，各科目の特徴を把握し，合格までの戦略を練ることが大切です。以下に科目ごとの特徴をまとめましたので参考にしてください。

財務諸表

１級で登場する財務諸表という科目は，新しい分野ではありません。ほとんどは，２級で学習済みです。

財務諸表とは，企業の財政状態を表す貸借対照表，経営成績を表す損益計算書，および純資産の部の計数の変動を示す株主資本等変動計算書からなります。貸借対照表や損益計算書を作成するための期中の会計処理については２級で学習しました。１級では，理論的な側面に触れますが，主な目的は２級の範囲を文章で確認することです。

(空欄補充問題)

Q.売買目的の有価証券については，(　　)をもって貸借対照表価額とする。

(答)　時価

原価計算

建設業における原価計算は，“１つの工事が完成するのにかかった金額を計算すること”を目的としています。その最終結果が「完成工事原価報告書」に表されています。費目別計算から始まって完成工事原価報告書の作成までは，ひととおり２級で学習済みです。

建設業の特殊性から，どのような計算・処理が要求されるのかを理解し，実際に処理できるようにすることが１級のねらいです。

(正誤問題)

Q.仮設材料の使用コストは，仮設材料費として経費の区分に掲載するのが適当である。

(答)　×

財務分析

企業の業績を評価するときに，よく使われるのが財務分析です。財務分析とは，財務諸表などの財務数値を使って，情報を比率などのわかりやすい形にして，企業がどのような状態にあるのかを分析することをいいます。

財務分析を習得することは，財務諸表を見て企業の現在の状況を把握し，今後の方針をたてることにつながります。

具体的には，同じくらいの規模の２つの会社の財務諸表を見比べて，どちらが利益をあげているかや将来どちらの会社が成長していくのかを判断します。その判断基準として，資本利益率や利益増減率などの比率を使用します。このような比率を算定するためには，財務諸表に関する知識が必要となります。その知識は，すでに２級で学習済みです。

(本試験)

Q.次の資料によって，甲社の第10期の経営資本営業利益率を算定しなさい。

	第10期
営業利益	12,000（円）
経営資本	120,000（円）

(答) 10.0%

索　引

WEB講座受講生の声です

本書はネットスクール建設業経理士WEB講座の使用教材です。
本書を活用して合格された皆さまの声をお届けします！

建設業経理士2級、無事合格しました!!
平日休んで学校に通うわけにもゆかず困っていましたが、このWEB講座をネットで知り即申し込みました。桑原先生の解説は本当に解りやすく、テキストの独学だけでは合格出来なかったと思います。本当に申し込んで良かったと思っています。
（２級WEB講座受講）

19年前に2級を取得以来、簿記の試験は久しぶりの挑戦でした。藤本先生の講義は大変丁寧でわかりやすかったです。また、直前に直接激励の電話をいただき、大変励みになりました。感謝しております。
（１級財務諸表WEB講座受講）

今まで全く簿記の経験がなかったので難しかったですが、ネットスクールの教材で合格することができてよかったです。お世話になりました。
（２級WEB講座受講）

前日に桑原先生からお電話をいただいたことで、もう一度見直す気になれて復習しました。桑原先生のアドバイス通りに早く試験会場に着いて第５問の精算表の過去問を解きました。この問題にわからないところがあって確認したのですが同じ問題が本番の精算表でも出たのでびっくりしました。
（２級WEB講座受講）

ネットスクール建設業経理士WEB講座のおかげで、楽しく勉強でき、建設業経理士２級に合格することができました。ありがとうございました。気が早いようですが１級取得を考えています。
（２級WEB講座受講）

独学では、勉強時間を取るにもなかなか難しく、理解に苦しんでおり、合格に近づけず…ネットスクールに力をお借りした次第です。笑いもあり、大変解りやすく、学習スケジュールや焦りも程よく、自信を持って試験に挑むことができました。
（２級WEB講座受講）

自力では無理かな？　と思い、既に勉強中って事もあり、直前パックのみ申し込みましたが、受けて正解でした！
（１級財務分析WEB講座受講）

なんとか合格することができました！！　今回、会社から建設業経理士２級を受けるように言われて、困っていたのですが、桑原先生の講義が、とてもわかりやすく、楽しく勉強することができました。
ありがとうございました。
（２級WEB講座受講）

藤本先生の授業はレジュメを作り込んでいて、分かり易かったです。
（１級原価計算WEB講座受講）

全経税法能力検定試験３科目合格はネットスクールにお任せ！

全経税法能力検定試験シリーズ ラインナップ

全国経理教育協会（全経協会）では、経理担当者として身に付けておきたい法人税法・消費税法・相続税法・所得税法の実務能力を測る検定試験が実施されています。
そのうち、法人税法・消費税法・相続税法の３科目は、ネットスクールが公式テキストを刊行しています。
税理士試験に向けたステップに、経理担当者としてのスキルアップに、チャレンジしてみてはいかがでしょうか。
◆検定試験に関しての詳細は、全経協会公式ページをご確認下さい。

http://www.zenkei.or.jp/

全経法人税法能力検定試験対策

書名	判型	税込価格	発刊年月
全経 法人税法能力検定試験 公式テキスト３級／２級【第３版】	B5 判	2,750 円	好評発売中
全経 法人税法能力検定試験 公式テキスト１級【第３版】	B5 判	4,180 円	好評発売中

全経消費税法能力検定試験対策

書名	判型	税込価格	発刊年月
全経 消費税法能力検定試験 公式テキスト３級／２級【第３版】	B5 判	2,750 円	好評発売中
全経 消費税法能力検定試験 公式テキスト１級【第３版】	B5 判	4,180 円	好評発売中

全経相続税法能力検定試験対策

書名	判型	税込価格	発刊年月
全経 相続税法能力検定試験 公式テキスト３級／２級【第３版】	B5 判	2,750 円	好評発売中
全経 相続税法能力検定試験 公式テキスト１級【第３版】	B5 判	4,180 円	好評発売中

書籍のお求めは全国の書店・インターネット書店、またはネットスクールWEB-SHOPをご利用ください。

ネットスクール WEB-SHOP

https://www.net-school.jp/

ネットスクール WEB-SHOP 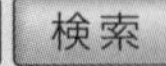

※ 書名・価格・発行年月や表紙のデザインは変更する場合もございますので、予めご了承ください。(2024 年９月現在)

90%の方から「受講してよかった」*との回答をいただきました。

*「WEB講座を受講してよかったか」という設問に0～10の段階中6以上を付けた人の割合。

建設業経理士　WEB講座

❶教材
大好評の『建設業経理士 出題パターンと解き方 過去問題集&テキスト』を使っています。

❷繰り返し視聴OK
講義はすべてオンデマンド配信されるので、受講期間内なら何度でも見ることができます。

❸講師
圧倒的にわかりやすい。圧倒的に面白い。ネットスクールの講師は全員が1級建設業経理士合格者。その講義は群を抜くわかりやすさです。

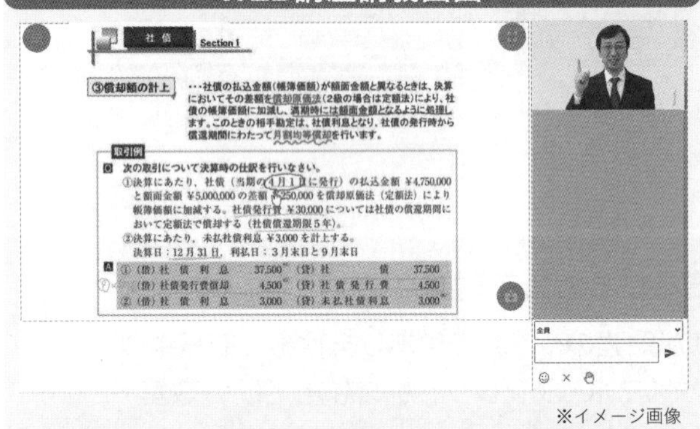

※イメージ画像

講師陣

桑原知之講師
WEB講座2級担当

藤本拓也講師
WEB講座1級（財務諸表・原価計算）担当

岩田俊行講師
WEB講座1級（財務分析）担当

開講コース案内

□…ライブ講義　■…オンデマンド講義

建設業経理士2級

建設業経理士2級は、項目を一つひとつ理解しながら勉強を進めていけば必ず合格できる試験です。3級の復習から始まりますので、安心して学習できます。

標準コース

開講 →  基本講義 +WEBチェックテスト → ホームルーム → 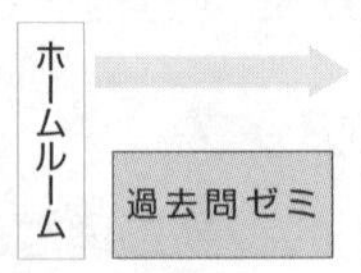 過去問ゼミ → とおる模試 →  過去問ゼミ →  予想・質問会 → 本試験

建設業経理士1級

建設業経理士試験に合格するコツは過去問題を解けるようにすることです。そのために必要な基礎知識と問題を効率よく解く「解き方」をわかりやすくお伝えします。

標準コース

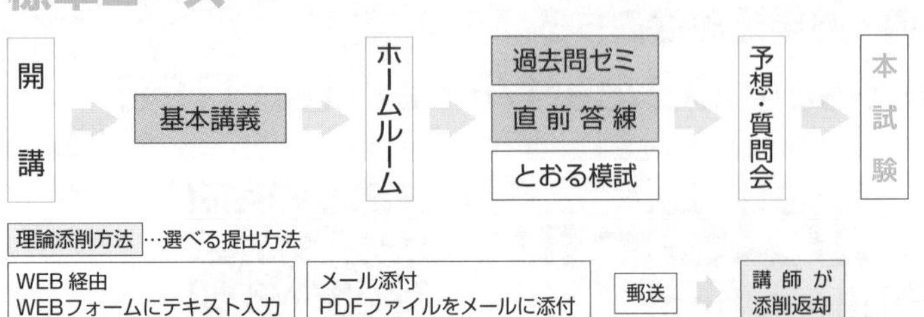

☆理論添削サービスについて
1級の各科目第1問では、論述問題が出題されます。
ネットスクールのWEB講座では、この論述問題対策として理論添削サービスを実施しています。

問1
品質適合コストは不良品の生産を防ぐために生じるコストであり、予防コストと発見コストがある。一方、品質不適合コストとは不良品を作ってしまったことにより生

※添削のイメージ

無料体験・お問い合わせ・お申し込みは
ネットスクール建設業経理士 WEB 講座　フリーコール 0120-979-919
ネットスクール 検索 今すぐアクセス!　https://www.net-school.co.jp/

解　答　用　紙

〈解答用紙ご利用時の注意〉

この色紙を残したままていねいに抜き取り、ご利用ください。なお、抜取りのさいの損傷についてのお取替えはご遠慮願います。

＊ご自分の学習進度に合わせて，コピーしてお使いください。
なお，解答用紙はダウンロードサービスもご利用いただけます。
ネットスクールＨＰの『読者の方へ』にアクセスしてください。
https://www.net-school.co.jp/

解答にあたっての注意事項

1．解答は、解答用紙に指定された解答欄内に記入してください。解答欄外に記入されているものは採点しません。

2．金額の記入にあたっては、以下のとおりとし、１ますごとに数字を記入してください。

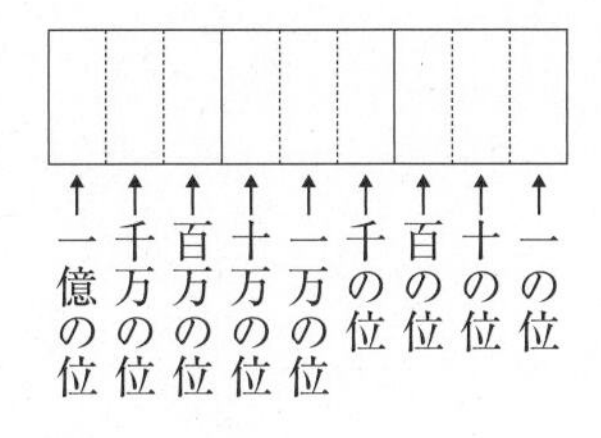

3．解答は、指定したワク内に明瞭に記入してください。判読し難い文字が記入されている場合、その解答欄については採点しません。

4．消費税については、設問で消費税に関する指示がある場合のみ、これを考慮した解答を作成してください。

第１問対策・解答用紙

【第23回―問題は本文2-5ページ，解答・解説は本文2-38ページ】

仕　訳　記号（A～Y）も必ず記入のこと

No.	借方			貸方		
	記号	勘定科目	金額	記号	勘定科目	金額
(例)	B	当座預金	100000	A	現金	100000
(1)						
(2)						
(3)						
(4)						
(5)						

【第24回―問題は本文2-6ページ，解答・解説は本文2-40ページ】

仕　訳　記号（A～Z）も必ず記入のこと

No.	借　方			貸　方		
	記号	勘定科目	金額	記号	勘定科目	金額
(例)	B	当座預金	100000	A	現　金	100000
(1)						
(2)						
(3)						
(4)						
(5)						

【第26回―問題は本文2-7ページ，解答・解説は本文2-41ページ】

仕　訳　記号（A～X）も必ず記入のこと

No.	借方			貸方		
	記号	勘定科目	金額	記号	勘定科目	金額
(例)	B	当座預金	100000	A	現金	100000
(1)						
(2)						
(3)						
(4)						
(5)						

【第27回―問題は本文2-8ページ，解答・解説は本文2-42ページ】

仕　訳　記号（A～X）も必ず記入のこと

No.	借方			貸方		
	記号	勘定科目	金額	記号	勘定科目	金額
(例)	B	当座預金	100000	A	現金	100000
(1)						
(2)						
(3)						
(4)						
(5)						

【第29回―問題は本文2-9ページ，解答・解説は本文2-43ページ】

仕　訳　記号（A～X）も必ず記入のこと

No.	借方			貸方		
	記号	勘定科目	金額	記号	勘定科目	金額
(例)	B	当座預金	100000	A	現金	100000
(1)						
(2)						
(3)						
(4)						
(5)						

第2問対策・解答用紙

【第25回—問題は本文2-13ページ，解答・解説は本文2-44ページ】

(1)　¥

(2)　¥

(3)　¥

(4)　¥

【第27回—問題は本文2-14ページ，解答・解説は本文2-45ページ】

(1)　¥

(2)　¥

(3)　¥

(4)　¥

【第28回—問題は本文2-15ページ，解答・解説は本文2-47ページ】

(1)　¥

(2)　年

(3)　¥

(4)　¥

【第29回—問題は本文2-16ページ，解答・解説は本文2-48ページ】

(1)　¥

(2)　¥

(3)　¥

(4)　¥

第３問対策・解答用紙

【第24回―問題は本文2-19ページ，解答・解説は本文2-50ページ】

部門費配分表 （単位：円）

費　目	合計金額	A 部 門	B 部 門	C 部 門	D 部 門
部門個別費					
（細目省略）					
個別費計	667400	289300	153000	128600	96500
部門共通費					
労務管理費	116400				
建物関係費	258000				
電　力　費	186400				
福利厚生費	82000				
共通費計	642800				
部門費合計	1310200				

【第25回─問題は本文2-19ページ，解答・解説は本文2-52ページ】

部門費振替表

（単位：円）

摘　要	合　　計	第１工事部	第２工事部	第３工事部	（　　　　）	（　　　　）
部門費合計						
（　　　　）						
（　　　　）						
合　計						

【第28回―問題は本文2-20ページ，解答・解説は本文2-53ページ】

問1　¥

問2　¥

問3　¥　　記号（AまたはB）

【第29回―問題は本文2-21ページ，解答・解説は本文2-54ページ】

問1　¥

問2　¥

問3　¥　　記号（AまたはB）

第4問対策・解答用紙

【第27回—問題は本文2-25ページ，解答・解説は本文2-55ページ】

問1　記号（A～C）

1	2	3	4

問2

部門費振替表

（単位：円）

摘　要	合　計	第1工事部	第2工事部	第3工事部	機械部門	仮設部門	材料管理部門
部門費合計							
機械部門費							
仮設部門費		14000					
材料管理部門費							
合　計				1268700			

【第28回―問題は本文2-26ページ，解答・解説は本文2-57ページ】

問１　記号（A～E）

1	2	3	4

問２

工事別原価計算表　（単位：円）

摘要	No.100	No.110	No.200	計
月初未成工事原価			—	
当月発生工事原価				
材料費				
労務費				
外注費				
経費				
工事間接費				
当月完成工事原価		—		
月末未成工事原価	—		—	

工事間接費配賦差異月末残高　¥　　記号（AまたはB）

【第29回―問題は本文2-28ページ，解答・解説は本文2-60ページ】

問１　記号（A～E）

1	2	3	4

問２

1.

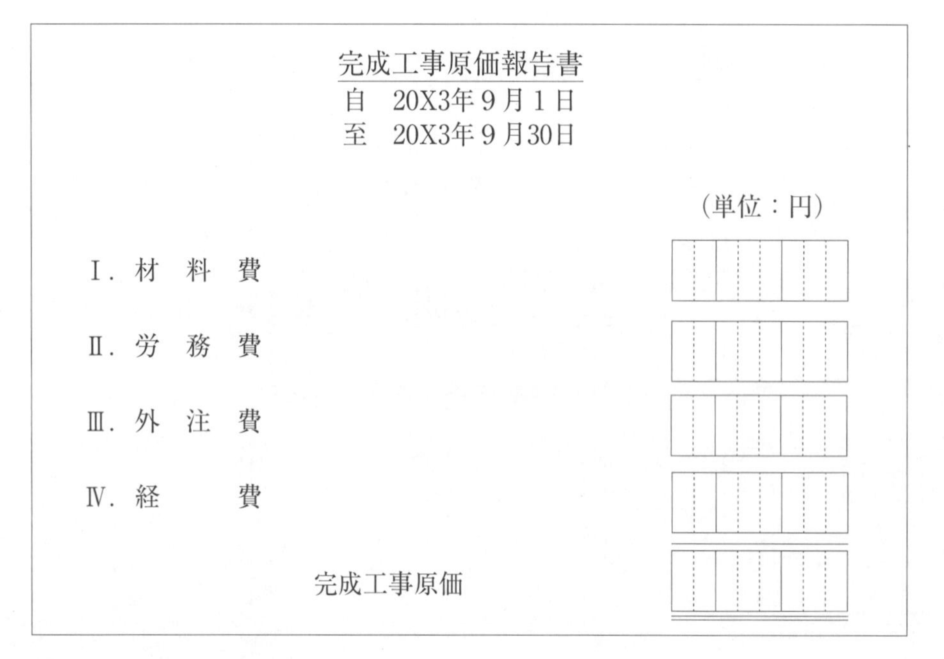

完成工事原価報告書
自　20X3年９月１日
至　20X3年９月30日

（単位：円）

Ⅰ．材　料　費

Ⅱ．労　務　費

Ⅲ．外　注　費

Ⅳ．経　　　費

完成工事原価

2.　¥

3.　現場共通費配賦差異月末残高　¥　　記号（AまたはB）

第５問対策・解答用紙

【第27回―問題は本文2-33ページ，解答・解説は本文2-63ページ】

精　算　表

(単位：円)

勘定科目	残高試算表		整理記入		損益計算書		貸借対照表	
	借方	貸方	借方	貸方	借方	貸方	借方	貸方
現金	33200							
当座預金	162000							
受取手形	459000							
完成工事未収入金	1572000							
貸倒引当金		28000						
未成工事支出金	8300							
材料貯蔵品	24000							
仮払金	41000							
建物	456000							
建物減価償却累計額		240000						
機械装置	60000							
支払手形		155000						
工事未払金		365400						
借入金		260000						
未払金		55000						
未成工事受入金		118000						
仮受金		23000						
完成工事補償引当金		6500						
退職給付引当金		450000						
資本金		600000						
繰越利益剰余金		230000						
完成工事高		5380000						
完成工事原価	4805000							
販売費及び一般管理費	269000							
受取利息配当金		7100						
支払利息	28500							
	7918000	7918000						
通信費								
旅費交通費								
建物減価償却費								
機械装置減価償却累計額								
貸倒引当金繰入額								
退職給付引当金繰入額								
未払法人税等								
法人税，住民税及び事業税								
当期（　　）								

【第28回—問題は本文2-34ページ，解答・解説は本文2-66ページ】

問題は本文2-34ページ，解答・解説は本文2-66ページ

精　算　表

(単位：円)

勘定科目	残高試算表		整理記入		損益計算書		貸借対照表	
	借方	貸方	借方	貸方	借方	貸方	借方	貸方
現金	52000							
当座預金	375000							
受取手形	198000							
完成工事未収入金	508000							
貸倒引当金		7000						
未成工事支出金	78000							
材料貯蔵品	15000							
仮払金	34000							
機械装置	360000							
機械装置減価償却累計額		60000						
備品	36000							
備品減価償却累計額		12000						
支払手形		85000						
工事未払金		105000						
借入金		160000						
未払金		61000						
未成工事受入金		110000						
仮受金		10000						
完成工事補償引当金		7000						
退職給付引当金		158000						
資本金		500000						
繰越利益剰余金		155600						
完成工事高		3800000						
完成工事原価	2582000							
販売費及び一般管理費	972000							
受取利息配当金		6500						
支払利息	27100							
	5237100	5237100						
事務用品費								
雑損失								
前払費用								
備品減価償却費								
貸倒引当金繰入額								
退職給付引当金繰入額								
未払法人税等								
法人税，住民税及び事業税								
当期（　　）								

【第29回―問題は本文2-35ページ，解答・解説は本文2-70ページ】

精　算　表

（単位：円）

勘定科目	残高試算表		整理記入		損益計算書		貸借対照表	
	借方	貸方	借方	貸方	借方	貸方	借方	貸方
見　金	106400							
当座預金	234000							
受取手形	68000							
成工事未収入金	721000							
貸倒引当金		8400						
未成工事支出金	84500							
才料貯蔵品	7500							
反　払　金	38500							
機械装置	250000							
械装置減価償却累計額		150000						
備　品	32000							
品減価償却累計額		14000						
支払手形		85000						
工事未払金		115000						
昔　入　金		150000						
未　払　金		61000						
未成工事受入金		141000						
反　受　金		24000						
成工事補償引当金		22000						
職給付引当金		321000						
資　本　金		100000						
越利益剰余金		150480						
完成工事高		9800000						
完成工事原価	8594000							
売費及び一般管理費	975000							
受取利息配当金		7400						
支払利息	38380							
	11149280	11149280						
旅費交通費								
備品減価償却費								
貸倒引当金繰入額								
職給付引当金繰入額								
未払法人税等								
人税，住民税及び事業税								
当期（　　）								

解答用紙（建設業経理士 第32回）

【問題は本文3−2ページ，解答・解説は本文3−26ページ】

〔第１問〕

仕訳　記号（A〜X）も必ず記入のこと

No.	借方			貸方		
	記号	勘定科目	金額	記号	勘定科目	金額
(例)	B	当座預金	100000	A	現金	100000
(1)						
(2)						
(3)						
(4)						
(5)						

〔第２問〕

(1)　¥ 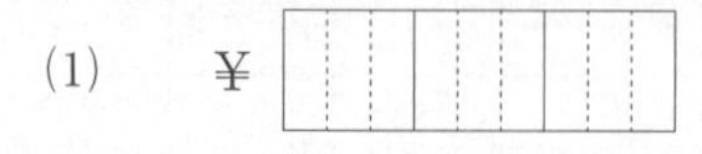

(2)　¥ 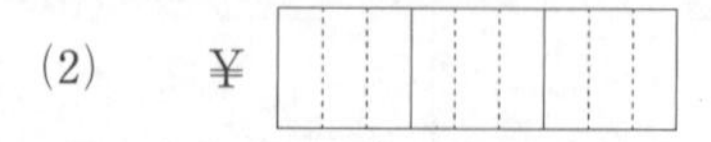

(3)　¥ 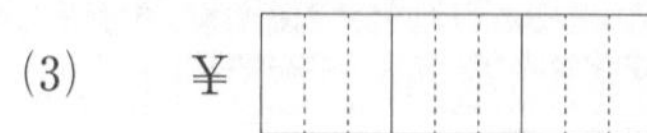

(4)　¥

〔第3問〕

問1　　¥

問2　　¥

問3　　¥ 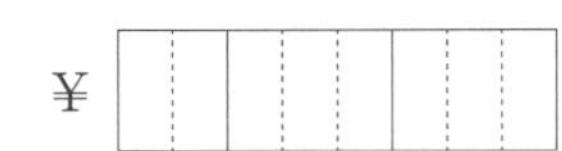　　記号（AまたはB）

〔第4問〕

問1　記号（A～G）

1	2	3	4

問2

完成工事原価報告書
自　20X2年9月1日
至　20X2年9月30日

（単位：円）

Ⅰ．材　料　費

Ⅱ．労　務　費 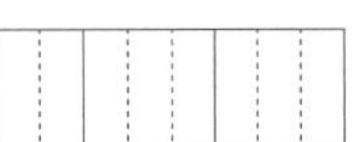

Ⅲ．外　注　費 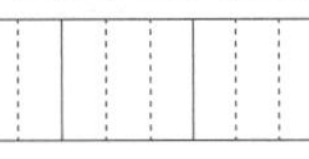

Ⅳ．経　　　費 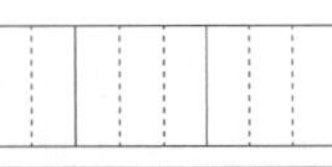

完成工事原価

工事間接費配賦差異月末残高　　　　円　　記号（AまたはB）

〔第5問〕

精　算　表

（単位：円）

勘定科目	残高試算表		整理記入		損益計算書		貸借対照表	
	借方	貸方	借方	貸方	借方	貸方	借方	貸方
現金	23500							
当座預金	152900							
受取手形	255000							
完成工事未収入金	457000							
貸倒引当金		8000						
未成工事支出金	151900							
材料貯蔵品	3300							
仮払金	32600							
機械装置	250000							
機械装置減価償却累計額		150000						
備品	60000							
備品減価償却累計額		20000						
建設仮勘定	48000							
支払手形		32500						
工事未払金		95000						
借入金		196000						
未払金		48100						
未成工事受入金		233000						
仮受金		12000						
完成工事補償引当金		19000						
退職給付引当金		187000						
資本金		100000						
繰越利益剰余金		117320						
完成工事高		9583000						
完成工事原価	7566000							
販売費及び一般管理費	1782000							
受取利息配当金		17280						
支払利息	36000							
	10818200	10818200						
雑損失								
前払費用								
備品減価償却費								
建物								
建物減価償却費								
建物減価償却累計額								
貸倒引当金繰入額								
賞与引当金繰入額								
賞与引当金								
退職給付引当金繰入額								
未払法人税等								
法人税、住民税及び事業税								
当期（　　）								

解答用紙（建設業経理士　第33回）

【問題は本文3－8ページ，解答・解説は本文3－38ページ】

〔第１問〕

仕訳　記号（A～X）も必ず記入のこと

No.	借方			貸方		
	記号	勘定科目	金額	記号	勘定科目	金額
(例)	B	当座預金	100000	A	現金	100000
(1)						
(2)						
(3)						
(4)						
(5)						

〔第２問〕

(1)　¥

(2)　¥

(3)　　年

(4)　¥

〔第３問〕

部門費振替表 （単位：円）

摘　要	合　計	施工部門			補助部門		
		工事第１部	工事第２部	工事第３部	（　　）部門	（　　）部門	（　　）部門
部門費合計							
（　　　　）部門							—
（　　　　）部門							—
（　　　　）部門						—	—
合　　計					—	—	—
（配賦金額）	—				—	—	—

〔第４問〕

問１　記号（A～C）

1	2	3	4	5

問２

工事別原価計算表 （単位：円）

摘　要	No.501	No.502	No.601	No.602	計
月初未成工事原価			—	—	
当月発生工事原価					
材　料　費					
労　務　費					
外　注　費					
直 接 経 費					
工 事 間 接 費					
当月完成工事原価		—		—	
月末未成工事原価	—		—		

工事間接費配賦差異月末残高　　　　円　　記号（AまたはB）

〔第５問〕

精　算　表

（単位：円）

勘定科目	残高試算表		整理記入		損益計算書		貸借対照表	
	借方	貸方	借方	貸方	借方	貸方	借方	貸方
現金	19800							
当座預金	214500							
受取手形	112000							
完成工事未収入金	565000							
貸倒引当金		7800						
有価証券	171000							
未成工事支出金	213500							
材料貯蔵品	2800							
仮払金	28000							
機械装置	300000							
機械装置減価償却累計額		162000						
備品	90000							
備品減価償却累計額		30000						
支払手形		43200						
工事未払金		102500						
借入金		238000						
未払金		124000						
未成工事受入金		89000						
仮受金		28000						
完成工事補償引当金		24100						
退職給付引当金		113900						
資本金		100000						
繰越利益剰余金		185560						
完成工事高		12300000						
完成工事原価	10670800							
販売費及び一般管理費	1167000							
受取利息配当金		23400						
支払利息	17060							
	13571460	13571460						
事務用消耗品費								
旅費交通費								
雑損失								
備品減価償却費								
有価証券評価損								
貸倒引当金繰入額								
退職給付引当金繰入額								
未払法人税等								
法人税、住民税及び事業税								
当期（　　）								

解答用紙（建設業経理士 第34回）

【問題は本文3－14ページ，解答・解説は本文3－49ページ】

〔第1問〕

仕訳 記号（A～X）も必ず記入のこと

No.	借方			貸方		
	記号	勘定科目	金額	記号	勘定科目	金額
(例)	B	当座預金	100000	A	現金	100000
(1)						
(2)						
(3)						
(4)						
(5)						

〔第2問〕

(1) ¥ 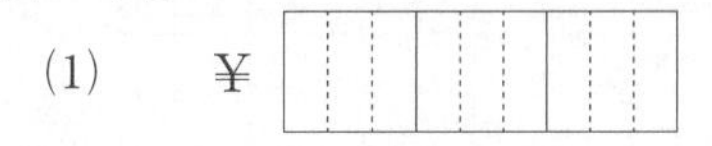

(2) ¥ 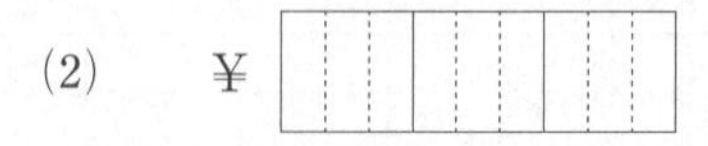

(3) ¥ 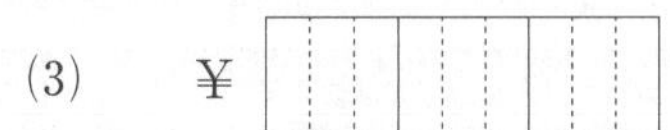

(4) ¥

〔第３問〕

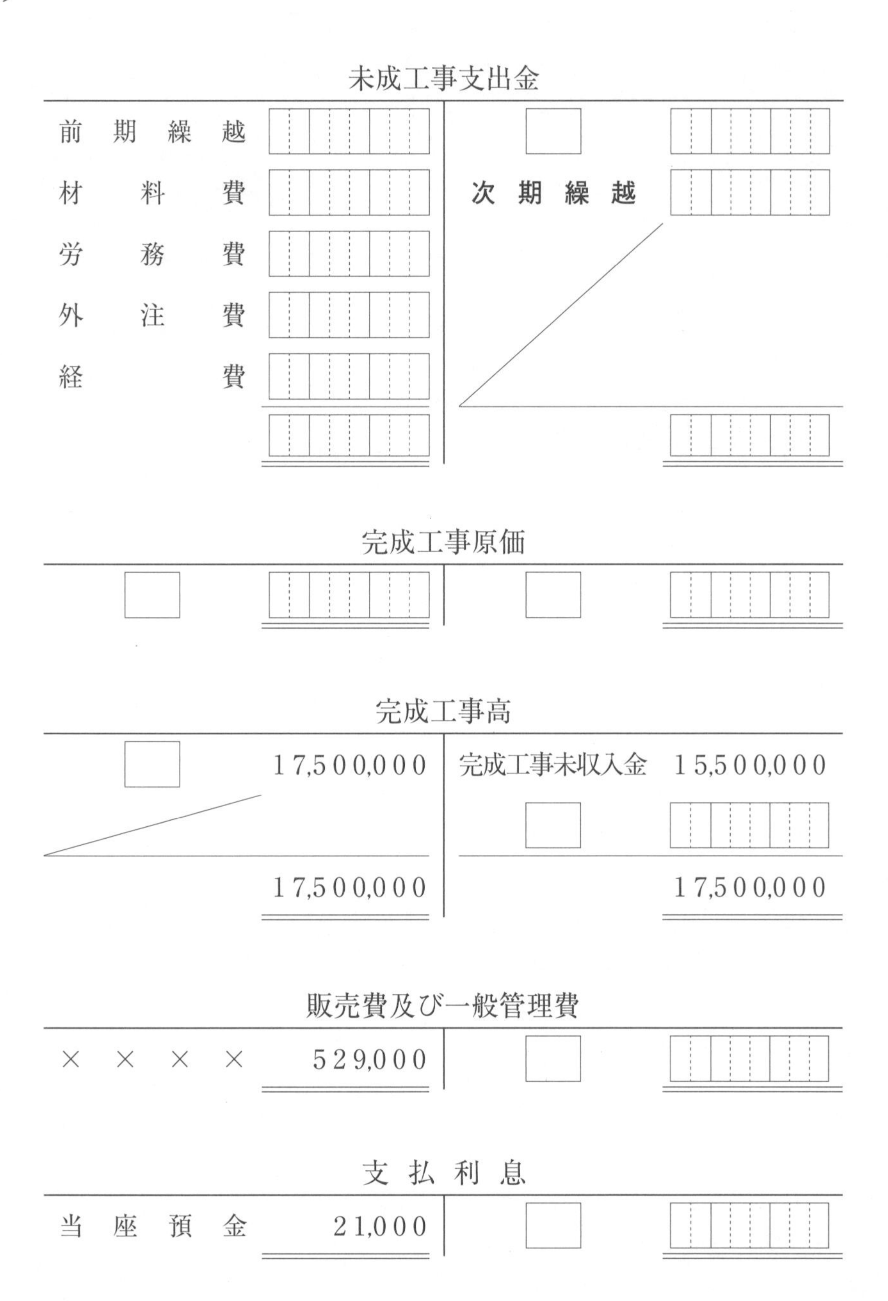

未成工事支出金

前期繰越			
材料費		次期繰越	
労務費			
外注費			
経費			

完成工事原価

完成工事高

	17,500,000	完成工事未収入金	15,500,000
	17,500,000		17,500,000

販売費及び一般管理費

××××	529,000		

支払利息

当座預金	21,000		

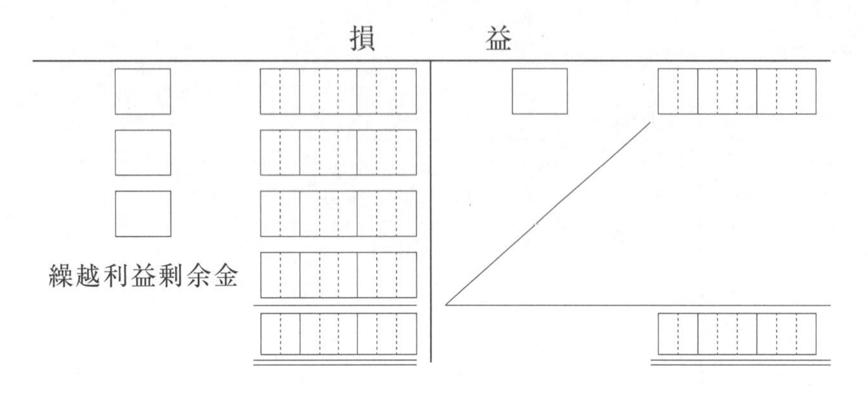

完成工事原価報告書
自　20X1年４月１日
至　20X2年３月31日

（単位：円）

Ⅰ．材　料　費	
Ⅱ．労　務　費	
Ⅲ．外　注　費	
Ⅳ．経　　　費	
（うち人件費　　　）	
完成工事原価	

〔第４問〕

問１　　記号（ＡまたはＢ）

1	2	3	4	5

問２

部門費振替表

（単位：円）

摘　要	工事現場			補助部門		
	A工事	B工事	C工事	仮設部門	車両部門	機械部門
部門費合計	8,530,000	4,290,000	2,640,000			
仮設部門費	336,000	924,000	420,000			
車両部門費		600,000				
機械部門費			240,000			
補助部門費配賦額合計						
工事原価						

〔第5問〕

精　算　表

(単位：円)

勘定科目	残高試算表		整理記入		損益計算書		貸借対照表	
	借方	貸方	借方	貸方	借方	貸方	借方	貸方
現金	17500							
当座預金	283000							
受取手形	54000							
完成工事未収入金	497500							
貸倒引当金		6800						
未成工事支出金	212000							
材料貯蔵品	2800							
仮払金	28000							
機械装置	500000							
機械装置減価償却累計額		122000						
備品	45000							
備品減価償却累計額		15000						
建設仮勘定	36000							
支払手形		72200						
工事未払金		122500						
借入金		318000						
未払金		129000						
未成工事受入金		65000						
仮受金		25000						
完成工事補償引当金		33800						
退職給付引当金		182600						
資本金		100000						
繰越利益剰余金		156090						
完成工事高		15200000						
完成工事原価	13429000							
販売費及び一般管理費	1449000							
受取利息配当金		25410						
支払利息	19600							
	16573400	16573400						
通信費								
雑損失								
備品減価償却費								
建物								
建物減価償却費								
建物減価償却累計額								
貸倒引当金戻入								
退職給付引当金繰入額								
未払法人税等								
法人税、住民税及び事業税								
当期（　　）								

解答用紙（建設業経理士　第35回）

【問題は本文3−19ページ，解答・解説は本文3−59ページ】

【問題は本文3−19ページ，解答・解説は本文3−59ページ】

〔第1問〕

仕訳　記号（A～Y）も必ず記入のこと

No.	借方			貸方		
	記号	勘定科目	金額	記号	勘定科目	金額
(例)	B	当座預金	100000	A	現金	100000
(1)						
(2)						
(3)						
(4)						
(5)						

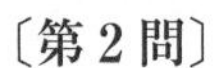

〔第2問〕

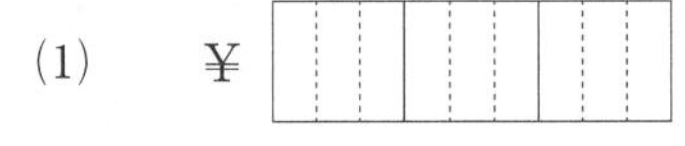

(1)　¥

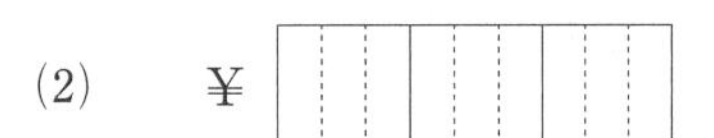

(2)　¥

(3)　¥

(4)　　年

〔第３問〕

問１　　¥ ＿＿＿＿

問２　　¥ ＿＿＿＿

問３　　¥ ＿＿＿＿　　記号（ＡまたはＢ）＿＿

〔第４問〕

問１

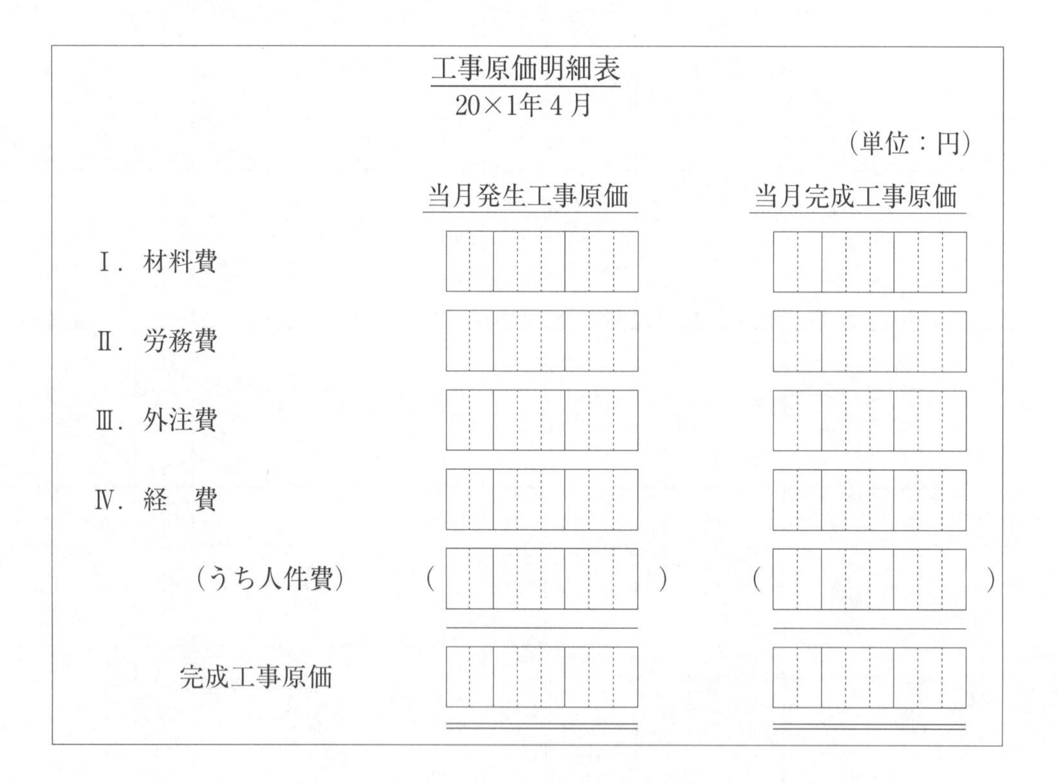

工事原価明細表

20×1年４月

（単位：円）

	当月発生工事原価	当月完成工事原価
Ⅰ．材料費		
Ⅱ．労務費		
Ⅲ．外注費		
Ⅳ．経　費		
（うち人件費）	（　　）	（　　）
完成工事原価		

問２　記号（Ａ～Ｄ）

1	2	3	4

〔第5問〕

精算表

（単位：円）

勘定科目	残高試算表		整理記入		損益計算書		貸借対照表	
	借方	貸方	借方	貸方	借方	貸方	借方	貸方
現金	51500							
当座預金	263000							
受取手形	25000							
完成工事未収入金	376000							
貸倒引当金		4200						
未成工事支出金	186500							
材料貯蔵品	1800							
仮払金	32000							
機械装置	600000							
機械装置減価償却累計額		236000						
備品	120000							
備品減価償却累計額		25000						
支払手形		58900						
工事未払金		184500						
借入金		143000						
未払金		163000						
未成工事受入金		72000						
仮受金		19000						
完成工事補償引当金		46500						
退職給付引当金		119000						
資本金		100000						
繰越利益剰余金		123160						
完成工事高		23580000						
完成工事原価	20534000							
販売費及び一般管理費	2690000							
受取利息配当金		30960						
支払利息	25420							
	24905220	24905220						
旅費交通費								
備品減価償却費								
貸倒引当金繰入額								
退職給付引当金繰入額								
前払費用								
未払法人税等								
法人税、住民税及び事業税								
当期（　　）								

コラム 強者は守れ！ 弱者は攻めろ！

「自分は弱者なのか強者なのか」

この問いかけを試験前に行っておかなければならない。

それによって試験に対する戦術が違ってくるのだから。

自分が合格に十分の実力のある強者なら，慎重に慎重に，精密機械のごとく慎重に，さらに少し鈍重なくらいのペースにして，1点1点を確実に積み重ねていくことが必要になる。

決して冒険などしてはいけない。どちらか迷ったときも失点の少ない方を選択しなければならない。

これが強者の戦術。

これに対して弱者はどうすべきか。

自分が弱者なら，一発逆転を狙わなければいけない。大胆に派手に，問題を攻めて攻めて仮説をたて，大きな点を取りにいく。

決して安全策を取ってはいけない。どちらか迷ったときにも勝負に出る。

これが弱者の戦略。

強者が弱者の戦略を取ってしまって落ちるのを，私は「自滅」と呼んでいる。

そしてけっこうな人数が毎回の試験で自滅する。

そこに弱者が付け入る隙ができる。

弱者が，正しく弱者の戦略を取り，少しの幸運が手伝うと，そこで合格できる。

弱者だからといって合格できないほど，試験というのは律儀なやつじゃない。

でも，もちろん皆さんには強者の戦術が取れるようにがんばってほしいが。

Memorandum Sheet

· · · · · · · Memorandum Sheet · · · · · · ·

ネットスクール出版